新版

# 森と魚と激戦地

はじめて明かされる
太平洋の住民たちの受難と抵抗

清水靖子

三省堂書店／創英社

**原生林の川べりの夕暮**
(ニューブリテン島ウボル村)

**原生林の水の秘境**
(ニューブリテン島マラクル村のワラ・カラップの滝)

**サイチョウと子ども**
（ニューブリテン島
ウボル村）

**木の上に棲む
クスクス**
（パプアニューギニア本島
のコリンウッド湾）

コカトゥと少女
（ニューブリテン島ウボル村）

笹の葉っぱで作った風車で遊ぶ子どもたち
（ニューブリテン島マラクル村）

路上マーケットに並ぶ環礁の小魚
（ソロモン諸島ギゾ島）

トリバネアゲハが大好きな
浜辺の樹の実
（ニューブリテン島ウボル村）

ニューブリテン島独自の文様の
トリバネアゲハ

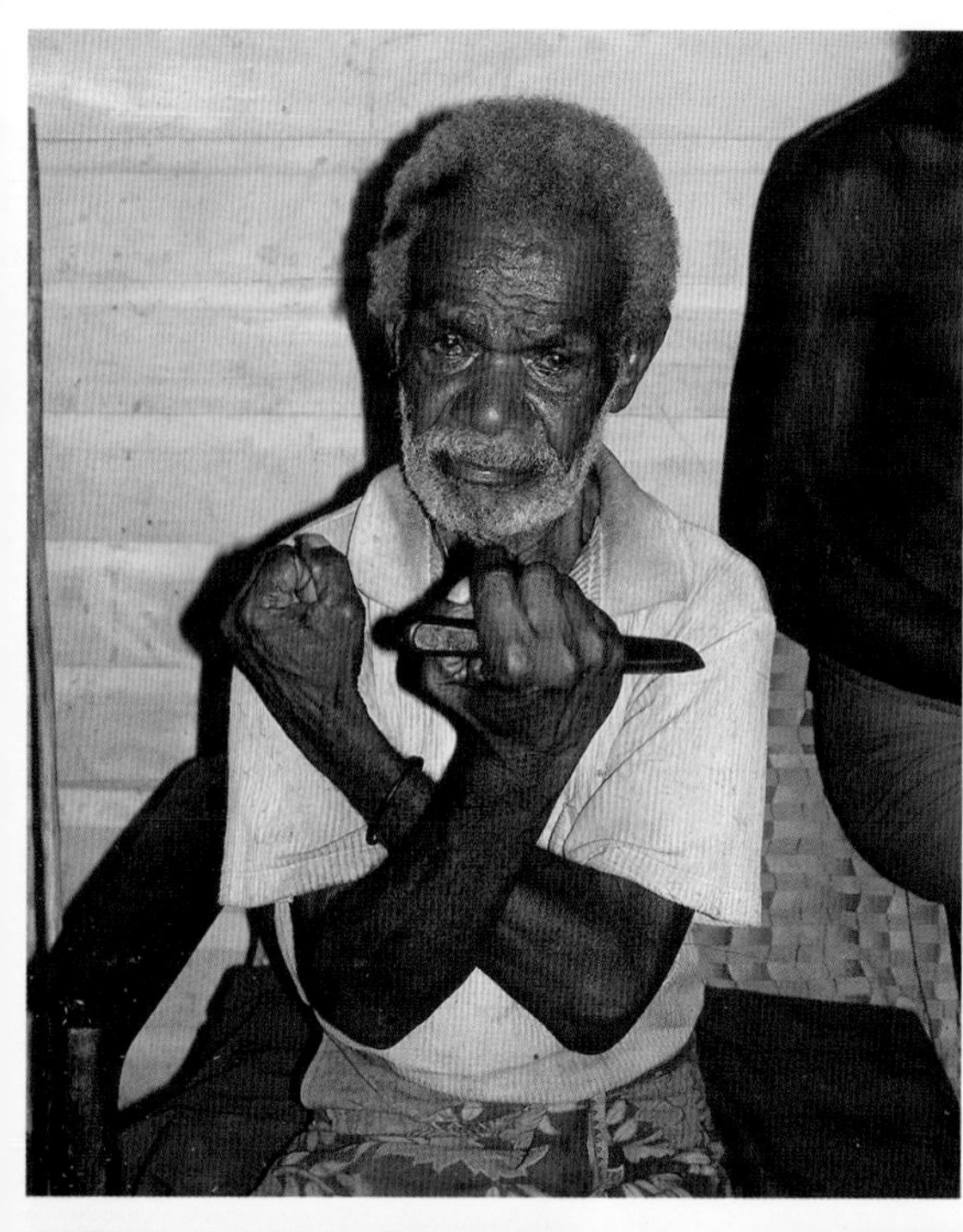

「４人の日本兵が刀で後ろと左右から住民の首を斬った」
ワイド湾ズンゲンでの住民虐殺の恐怖を語るルドイック・タイプケンさん

ラバウルに残された日本軍の戦車（右）とラバウルの火山の噴火で灰に埋もれた場所から道路工事の際に出てきた日本軍の砲弾（左）（1994年）

ラバウルの「慰安所」で強制労働させられた
パトリック・マベブさん

カン・ドッキョン（姜徳景）さんが描く「ラバウルの慰安所」
（「ナヌムの家」からの許可を得て掲載）

ブルマ港にある日商岩井のステティンベイ・ランバー本社敷地を上空から撮影
丸太積み出し埠頭（上部）、内陸に製材所と防虫処理場（左手下方）、マタネコ集落（左手上の木々のあるところ）が見える

「ユーカリ植林」は天然林のジェノサイド
ユーカリ植林は天然林を皆伐・焼却して行われる
（日商岩井のユーカリ植林現場、1992年）

山を削り、クリークを壊し、崖を崩壊させ、丸太を引き出す日商岩井の伐採現場

集積場に並ぶ巨大な丸太

侵入してきた戦車のようなコマツの「ブルドーザー軍」（1993年）

伐採企業と闘いコリンウッド湾の原生林を守ってきた村々のひとつシナパ村(ウイアク村の隣村)の人々(パプアニューギニア本島コリンウッド湾、2009年)

クリスマスに伐採企業を追い出したレオナ村の女たち
奥地にテントを張って寝泊まりして原生林を守り抜いた
(ソロモン諸島ベララベラ島、2009年)

◉目次◉

## 第2章
## ラバウル恐怖の軍政と「日本皇軍慰安所」《パプアニューギニア》……63
### 憲兵と女たち自身が語る

## 第3章 星降る夜の深い苦しみ

## 第4章 激戦地の海をカヌーで渡った少年の話



## 第5章 生命の蛍が舞う飛行場の不思議

## 第6章 赤い鳥ククユンジューの森

### クリスマスに伐採企業を追い出した女たちの物語

《ソロモン諸島ベララベラ島》……………179



## 第7章 第４艦隊海軍病院における生体実験ほか

## 第4艦隊海軍病院での生体実験と生体解剖

第8章 子どもたちから水源郷を奪った伐採企業
日系三大伐採企業の時代～

## 第9章 地球最後の原生林の村からの癒やしのメッセージ

## 第10章 女たちの受難と抵抗

## 第13章 樹から魚が湧き出てくる――樹を伐ったら洪水になった

カバー絵：マーガレット・リーチ Margaret Leach
写真：清水靖子（提供者を明記した写真を除く）
装丁、地図・図版、編集：荒川俊児

# まえがき

## 語られなかった太平洋の島々の
## 住民の側からの太平洋戦争。
## そして、その森と魚のお話。

この本の舞台はすべて太平洋とその島々である。

戦後77年の歳月が流れた。この間、太平洋戦争について日本側から、あるいは日本軍元兵士たちによって書かれた出版物はあふれるように書店に並ぶ。激戦地ラバウル、ガダルカナル島、グアム島、サイパン島などなど。

でも、激戦地にさせられた太平洋の島々の住民の側からの話を記録した本はほとんどない。本書は、その小さな島々の住民の話を綴(つづ)ったものである。

踏み込まれた村々の住民が何を見、何を経験したか、そしてどのような傷や痛みを負いながら生きてきたのか。今はどのように暮らしているのか。

ラバウル、ニューブリテン島、ガダルカナル島、ニュージョージア島、トラック諸島、グアム島、サイパン島、その他の多くの島々で聞きとりをした。

すでに老人になっている人々によってしっかりと語られた話。その娘や息子たちが「家族の誰にも語らなかった」「家族以外に話すのは、あなたがはじめてです」として、涙ながらにわかちあってくださった驚くべき内容の数々……。小さいけれど、とてつもない重いメッセージをもつ、それらの出来事を紹介していくことにする。

鞭打たれ、牢に入れられ、殺され、餓え渇き、戦火を逃げ惑った人々。日本軍に拉致され、犯された女たち。それを阻止することができなかった周囲の人々の苦しみ。

ラバウルを占領した日本軍よる恐怖の支配、軍医による毒薬注射の話。ラバウルの「慰安所」群を管理していた憲兵隊自らの話。「慰安所」の女たちの実態と、その世話係にさせられた少年たちの話。「米軍の攻撃で沈没する輸送船とともに海の藻屑と消えていった「慰安所」の女たちと、奇跡的に生き延びた元「慰安婦」が語ってくださったこと。

ガダルカナル島の戦火の海を、負傷兵を乗せてカヌーで渡った少年の話。ニューギニア本島のセピック河畔でのティンブンケ村民１００人への集団虐殺事件。

海軍による生体実験と、駆逐艦「秋風」船上での民間人62人への集団処刑命令。戦後戦犯裁判の闇取り引き。責任を他者に転嫁して裁判を逃れた海軍上層部の姿……。

日本は、その侵略への謝罪も戦後補償も行わないままに、戦後はその岸辺にブルドーザーを進め、太古からの原生林を破壊し、巨大な丸太を満載して日本に運び出してきた。丸太輸出の価格移転操作などの不正な方法で利益を貪ってきた日本の伐採企業と商社群。私たちはその熱帯材の消費大国でありつづけている。

かつて巨大艦船が群れをなして進出した海に、今度は巨大延縄漁船や巻き網漁船が進出、マグロ・カツオを日本に運びつづけている。水平線を覆う漁船群団として……。

小さな島々の村人たちが、その大きな流れに、どのように抵抗してきたか。ブルドーザーの前に横たわって、伐採企業を追い出した女たち。小さなカヌーで、漁船や伐採機材を積んだ船を追い出した子どもと若者たち。傷ついても抵抗をやめなかった老人たち。そして暗殺予告にも屈しなかった多くの勇気ある人々がいた。

日本の放射性廃棄物海洋投棄計画に抵抗して、その計画を中止にまで追い込んだミクロネシアの人々の抵抗の過程と、日本の政治家の欺瞞の姿も加えて記した。

戦争と「開発」、「ODA援助」というものが、島々の生態系と暮らしを崩壊させ、変貌させてきた実態。「植林」という名のもとで進む環境破壊や、温暖化対策キャンペーンの欺瞞の実態も、現地での検証と調査をもとにしっかりと記した。

本書を読み進むにつれ読者は、胸が苦しくなるような話と、または感動して胸がいっぱいになる出来事の交差する場面に、多々出会われるであろう。

太古からの輝く原生林の水源郷では、子どもたちは走り回り、女たちは水辺での井戸端会議を開き、夕べとなれば蛍の点滅が水辺で始まり、光りながら泳ぐ魚の群れと天空を覆う涙のような星のしずくが、村々の夜を包む。生きものと村人との太古からの交わり……。この本では、原生林の村々からの息を呑むような感動のメッセージを読者にお届けする。

一方で、見聞したことへの裏づけをとるべく、熱帯雨林を守る現地の法律家グループとの連携を大切にし、貴重な記録と情報をいただいた。日本の企業や現地政府からの聞きとりも同時に行い検証にあたった。それらを本文の補足と脚注（参考資料）に織り込んだ。これらの裏づけを通して、読者が真相の深みを読みとることができるようにした。

筆者は１９８０年から１９８６年までグアムとサイパンに住み、１９９０年からパプアニューギニアとソロモン諸島への往復を中心に島々との交流を重ねてきた。

１９９７年には、『森と魚と激戦地』の初版を北斗出版から発行し、第2刷にまでなった。その後の25年を経て、今回は三省堂書店から、新しい内容をたっぷり盛り込んだ『新版 森と魚と激戦地』を発行することになった。全国の図書館にも置いていただいたこの『森と魚と激戦地』の題はそのまま残しているが、内容は現在までの現地側の大きな変貌と、統計データのアップデートも加えた、まったく新しいものとなっている。

地球の片隅にこんな出来事があったのか？　歴史の暗闇に、箝口令のままに、大本営の発表の陰に埋もれさせたままにしてはならない真相を、再び繰り返してはならない道を、非業の死をとげた者の叫びを、森と海からの叫びにあわせて綴った。その叫びが日本の多くの読者と後世の人々に届くことを心から願っています。

清水靖子

（注）

国名・地名の表記について：国名については基本的に現在の国名を使っている。たとえば本書では「パプアニューギニア」と記したが、独立前は「ニューギニア」と「パプア」に分かれていた。日本軍は「東部ニューギニア」とも呼んでいた。地名についてはインタビューや当時の文献・資料の表記を優先し、カッコ内に現在の呼称などを併記した。

「樹」と「木」、「河」と「川」について：太古からの原生林のものを「樹」、2次林や植林木または樹に成長していない幼いものを「木」とした。大河については「河」、それ以外の川幅や長さが短いものを「川」と使い分けた。

## 「内南洋」「外南洋」の資源と大日本帝国の南進

□内は、主に南洋興発、南興水産、南洋貿易、南洋拓殖などによって運ばれた資源および事業（1940年当時）
「　」〔　〕内は、日本（軍）による名称と占領年月日

英領＝イギリス領
豪領＝オーストラリア領
米領＝アメリカ領
仏領＝フランス領
蘭領＝オランダ領
葡領＝ポルトガル領
NZ＝ニュージーランド

小笠原
硫黄島
ミッドウェイ（米領）
「内南洋」
マリアナ諸島
パガン
マグロ、カツオ
サイパン
テニアン
ロタ
南洋群島
1914年日本占領
1920年～日本の委任統治領
ウェーク（米領）
〔日本軍占領1941.12～〕
「中部太平洋方面」
マーシャル諸島
アム（米領）
本軍1941.12.10～〕
ブラウン（エニウェトク）
トラック（現チューック）
〔日本軍連合艦隊基地〕
ポナペ（現ポンペイ）
クェゼリン（クワジェリン）
カツオ
べっ甲
コプラ
クサイ（現コスラエ）
ヤルート
ミレ（ミリ）
鉱石
鉱石
マグロ
カツオ
カツオ節
べっ甲
コプラ
東カロリン諸島
マグロ
カツオ節
高瀬貝
キャッサバ酒
でんぷん
コプラ
コプラ
キャッサバ酒
マキン
タラワ
〔日本軍占領
1941.12.10～〕
ギルバート諸島（現キリバス）（英領）
「外南洋」
ニューギニア（豪委任統治領）
ラバウル
〔日本軍南東方面
前進基地1942.1.23～〕
ナウル
（豪英NZ委任統治領）
〔日本軍占領1942.8～〕
オーシャン（現キリバス）（英領）
ニア島
ニューブリテン島
ソロモン諸島（英領）
エリス諸島（現ツバル）（英領）
トモレスビー
パプア（豪領）
「南東方面」
ガダルカナル島
〔日本軍航空前進基地
1942.7～〕
フィジー（英領）
ニューヘブリデス（現バヌアツ）（英仏領）
ニューカレドニア（仏領）
ニッケル鉱石（住友系）

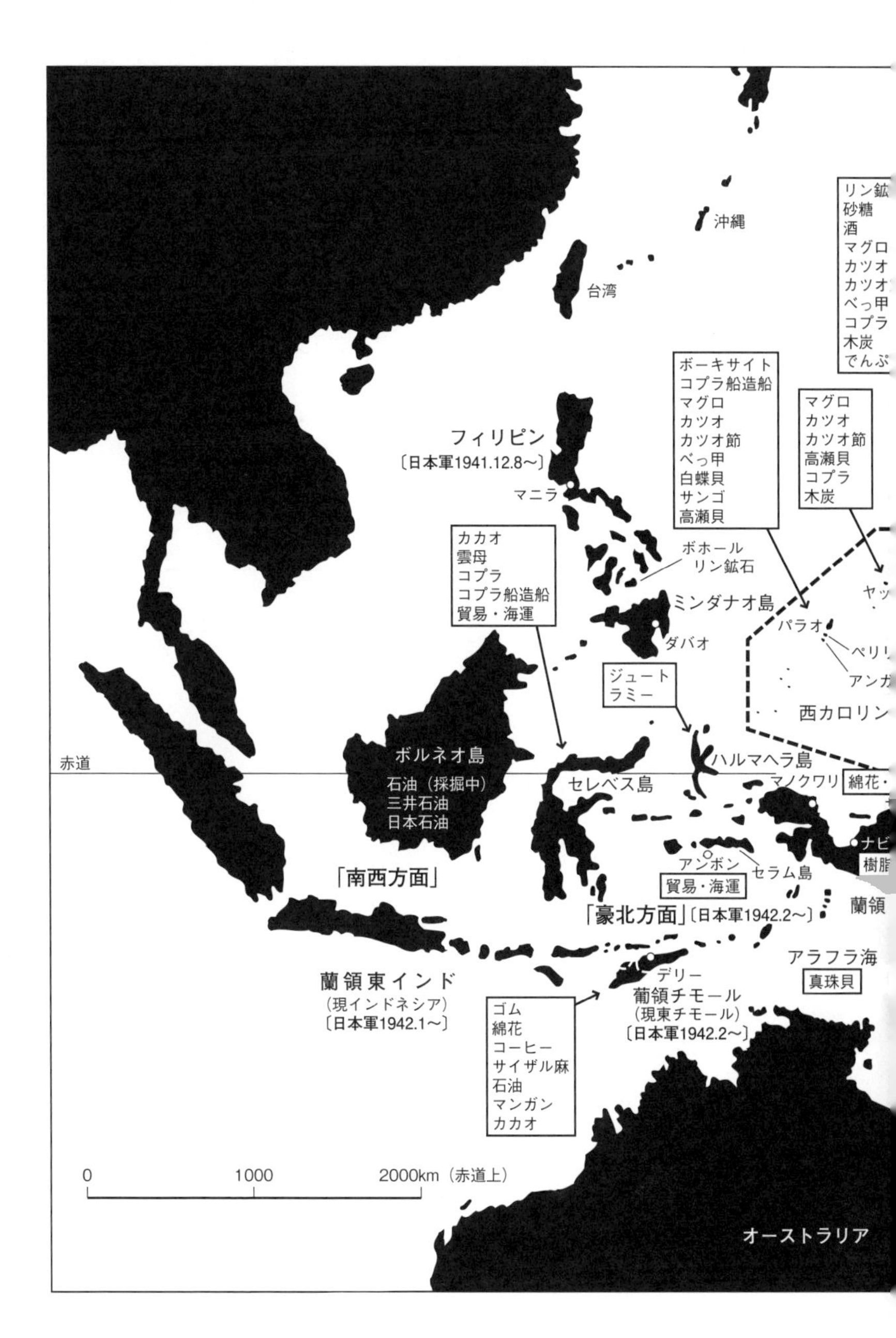
沖縄
台湾
フィリピン
〔日本軍1941.12.8～〕
マニラ
ボーキサイト
コプラ船造船
マグロ
カツオ
カツオ節
べっ甲
白蝶貝
サンゴ
高瀬貝
マグロ
カツオ
カツオ節
高瀬貝
コプラ
木炭
カカオ
雲母
コプラ
コプラ船造船
貿易・海運
ボホール
リン鉱石
ミンダナオ島
ダバオ
パラオ
ジュート
ラミー
西カロリン
赤道
ボルネオ島
石油（採掘中）
三井石油
日本石油
セレベス島
ハルマヘラ島
マノクワリ
アンボン
セラム島
貿易・海運
「南西方面」
「豪北方面」〔日本軍1942.2～〕
アラフラ海
真珠貝
デリー
葡領チモール
（現東チモール）
〔日本軍1942.2～〕
蘭領東インド
（現インドネシア）
〔日本軍1942.1～〕
ゴム
綿花
コーヒー
サイザル麻
石油
マンガン
カカオ
0
1000
2000km（赤道上）
オーストラリア

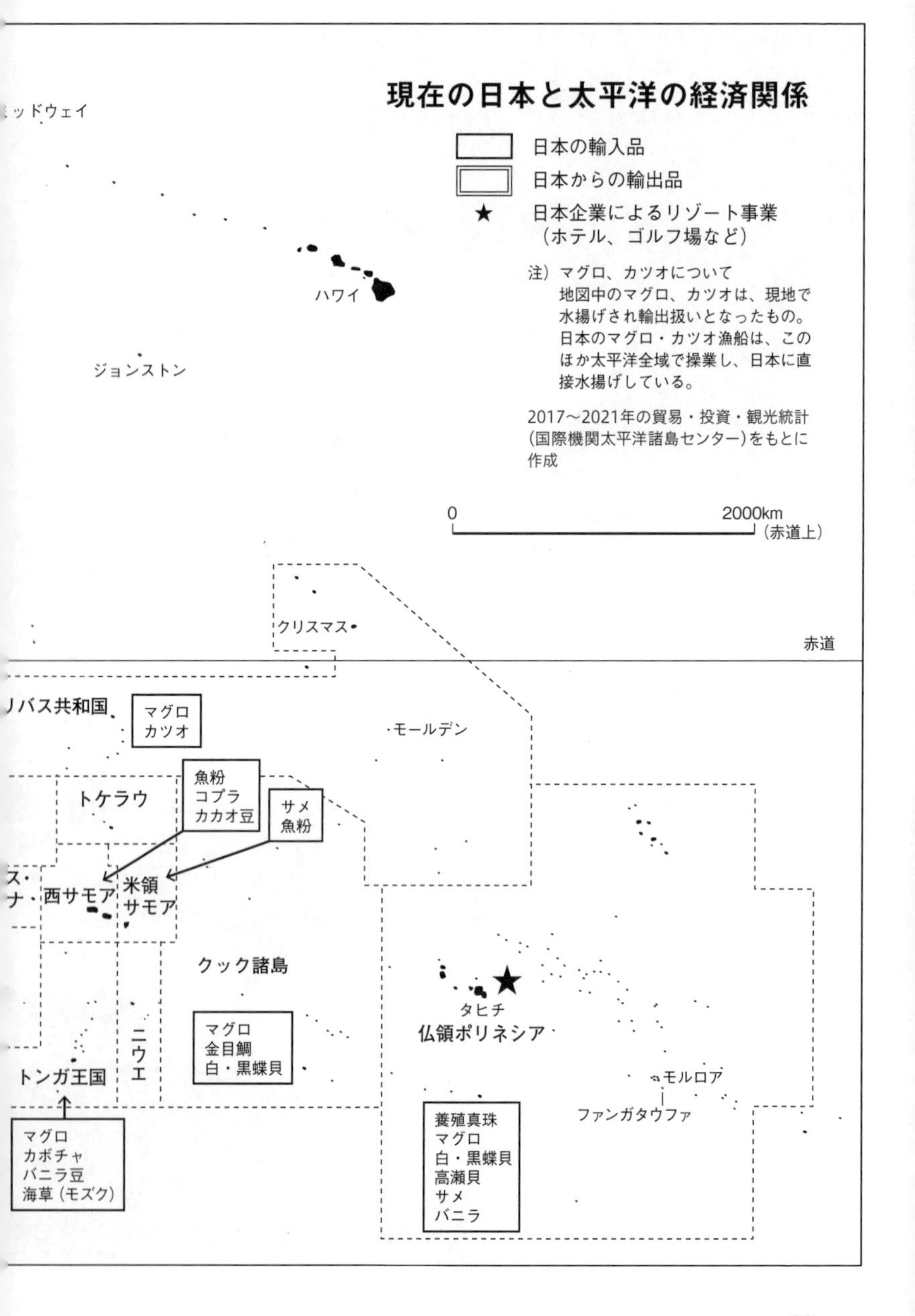
現在の日本と太平洋の経済関係
日本の輸入品
日本からの輸出品
★ 日本企業によるリゾート事業（ホテル、ゴルフ場など）
注）マグロ、カツオについて
地図中のマグロ、カツオは、現地で水揚げされ輸出扱いとなったもの。日本のマグロ・カツオ漁船は、このほか太平洋全域で操業し、日本に直接水揚げしている。
2017〜2021年の貿易・投資・観光統計(国際機関太平洋諸島センター)をもとに作成
0
2000km
（赤道上）
ッドウェイ
ハワイ
ジョンストン
クリスマス
赤道
バス共和国
マグロ
カツオ
モールデン
魚粉
コプラ
カカオ豆
サメ
魚粉
トケラウ
西サモア
米領
サモア
クック諸島
マグロ
金目鯛
白・黒蝶貝
ニウエ
トンガ王国
マグロ
カボチャ
バニラ豆
海草（モズク）
タヒチ
仏領ポリネシア
モルロア
ファンガタウファ
養殖真珠
マグロ
白・黒蝶貝
高瀬貝
サメ
バニラ

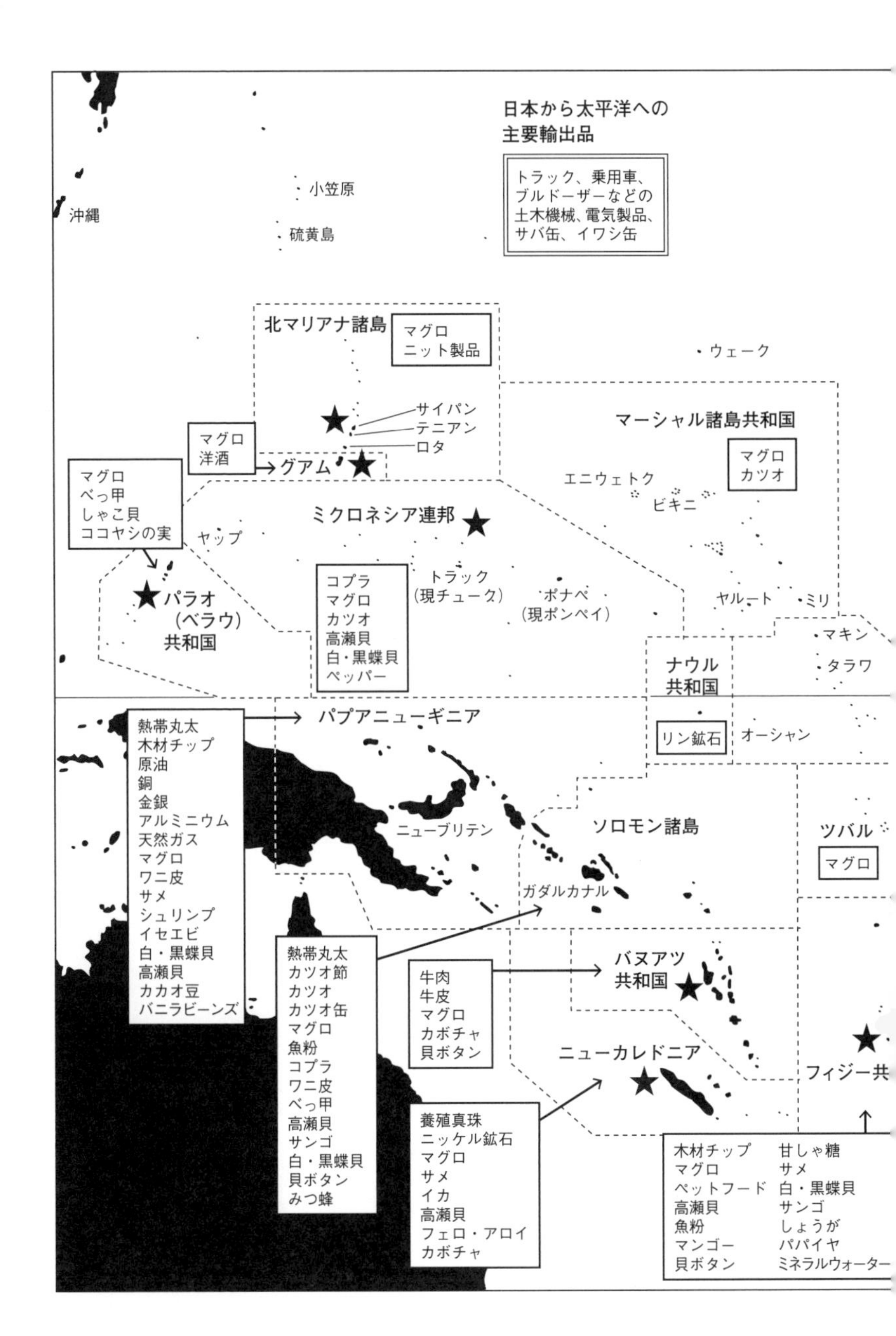
日本から太平洋への
主要輸出品
トラック、乗用車、
ブルドーザーなどの
土木機械、電気製品、
サバ缶、イワシ缶
小笠原
沖縄
硫黄島
北マリアナ諸島
マグロ
ニット製品
ウェーク
サイパン
テニアン
ロタ
マーシャル諸島共和国
マグロ
カツオ
マグロ
洋酒
グアム
マグロ
べっ甲
しゃこ貝
ココヤシの実
エニウェトク
ビキニ
ミクロネシア連邦
ヤップ
コプラ
マグロ
カツオ
高瀬貝
白・黒蝶貝
ペッパー
トラック
(現チューク)
ポナペ
(現ポンペイ)
パラオ
(ベラウ)
共和国
ヤルート
ミリ
マキン
タラワ
ナウル
共和国
リン鉱石
オーシャン
熱帯丸太
木材チップ
原油
銅
金銀
アルミニウム
天然ガス
マグロ
ワニ皮
サメ
シュリンプ
イセエビ
白・黒蝶貝
高瀬貝
カカオ豆
バニラビーンズ
パプアニューギニア
ニューブリテン
ソロモン諸島
ガダルカナル
ツバル
マグロ
熱帯丸太
カツオ節
カツオ
カツオ缶
マグロ
魚粉
コプラ
ワニ皮
べっ甲
高瀬貝
サンゴ
白・黒蝶貝
貝ボタン
みつ蜂
牛肉
牛皮
マグロ
カボチャ
貝ボタン
バヌアツ
共和国
ニューカレドニア
フィジー共
養殖真珠
ニッケル鉱石
マグロ
サメ
イカ
高瀬貝
フェロ・アロイ
カボチャ
木材チップ
マグロ
ペットフード
高瀬貝
魚粉
マンゴー
貝ボタン
甘しゃ糖
サメ
白・黒蝶貝
サンゴ
しょうが
パパイヤ
ミネラルウォーター

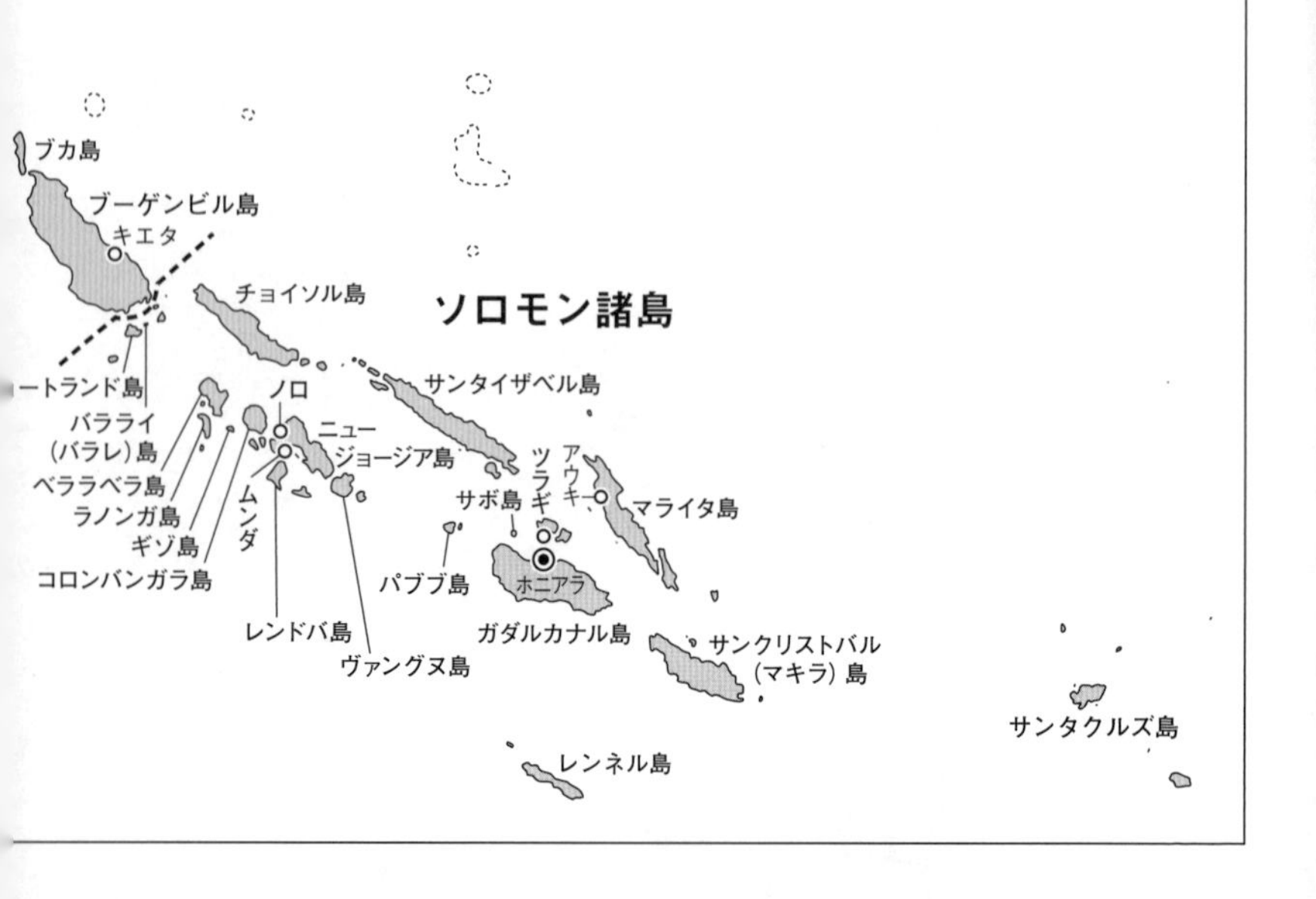
ブカ島
ブーゲンビル島
キエタ
チョイソル島
ソロモン諸島
ートランド島
バラライ
(バラレ)島
ベララベラ島
ラノンガ島
ギゾ島
コロンバンガラ島
ムンダ
ノロ
ニュー
ジョージア島
レンドバ島
ヴァングヌ島
サンタイザベル島
ツラギ
アウキ
マライタ島
サボ島
パブブ島
ホニアラ
ガダルカナル島
サンクリストバル
(マキラ) 島
サンタクルズ島
レンネル島

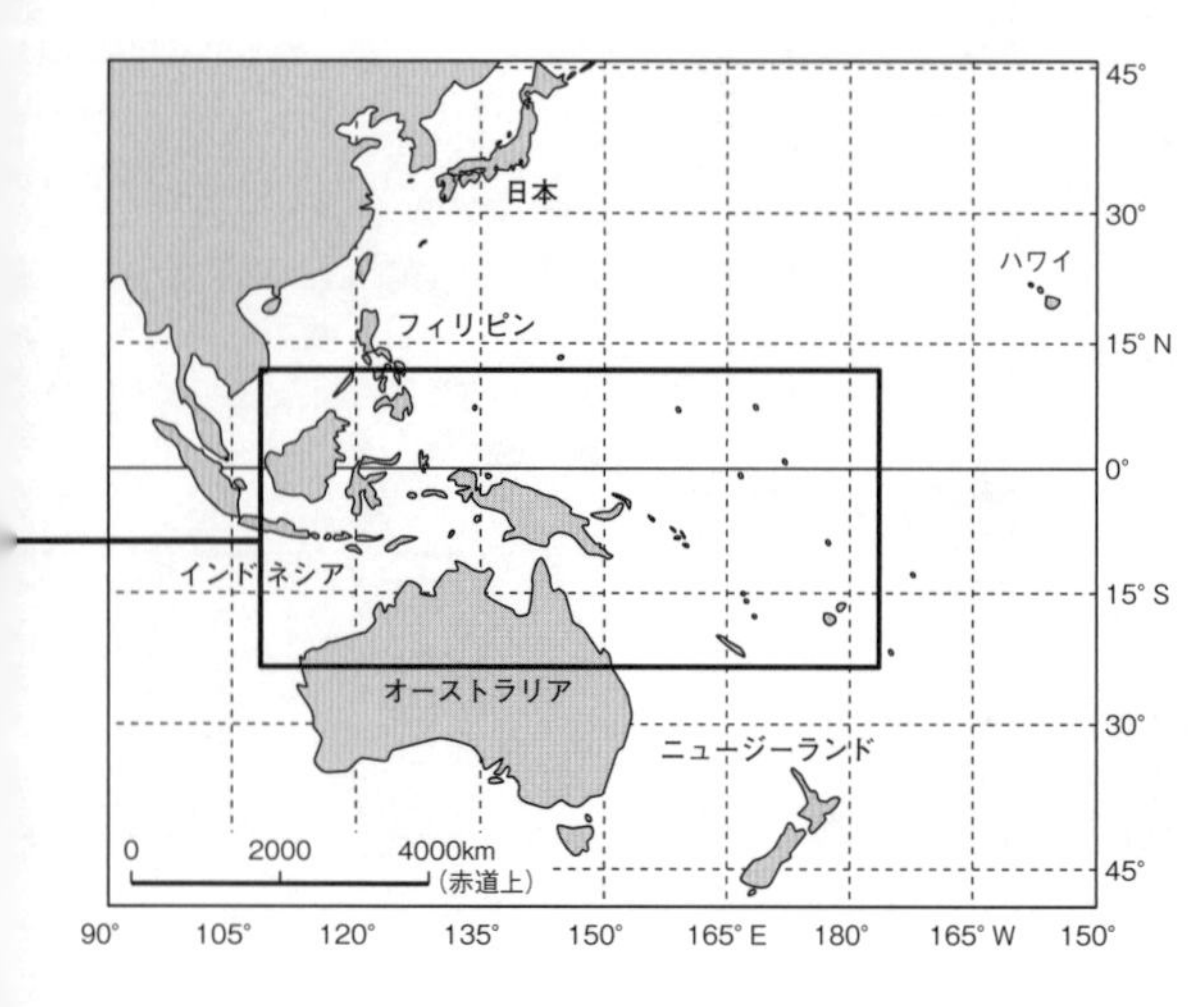
日本
ハワイ
フィリピン
インドネシア
オーストラリア
ニュージーランド
45°
30°
15° N
0°
15° S
30°
45°
0
2000
4000km
(赤道上)
90°
105°
120°
135°
150°
165° E
180°
165° W
150°

アドミラルティ諸島
ムッサウ島
ロレンガウ
マヌス島
ニューハノーバー島
ケビアン
バニモ
アイタペ
シサノ
ウエワク
パプアニューギニア
ニューアイルランド島
セピック河
ラバウル
ティンブンケ村
ラム河
オープン湾
ワバグ
マダン
ワイド湾
キンベ
ジャキノット湾
メンディ
マウントハーゲン
クンディアワ
ゴロカ
レイ
ニューブリテン島
ケレマ
タウリ河
フライ河
ココダ道
ブナ
ポポンデッタ
トロブリアンド諸島
コリンウッド湾
ダル
ポートモレスビー
ウッドラーク島
アロタウ
ウイアク村
シナパ村
エリマラ山
オーストラリア
0 100 200 km
フィリピン
ミクロネシア連邦
ポナペ
(現ポンペイ)
マーシャル諸島
パラオ
(ベラウ)
トラック
(現チューク)
ミリ
マキン
タラワ
ギルバート諸島
ナウル
オーシャン
キリバス
パプアニューギニア
西パプア
インドネシア
ソロモン諸島
エリス諸島
ツバル
東チモール
バヌアツ
フィジー
オーストラリア
ニューカレドニア
0 1000km
(赤道上)

# 第1章

# サイチョウの森のお話

## ニューブリテン島ワイド湾の悲劇

《パプアニューギニア》

原生林から流れ出る川と海に潤されるワイド湾のロン村

## サイチョウの恋人ピットピット

私の乗ったカヌーがその浜辺に着くと、子どもたちが裸で駆け寄ってきた。海辺の小屋では母さんが赤ちゃんに子守歌を歌っていた。砂浜は深い森から大地の水を濾過しては海に贈り、川の優しい流れは森の思いを海に運びつづけていた。

「僕はワイド湾の森の民であることを、どんなに幸せに、そしてどんなに誇りに思うか口では語りつくせない。みんなわくわくするような暮らしだよ」

ワイド湾を望む小屋のなかでこう語るのはマルティン・ポトゥカウさんである。澄んだ瞳に森への熱い思いを秘めたメンゲン・スルカ民族の若者である。彼がワイド湾の森を語るとき、その瞳はまるで恋人の話をしているように輝く。

小屋のなかでは火が焚かれ、タロイモが石蒸しになっている。山からくる朝の冷気のなか、その火を囲んで家族が暖をとっている。サゴヤシの葉を重ねた屋根から煙がたちのぼっていく。

私は食事の前に子どもたちといっしょに川で顔を洗った。背後の山々を縫ってほとばしり出てきた流れで、小魚が川底で光っていた。

昨夜遅く誰かが捕ってきた大きなエビのココナツミルク煮が食事に出た。この村の首長アルフォンスさんが準備してくれたものだ。思わず顔を見ると彼は嬉しそうにうなずいた。

ここはパプアニューギニアのニューブリテン島の州都ラバウルから200キロほど南にあるロ

ン村。世界に類をみない貴重な樹種と生きものが群れ集うといわれる原生林が背後に果てしなくつづく。

メンゲン・スルカ語族が営々と受け継いできた森の鳥サイチョウやクスクス（写真4ページ）、カソワリ（写真42ページ）のお話、伝統の森の狩りや漁労にまつわる話をマルティン・ポトゥカウさんがしてくださった。

「僕たちの森にはサイチョウの大営巣地がある。サイチョウはそびえるように高いマラスなんかの樹が好きだ。その梢（こずえ）の穴に巣をつくる。サイチョウはくちばしの上に波のような突起を

マルティン・ポトゥカウさん

もっていてね、その突起の数を数えてごらん。歳がわかるんだ。若いサイチョウはこの突起がないし、8つの突起をもった8歳の年寄りもいる。サイチョウの好物はフィッグツリーの実とか、森の果実だから、そういう樹のある深い森にしかいない。

サイチョウの雄は、梢の穴の巣を泥（樹の朽ちたものなど）で覆ってね、メスと雛をそのなかに閉じ込めてしまう。そして自分のくちばしの入る小さな穴だけを開けて、そこからせっせとメスと雛に餌を運びつづける。献身的なお父さんなのだよ」

「サイチョウは、ワイド湾にピットピットの花が咲く季節になると、群れをなして鳴きながら森から出てくる。まるでピットピットに求愛でもするかのようだから、僕たちは言う。『サイチョウが恋人のピットピットを慕って鳴いているよ』って。そうしてサイチョウや鳥たちを捕まえる絶好の季節がきたことを知るのさ」

ピットピットは、茎が長く柔らかなアスパラガスのような植物で、美味しい味がするのだという。

## 森のクスクス狩りには貝の灰を使う

「クスクスは長〜い尻尾を木に巻きつけてぶら下がったり、前足の鋭い爪で木登りをする、毛の柔らかい動物だ。樹の葉、果物、樹の皮、卵、昆虫、なんでも食べる。僕たちはクスクスをペットにしたり、肉を食用に、毛皮を祭りの飾りにしたりする。

夜行性で昼間は木の上で丸くなって寝る。この昼間の狩りがメンゲン・スルカ語族の、とっておきの秘伝なのだよ。クスクスの強い匂いをたどって、寝ている木を見つけたらしめたものさ。木登り上手な一人がそっと木に登る。ライム（貝を焼いてつくった石灰）の粉を入れた壺(つぼ)を抱えて、ゴルゴルか、タンゲットという森の植物でつくった刷毛(はけ)を持ってね。眠っているクスクスの目にライムをそっと塗るのさ。目が焼けるように熱くなったクスクスは思わず木から落ちてしまう。そこを木の下でわくわくして待っている連中が、しっかりと捕まえるんだよ」

## クスクスの〝樹から落ちたふり護身術〟

「クスクスの〝落ちたふり護身術〟は愉快だよ。どういうことだと思う？　クスクスはヘビに襲われるとね、寝たふりをする。そしてヘビが飛びかかる瞬間、樹から飛び落ちるふりをする。ヘビはすっかり騙(だま)されて、クスクスを追ってどっーと樹から落ちるもんだから、頭を打ったり、即死することだってあるさね。クスクスの方はどうかっていうと、落ちたとみせかけて、長い尻

カソワリ

尾を樹の枝に巻きつけて、ヘビを尻目に逃げていくっていうわけさ」

## カソワリの〝寝たふり護身術〟

カソワリ（火喰鳥（ヒクイドリ））は、深い森の樹の根元に葉っぱを集めてつくった巣のなかに棲（す）んでいる。食べものを求めて早朝と夕方すばやく姿をあらわすのだが、薄暗い森の光のなかで紫色に光るその姿は神秘的でさえある。

「カソワリは追われていると知ると、寝たふりをして犬や人を待っている。犬はそうとは知らないから、一目散にカソワリめがけて飛びつくのさね。カソワリは待ってましたとばかり鋭い爪で犬を蹴るからたまらない。犬は死んでしまうことさえあるよ。人間だってやられるさ。

ところが、こんなカソワリでも弱点があるから面白い。山の登りにはめっぽう強くて速いが、下りには弱くておたおたする。僕たちはそれを知って下りで追い込んで仕留める。人間とカソワリの知恵比べだね」

「カソワリはサイチョウ以上に献身パパでね、雄が卵を抱くんだよ。雛がかえったらまた雄が育てるのさ！」

「カソワリは森の育て主でもある。大きな樹の実を食べては、糞(ふん)といっしょにその種をあちこちに運んでくれる」

カソワリの羽は踊りの飾り、羽は箒(ほうき)に使う。足の骨はナイフになり、肉は食用になるので、森の暮らしに大切な生きものであるという。

## 壮大な野豚狩り

「森の果実が熟する季節になると、野豚が出てくるからね。野豚狩りをする。ククブという手づくり網を張って2人の男が立つ。全員がいっせいに叫びをあげて、あらゆるものを叩(たた)いて、いろいろな音をたてながら野豚をククブに追い込んで網にからめ捕る。ほかにもいろんな仕掛けの捕り方があるよ。男たちは誇らしげに野豚を担いで村に帰る。そうして村の祭りが始まる」

## 秘伝のエビの糸輪釣り

「秘伝のエビの糸輪釣りを教えよう。忍耐と慎重さがいる。小川の溜まり水に餌を仕掛けては、棒の先に輪にした糸を吊るす。糸はパンダナスの根などから。待つこと延々。エビがやっと餌に近づいたところで、この輪をエビの目玉に引っかけてねじる。そうして吊り上げるのさ」

「うーん、マルティンは辛抱強いから、きっと上手なんだ！」と私は内心思う。

## ピットピットに海のタコも恋をする

「ピットピットが山に咲き始めるころになると、海のタコも穴から出てきて、タコ踊りをする。僕たちもうきうきして、『さあタコ捕りの季節がきた！』って、皆で山をおりていく。干潮や満潮の、海が透きとおって静かなときに、目を据えて穴から出てきたタコを素手や銛で捕まえる。そうしてココナツミルク煮で食べる。余ったものは燻製にして山に持ち帰る」

## 塩づくり

「ピットピットの季節には、皆で塩づくりに熱中する。海岸の流木を集めて焼いて灰にする。流木は長い間海に浸っていたうえに、海岸の太陽で天日干しになっているから、とても塩辛い。その灰を葉っぱに包んだり、樹の幹や竹のなかに保存して山に持って帰る」

「これはすごい知恵だなあ」

「サンゴ礁には魚があふれていてそれで満足だった。満月の夜とか、月が昇るころとか沈むころとか、特別の季節とかに、伝統のやり方で漁をしてきた。ウミガメも産卵に来る。そして河口に魚が湧くように群がる季節（ア・ビイ・タ・ピス）もあるのさ」

マルティンの目はますます輝く。

## 森の力と精霊の宿る首長の杖

森の滋養が川に届き、海に届き、その豊かさはつきることがない。

闘いの杖とアルフォンスさん

そのメンゲン・スルカ民族に別れを告げる朝がきた。
首長のアルフォンスが私に別れの贈りものがあるという。
「これをあなたに授与する。首長だけが使う闘いの杖だ。この杖には祖霊の力、森の力が宿っている」
「頭の部分の彫刻がカリングリンという貝に似ていることから、この杖をカリングリンと呼ぶのです。この頭の部分は敵の急所を打つのに使う。メンゲン・スルカ民族は、この森に伐採企業が来るのを許したことは一度もない！　伐採を迫っている日本企業と闘っている。あなたは日本で私たちのために森を守っていてくださる。伐採を迫っている日本企業と闘っていてくださる。杖の祖霊の力で私たちは互いに通じあうのです」

そうして闘いの杖は、聖なる生姜（ショウガ）の葉やボルケイの葉で飾られ、荘厳な儀式を通して私に手渡された。

ワイド湾を去るとき、雨が降ってきた。

「さようなら」。杖をしっかり握って、小舟に乗った。

雨のなかをカヌーというカヌーが、村々から繰り出して魚釣りに出るところであった。

１９９４年12月のことだった。

## ワイド湾の悲しい物語

このワイド湾でかつて、悲しい出来事が起こっていた。老人も娘たちも語ってくれた話。日本軍が箝口令（かんこう）を敷き、闇（やみ）から闇に葬っていった話。今まで誰も書かなかった物語である。

「日本軍が村の住民に掘らせた洞窟陣地を見ておいた方がいい。多くの住民の犠牲者を生んだところだから」

マルティン・ポトゥカウさんは、私をトルの奥地に連れていった。その洞窟陣地は切り立った崖の途中にあって、私は崖を登りながら、雨の後の樹の根と泥のなかで滑って転んで捻挫した。なんと壮絶な場所に陣を敷いたのか？　洞窟内には高原の上までつづく抜け穴までつくられていた。日本軍はここを「ズンゲン」と呼んだ。地元ではマスラオという場所である（地図39ページ）。

ズンゲンまでやってきたのは、南海支隊144連隊の第3大隊であった。南海支隊というのは、大本営直属の先鋭部隊で、真珠湾攻撃直後にグアム島に上陸したのも、ラバウルに上陸したのも、この南海支隊であった。ラバウルには1943年1月23日に上陸し、第8方面軍司令官今村均の下で、ラバウルから逃げてきたオーストラリア兵探索と、住民統治にあたった。

村々に悲劇が始まった。まず日本軍は、森に隠れているオーストラリア兵に、「降伏すれば命が助かる」という英文のビラをまいた。

その結果、オーストラリア兵のうち、160名が投降してきた。南海支隊は捕虜たちを、いくつかのグループに分けて縛ったまま並べて、ズンゲンの丘で銃殺したのである。1943年2月3日と4日のことであった。厳しい箝口令が敷かれた。捕虜を殺すことは国際法違反であった[1]。

## 生き延びたオーストラリア兵の証言

虐殺された160人のオーストラリア兵のなかで、奇跡的に生き延びた4人がいた。そのうちの2人の証言が当時の上官の記録として残されている。私はその記録を入手することができたので、翻訳して読者に紹介したいと思う。日本では未公開のものである。

「アルフレッド・ロビンソンは痩せ細ってやつれ、全身虫に刺され、瞳孔が開いたような目であらわれた」と上官は記す。

そして「(ロビンソンの証言から) 日本兵たちは、捕虜たちをどなりちらし、整列させ点呼した。日本兵たちは兵士たちがつけていた金属製の身分証明書を剥ぎとった。それから釣り糸で捕虜たちを後ろ手に縛った。さらに捕虜たちを小さなグループに分けて整列させ、グループの先頭と後ろに日本兵がついた。ロビンソンのグループは10人だった。一列に並ばされて草の生い茂ったプランテーションに連れていかれた。釣り糸を持ってきたのと同じ日本兵がつるはしとシャベルを運んでいるのを見て、ロビンソンは、この日本兵たちが殺害部隊であることに気がついた。他の捕虜たちも同様だった。『殺し屋め、この報いはいつかお前たちに返ってくるぞ』。日本兵は彼を銃の柄で打って沈黙させた。

突然道が曲がっていた。これはチャンスだと思った。林に身を投げるようにして飛び込み横になった。後ろから来た仲間がよろけるふりをして、ちょっとの間列をとめて、ロビンソンに『もっと低く隠れないと野郎たちはお前の足を見つけるよ』と囁いてくれた。ロビンソンはもっと低く身を潜めた。怒鳴りつづける日本兵たちの声が通り過ぎていくのを聞いた。それからしばらくして、叫びと悲鳴、銃殺の音が響きわたった。ロビンソンはこれらすべてが終わった後、林から這い出してきた。

彼は後ろ手に縛られたままジャングルを彷徨った。何千という蚊やヒルや虫が血を吸ってきたが、それから顔や身体を守ることができなかった。夜、雨をしのぐ場所もなかった。釣り糸は手首に深く食い込んでぱっくりと傷口ができた。傷口にハエが群がっていた。彼は排便を身体にくっつけたまま、マラリアにかかり、熱に襲われたまま、意識を失ったように歩きつづけた。ついに小川を見つけて水を飲もうとしたが、バランスを失って溺(おぼ)れそうになった。

もう彼は死ぬ一歩手前だった。手首の糸を切ろうとしても切れなかった。糸を切る尖(とが)った石を何時間も川で探したが、すべすべした丸い石ばかりだった。彼はポケットからほんの少し端を覗(のぞ)かせていた聖書を眺めては希望を抱いて歩きつづけた。その聖書には、投降しなさいという日本がばらまいたちらしも挟まっていた。そのちらしには『もしあなたが逃れようとするならば死ぬであろう。投降しなさい。そうすれば戦争捕虜として扱われるであろう』と英語で書かれてあった」[2]。

彼は、そのちらしを信じて投降した結果を背負い、ただ一人幽霊のように歩きつづけた。

もう一人の生存者の記録は次のようであった。

「W・コリンズは当時19歳の若者だった。縛られて連行される仲間のなかにいた彼は、林のなかに逃れるチャンスもないことを知った。彼は目を閉じて痛みもなく死が訪れることを願った。彼の背後から発射された弾丸は背中に当たり、彼は意識を失った。目を覚ましたとき、まわりは死体だらけであった。ある死体は半分埋められていたが、他のほとんどは倒れてうつ伏せになっていた。背中が2度撃たれていたので、その痛みは激しかった。しかし彼の手はなぜか自由になっていた。彼はそこから這うように出て、ココナツ林の方によろよろと歩いていった。死の世界でただひとつだけ動いている姿であった[3]」

戦後、オーストラリア側は虐殺の責任者を裁判で徹底追及しようとした。しかし責任者はわからなかった。「虐殺の実行部隊」であった144連隊の歩兵第3大隊（指揮官楠瀬政雄）は、他の南海支隊と台湾からの高砂（たかさご）義勇隊[4]らとあわせて、悲惨な「ココダ道の戦い[5]」に送られ、2000メートル級の山々の寒さと飢えのなかの戦いで生命を落としていった。指揮官の楠瀬政雄は、ココダ道の途次マラリアにかかり後送され日本に帰還していたが、1946年下旬の連合軍による裁判を前に、自ら食を断ち命を絶った。虐殺の日本側の責任者は不明なままに終わった。

## 水木しげるさんの証言

闇に葬られたズンゲン事件。しかし、この虐殺現場の白骨死体を偶然発見していた人が、実は日本側にいたのであった!!

水木しげるさんである。彼は一兵卒として虐殺からずっと後にズンゲンに派遣されていた。私が水木さんとワイド湾についてのよもやま話をしていたとき、彼の語ったことからそれがわかった。

「ある日、ズンゲンの高台の一角で死臭がするところがあるのに気づいたのです。行ってみると白骨死体が同じ形でうつ伏せになったまま、枕木のように等間隔で並んでいるんです。数えき

水木しげるさんが死体を見つけたときの様子。その情景を絵に描いてくださった（ズンゲンでの虐殺現場）

れないほどのたくさんの白骨死体でした。手を縛られて後ろから銃殺されたような死に方でしたね。銃撃戦で殺されたということではないですよ、あの殺され方は」

「こんな形で並んでいました」

水木さんはその様子を、手元の紙に描いてくださった。貴重な証言と絵である。

水木さんは言う。「日本軍は当時食料がありませんでしたから、捕虜に食べ物を与えて養うなんてとんでもないという考えだった。日本人が生きるために百人殺してもいい。そして今も反省がない。人の国に踏み込んでいってどうのこうのもないと思います」。

水木さんのしっかりした語りに私は

うなずき、私たちはワイド湾の森と民の暮らしの素晴らしさを話し合っては時を忘れた。（1995年）

その後、私は当時南海支隊第144連隊の本部書記だった森本勝軍曹（当時24歳）から電話を通して話をうかがうことができた（1995年）。

「私は戦後1948年にマッカーサーから呼ばれましてね。ズンゲン捕虜虐殺のことを聞かれましたよ。虐殺を誰が命令したのか。本部の長か、現地の部隊長か。このズンゲン事件は私たちの耳にも入っていましたけど、たぶん闇から闇に葬られていった事件であると思います。日本軍は捕虜の扱いを間違っていた。生命の価値観のない間違った教育でした。ワイド湾掃討を行った中隊は、全員死んでしまいましたよ。ココダ道に送られて……。天皇の名の下の大本営の命令には、将軍といえども逆らえなかった。そういう戦争を繰り返してはならないですよ」

## 「草のようにたくさんの日本兵が来た」

水木さんの第38師団8929部隊の成瀬懿民（いみん）隊と、児玉清三郎隊からなる混成部隊に加えて、今村均司令官直轄の先鋭第6野戦憲兵隊も、ズンゲンにやってきて、オーストラリアの残兵捜しと住民統治にあたった。「草のようにたくさんの日本兵が来た」と老人たちは言う。

私に杖を伝授してくださったロン村のアルフォンスさんは語る。

「『オーストラリア兵を探してこい』と日本軍が、私の父で大首長であったマタブンや、他の村々の首長に命令しました。父たちは命令に従って探しにいきました。でも1ヶ月ほどたって『オーストラリア兵を見つけられませんでした』と報告したんです。激怒した日本兵は、見せしめに父や他の首長を処刑したのです」

アルフォンスの父マタブン、リル村の首長パブオ、副首長のコレたちは、穴を掘らされその前に立たされた。日本兵が首を刀で斬り、身体も首も穴に落とした。他の首長たちも時を別にして殺された。

「日本人に伝えてください。あまりにひどい日本人です。そのうえ私たちになんの補償もしていない」

私はしっかりと答えた。「必ず伝えます。アルフォンスさん。この闘いの杖に誓って」。

イワイ村のルドイック・タイプケンさん（写真6ページ）は、日本軍の食事づくりをさせられた立場から、ズンゲンでの恐怖の現場をその目で見てきた。

「少年であった私はズンゲンに連れていかれて、日本軍のキャプテンたちのコックにさせられました。私たちは『サクラサンシ』と呼ばれました。私のつくった料理を長いテーブルに座った将校たちが食べていましたよ。私には恐怖しかなかった。ただただ処罰されないように必死でした」

「洞窟にはトップのキャプテンがいました。あまり洞窟から出なかったので外の様子を知らなかった。部下の日本兵がグマ村、ロン村、イワイ村から一人ずつ女を連れてきて相手をさせていました」

「マタブンたちが斬られるのも、この目で見ました。4人の兵隊が進み出て刀で後ろと左右から首を斬った。こうやってね」となんども実演してその恐怖を語る。「たくさんの処刑を見ました」。

「私の兄のキルガも殺されました。『森をパトロールしてこい』と言われた兄は、『雨で疲れた』と言っただけで、腕を縛られて草の上に放置された。偶然通りかかった私に兄は囁いたのです。『僕は殺される』。それが兄を見た最後でした」

「サンプン村のムマンキエは、ココナツの木に登ってココナツの実をとってこいと言われ、拒絶したら、罰として穴を掘らされた。そして2日前に殺されて匂っているヘビを調理したものを食べさせられ、その後で首を斬られた」

「ズンゲン陣地のトンネル掘りで文句を言って首を刎(は)ねられた人。バケツいっぱいの水を飲まされる拷問。木に縛りつけて赤蟻(アカアリ)にその人を噛(か)ませる拷問も見たのです」

ムー村では集団虐殺が行われた。ただ一人の生き残りは、血の海のなかでお腹の下に赤ちゃんを隠して死んだ母親の子どもであった。成人した子どもが私に涙ながらに語ってくださったことから、この事件を知ることになった。

## 「ズンゲン部隊全員玉砕せよ」

1945年になると、守備にあたっていた水木さんたちのズンゲン部隊は、オーストラリア軍の激しい砲撃にさらされるようになった。砲撃とともに1000人ほどが上陸してきた（2月）。多勢に無勢、数百人の切り込み隊は死傷者を続出していったん後退した。

そのためかラバウル司令部には「ズンゲン部隊玉砕」の報が届いていた。しかし後に一部将校と兵士が傷ついてあらわれるにいたって、ラバウル司令部は怒った。「これでは士気が乱れる！」。

水木さんは言う。「そうして玉砕しなかった士官の何人かは、無理矢理自決させられ、全員に『ズンゲン部隊玉砕せよ』との命令が出されました。この一連のことをラバウル司令部は極秘にしようとしましたがね」。ズンゲンは日本兵にとっても悲劇の場となりつづけたのであった。

この戦いで水木さんは左腕を失われた。

「この時期は、もう米軍が日本本土空襲を行っていた時期ですよ。なんで玉砕する必要があったのか」と水木さんは言われる。

むなしい玉砕だった。南の島の小さな村での戦いが戦局を左右するなどという時期ではまったくなかったのだ。

## 今村均がつくった「戦陣訓」と「決戦訓」

「ズンゲン部隊の玉砕も、大日本帝国200万人の玉砕も、『生きて虜囚（りょしゅう）の辱（はずかしめ）を受けず、死して罪禍（ざいか）の汚名を残すことなかれ』という『戦陣訓』（ズンゲンの場合は『決戦訓』も）の犠牲でした。この玉砕精神を煽（あお）った『戦陣訓』は、まさに今村均の手によってつくられたのですよ」

私にそう語ったのは松田才二さん[6]である。彼は第六野戦憲兵隊ラバウル本部少佐（菊池憲兵隊長代理）として、ズンゲンにも出入りしていた。そして何よりも第8方面軍司令長官今村均の直轄下にあって、ラバウルでの今村均や中枢部の将校たちの実情に詳しい人である。

「『生きて虜囚の辱を受けず…』の『戦陣訓』をつくったのは、陸軍大臣東条英樹と今村均と島崎藤村の組み合わせです。まず東条英樹が今村均（当時陸軍教育総監部本部長）に依頼、今村は島崎藤村に草案を依頼したのです。藤村がそれを完成し、今村はそれを大変気に入って採用した。そして陸軍大臣東条英樹の名で示達したというわけなのです」

「これは真珠湾攻撃の11ヶ月前のことですよ。玉砕に兵隊を向かわせる準備が開戦よりずっと前にできあがっていたんです。そして陸軍２００万人が玉砕させられていきました」

「これに加えてラバウルの場合には、前線の士気を高めさせるために、今村が自作の『決戦訓』というのを加え、将校に常時携帯させ斉唱までさせていたんですよ」

「その内容はこうです。『…戦傷を負うも断じて後退すべからず。…最後の一兵となるも、自ら己を指揮して奮闘すべし。…戦闘を後退し、或いは生きて虜囚の辱を受くるが如き、不忠不幸より大なるはなし。死すべき時に死し、散るべきときに散る若桜こそ、兵の心情なれ。…攻むべし、殺すべし、肉を斬らせて骨を截つべし…』」

「独善的な人権無視ですよ。今村均が作成し実行させたこの『戦陣訓』が、ラバウルからニューギニア各地の前線に送られた兵隊を飢えと死にまで追い込んだのです。ズンゲン玉砕命令もこの一端です。それにね。前線の兵が餓死していく一方で、ラバウルの将校たちは美味しい米を食って贅沢な暮らしをしていました。私がこの目で見たから確かです。今村均を名将という人がいますがとんでもないことです」

「中級将校らは『日本に帰ったら恩給がどのくらい貰えるか、昇級はどうか』なんていう話題に明け暮れていました。こんな連中が戦後の日本を支配することにならなくて、日本が負けてよかったと思っています」

「島崎藤村が『戦陣訓』の草案をつくったとは知りませんでした」と私。

「そうですよ。こうしたことは一般には知らされていませんがね」と松田才二さん。

こうした玉砕命令に水木さんも怒る。「ズンゲンの件は箝口令が敷かれたのでしょう。戦後私たち玉砕の生き残りは、ラバウルに戻った後も、2人から3人ずつ違う部隊に分けて入れられて、互いに話し合わないようにさせられました」

そして玉砕の生き残りや、前線からラバウルに戻った部隊は、まるで消耗品か、口封じか、口減らしのように、再び前線へと送られていった。

水木さんは漫画を通して語りつづける。

「誰に看取られることもなく、誰に語ることもできず、何のため、何の死か[7]」

一方オーストラリア軍がこの時期にワイド湾に大軍を送ったのはなぜだろうか？　多くの人は言う。「太平洋戦争の手柄を米軍に独り占めにされないためだった」。

## 現在もつづく悲しい物語

このニューブリテン島は、四国の2倍ぐらいの大きさの島で、太古からの深い原生林に覆われていた。戦後は、その森をめざして外国企業が進出し、激しい伐採と環境破壊の舞台とされていく。

1980年ごろ、オーストラリア人の役人は、そうした森に点在する村々の住民を脅しては、字も読めず何もわからない首長たちに、広大な原生林の伐採権を植民地政府に与えるサインをさせた。サインといっても、チョンという〝V〟印のようなもので、ある場合はタバコなどを渡してサインさせた。伐採権は奪われたも同然であった。

1975年にパプアニューギニアとして独立した後も、政府はその伐採権を植民地政府から引き継いだものとして、住民の頭越しに数々の伐採企業に与えてしまった。

日商岩井（現地名ステティンベイ・ランバー社）、晃和木材（現地名オープンベイ・ティンバー社）なども、こうした地域の伐採権を植民地政府（伐採地域の拡大は独立後の政府）から得た。両社とも、1970年以来広大な原生林の伐採を続けてきた。同様の獲得方法で、本島マダン州では本州製紙（現地名JANT社）が原生林を皆伐してチップとして輸出した。しかも日本政府のODA（政府開発援助）が、そうした日系3大伐採企業への後押しまで行ったのである（詳細は第8章）。

## 昔戦車、今ブルドーザー

日商岩井がニューブリテン島の広大な伐採地（40万ヘクタール）で行ったことは後で綴(つづ)るが、ここではその村々に侵入した日本軍が何をしたかを記しておきたい。

「信じられないだろうが、あなたたちが到着するホスキンス空港の脇には、私たちの村々の人々の骨が埋まっているんだよ」とフランシス・クハさん（ブルマ村の首長）は語る。日本軍が1943年に侵入してきて、ホスキンス空港づくりに若者を強制労働させたのであった。

「朝6時から夜7時まで昼食なしで、つるはしと手押し車で飛行場づくり。病気で倒れても働かされた。休憩していたら日本兵に右手を殴られて今も硬直したままの人もいる。空港づくりで死んだ人の遺体は空港の脇か、その下に埋められたんだよ」

その近くに私が宿泊する修道院がある。シスターたちは語る。

「私の叔母は、シランガ（日商岩井のつくった道路沿いの村）近くの出身でした。叔母は美しい人だったからなのでしょうか。ひどいことです。乳を切り取られてその後銃殺されたのです。4人の子どもを残して。日本軍は村々の家を燃やし、住民を虐殺しました」とシスター・アンジェラが涙ながらに語った。

その横で、シスター・フランシーンは泣くまいと努力しながら語る。

「その同じシランガ近くで、私の父は日本兵に殺されるところでした。1945年のことです。

父は村の人といっしょに捕まえられ縄で数珠つなぎにされました。穴を掘らされて、日本兵が村の人の首を順に斬っていきました。父は最後の方、縄の端から2番目にいたのですが、死ぬか生きるか、歯で縄を噛み切って、もう一人の人といっしょにひたすら逃げました。……もしあのとき、父が縄を噛み切っていなかったら、今の私はいないと思うと……」彼女の大きな目に涙が光っていた。

私たちは抱きあって泣いた（1993年）。

ところでそうした被害を受けた森の住民から聞かれることがある。

「ねえ、どうしてブルドーザーはコマツが多いのかい？　日本の伐採会社も、マレーシアの伐採会社も、コマツのブルドーザーだよね。なぜだい？」

そこでブルドーザーについて調べてみた。そうしたら、かつて戦場を駆け巡った日本の戦車がコマツや三菱であることがわかった。そして今も森を駆け巡って樹を伐っているブルドーザーもコマツや三菱であることも（写真9ページ）。

考えてみれば、戦車の技術も、ブルドーザーの技術も、ともにキャタピラーの車体が土台になっている。

コマツの方は陸上専門機材に集中しているため、ブルドーザーはコマツが断然多い。

コマツ（小松製作所）は戦争中、土木建機・銃砲牽引車を1000台。戦艦大和・武蔵の主砲弾用1000トンプレス（加圧器）を製造。戦後の朝鮮戦争のときは、米軍の特殊砲弾の4割、

200万発を製造した。

三菱（三菱重工業）は、帝国海軍の軍艦と航空機生産の二大分野でほぼ独占的な受注の地位を得ていた。戦艦武蔵などの無数の戦闘艦艇、1万4000機にのぼる零式戦闘機も三菱が製造した。そして今も三菱は、「陸海空」のあらゆる分野での軍需産業のトップの座を占めつづける。(8)

前述の松田才二さんは深い怒りをもって私に語る。

「軍隊ばかりが責められるけれど、西南の役をはじめ、日清・日露、そして太平洋戦争で懐を肥やしたのは財閥だよ。三菱・三井をはじめとする軍需産業だったんだよ。国民の税金を吸い、兵士の血を吸い、彼らは何も罰せられないで、今も儲けているのですよ」

戦争と軍需産業、経済進出と軍需産業は、ともに歴史のなかのコインの表と裏、表裏一体で縫いあわされている。現在も大軍拡に舵を切って戦争に向かう日本の最大の受注企業も三菱でありつづけている。

(1) 防衛庁（現防衛省）の戦史叢書には「堀井南海支隊長は歩兵144連隊（楠瀬連隊長）の桑田第3大隊長の意見具申に基づいて、第3大隊主力を、オーストラリア兵を追ってワイド湾方面に出撃させた。そして同大隊は2月3日と4日の両日に『掃討』を実施した」とあるだけである。「掃討を実施した」とは捕虜の虐殺であったのだが、そのことについては何も記されていない。
防衛庁防衛研究所『戦史叢書　南太平洋陸軍作戦(1)ポートモレスビー・ガダルカナル初期作戦』朝雲新聞社、1968年
防衛庁防衛研究所『戦史叢書　南太平洋陸軍作戦(2)

アイタペ・プリアカ・ラバウル』朝雲新聞社、
１９７５年

（2）Keith MacCarthy, Patrol into Yesterday, Cheshire, Melbourne, 1963.

　その後ロビンソンは生き延びて日本軍に復讐をはたした。１９４４年日本軍のモモテ砲台（マヌス島）を攻略し、その功績によりＤＣＭ勲章を受けた。戦後彼はニューブリテン島でオーストラリア統治の仕事を継続した。しかし彼はそこで島民に襲われて殺された。

（3）Lionel Wigmore, The Japanese Thrust, Canberra, 1957.

（4）「高砂義勇隊」は、密林地帯の戦場に投入するため日本統治下にあった台湾高地の原住民により編成された部隊。軍属として7回にわたり戦地に派遣された。

（5）「ココダ道の戦い」とは、日本軍がポートモレスビーを陥落させる目的で始め、玉砕に終わった激戦（１９４２年7月21日〜11月16日）をさす。オーエンスタンレイ山脈のココダ道（２０００メートル級の山を越える１６０キロの行程）での戦いであった（日米豪）。日本兵によるオーストラリア兵の死体の人肉嗜食事件も起こった。日本兵側の作戦の無謀さと、命令を発した軍支配層の責任の所在も不明確なまま、ほとんど全員が死んだ。

　『歩兵一四四連隊戦記』歩兵一四四連隊戦記編纂委員会、１９８６年

　森山康平『米軍が記録したニューギニアの戦い』草思社、１９９５年

　千田夏光『死肉兵の告白』１９８８年

（6）松田才二さんは『孤鷹の眼』創現社出版、１９９３年の著者。松田才二さんからの証言は、筆者が１９９５年に1年をかけて聞きとりを重ねたものである。

（7）水木しげる『総員玉砕せよ』講談社、１９８０年（『水木しげる漫画大全集67』収録）

　水木しげる『水木しげるのラバウル戦記』筑摩書房、１９９４年（『水木しげる漫画大全集１０３』収録）

（8）『防衛年鑑』防衛年鑑刊行会、『自衛隊装備年鑑』朝雲新聞社

# 第2章

# ラバウル恐怖の軍政と「日本皇軍慰安所」

## 憲兵と女たち自身が語る

《パプアニューギニア》

「慰安所」で「女たちの下半身を洗う仕事をさせられた」と語るアルベルト・トマラさん

# ラバウル恐怖の軍政　10万人の日本軍が籠城

## ココヤシの木が村々から消えた

コーン、コーン、ココヤシの実を削る音が聞こえる。ここは日本軍の侵攻を真っ先に受けたマラグナ村である。ラバウル湾を洗う小波が庭先に眩しい。庭の木の下で老人たちがゆっくり話をしている。

「あのころ僕たちみんな14歳から20代の青年だったよね」。アンドリュー・ヴヌグンヌさんが言う。

「1942年1月21日の日曜日に、日本軍はラバウルの港を爆撃してきた。いっぱいの軍艦だった。23日には、日本兵が村の家に来てしまった。恐怖でいっぱいになった。私たちの家を訪ねてきた日本軍が、『白人はいないか』と聞いてきた。やがて、日本軍をめがけて米軍の爆撃があった。日本兵は私たちの畑と豚を奪って自分たちの食料にした」

「こうやって斧でココヤシを切り倒す。ひどい重さだからね、6人がかりで運んだのだよ。つ

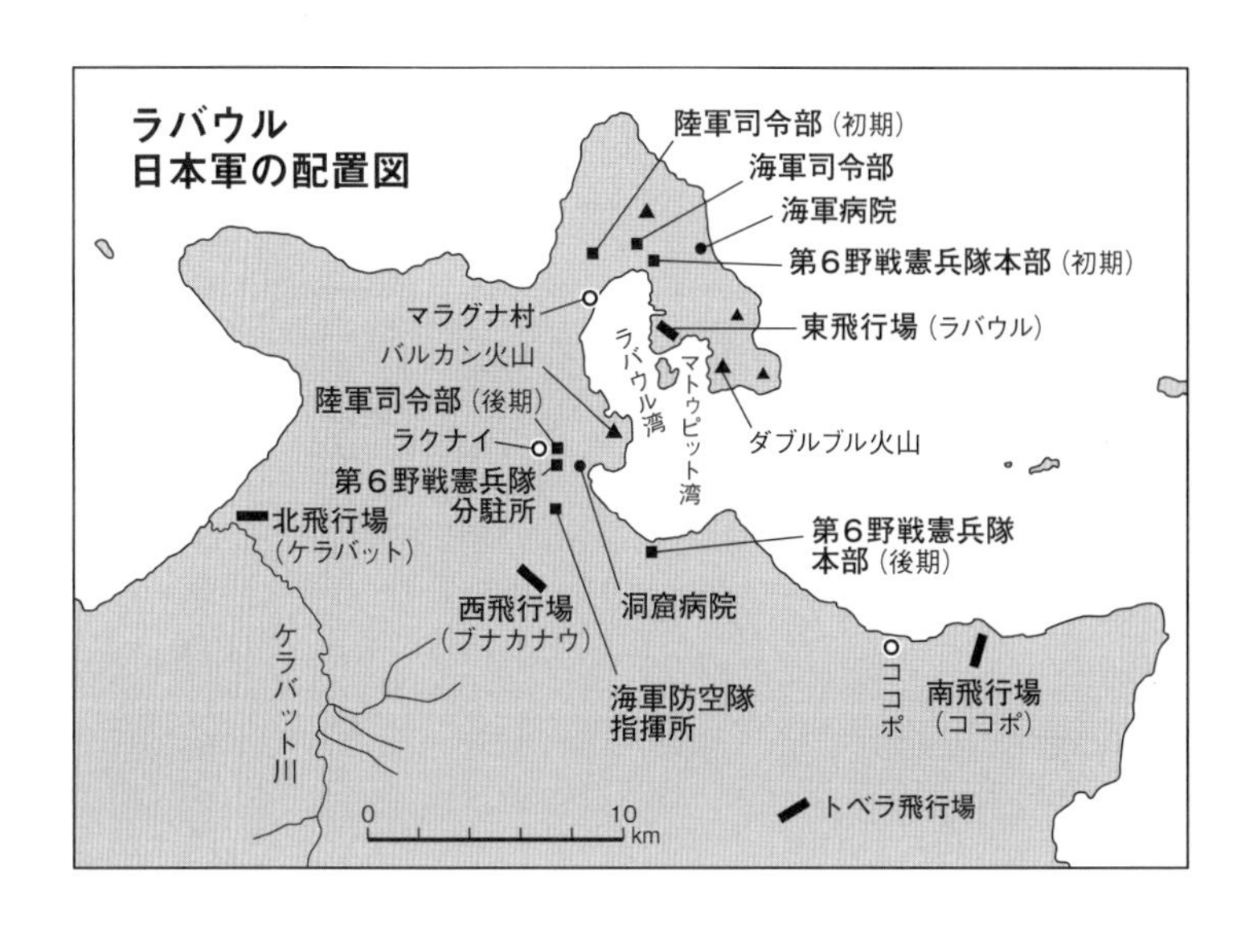


らかったね。日本軍の洞窟防空壕（その柱と屋根のため）や、道路づくり（道路の下に敷く）にね。こうして4年間も働かされたのさ」

「延べ300キロの洞窟防空壕をつくった」と日本軍が誇るその陰で、ラバウルの生命のココヤシは伐られていった。何万本か何十万本かわからない。爆撃でもやられた。

老人たちは一人が話すと、「そしてね、さらにこうだったのだよ」と互いに補いあう。嬉しいことも悲しいことも、互いに支えあってきた仲良し4人の、穏やかで温かい雰囲気がすっかり私を魅了してしまった。つらい戦争の話だったのに……。（1994年6月インタビュー）

ラバウル港は、火山に囲まれた天然の良港として、ニューブリテン島各地からのコプラ（ココナツの実を乾燥させたもの）の集積場と輸出で賑わっていた。平野にはタロイモ、ヤムイモ、ココナツ・プランテーション、そして奥地の原生林は暮らしの豊かさを支えていた。

ラバウル侵略は1942年1月23日に、海軍の陸戦隊と、陸軍南海支隊の大挙上陸をもって始まった。駐屯していたオーストラリア兵やプランテーション経営者の白人たちは、早めに海外や奥地に逃げたが、知らされていなかった住民と華僑（中国人）は、その侵攻をもろに受けたのであった。

南海支隊第1隊長中佐は上陸の当日、市長の娘を宿舎に連れ込んで強姦し、その夜、娘は自ら首を吊って死を選んだ。このことに対するラバウルのトーライ民族の怒りは深い。

そもそものラバウル侵略計画は、トラック島連合艦隊基地を守るための前進基地建設が目的であり、海軍主導で計画が練られた。侵攻後は、海軍南東方面艦隊（草鹿任一司令官）と、陸軍第8方面軍（当初25万人、今村均司令官）が、それぞれの司令部を置き、終戦まで10万人もの兵（海軍3万、陸軍7万）をもってラバウルを占領した。ラバウルから前線に送られていった兵隊は各地で玉砕させられていったが、命令を発した側の上級将校たちは、「米を食べて飢えることなく」籠城して終戦を迎えたのである。

この日本軍侵略下で、トーライ民族（4000人）、華僑（1200人）、徴用・徴兵されてきた1万人を超える軍属（台湾人や朝鮮人）、連行されてきたシンガポール等からの捕虜8000人（インド人、インドネシア人、マレー人、中国人）らが、日本軍の洞窟陣地や飛行場建設、食料生産のための過酷な労働の「スレイブ」（奴隷）として、飢えと病気と、また処刑への恐怖にさらされながらの日々を送った。

## マラグナ村老人たちの話のつづき

「男たちは飛行場建設と道路建設に、女たちは畑仕事に駆り出された。爆撃を避けて洞窟や森に逃れたが、火をたくのは禁止。夜は寒かったし、多くが病気になった」

「飢えた住民が畑からタバコの葉や作物を盗んだだけで拷問や処刑。白人と連絡したり助けたりする人はスパイ活動として死刑。キリスト教の活動をしたら死刑だったよ」と老人たちは語る。湾内での伝統の追い込み漁も、銛(もり)で突く漁労も、許されるべくもなかった。

アンドリューは次の衝撃的な事件の目撃者であった。

「僕は飢えていたので豚を盗んで牢(ろう)に入れられ、スレイブ（奴隷）として、トベラ飛行場づくりをやらされた。やっと飛行場ができたら、米軍の爆撃で飛行場は穴だらけになった。日本兵は急いでその穴を埋める命令を出した。皆急いでいた。ところがある人がシャベルで救いあげた土を穴に入れようとしたとき、後ろからやってきた日本兵がいるのを知らないで、日本兵にかけてしまった。彼は処刑されることになった。彼といっしょのグループ7人が並ばされた。『穴を掘れ』。それで穴を掘った。目隠しをされ後ろ手に縛られた。そして日本兵はピッケルで彼の後ろから頭を叩(たた)き潰(つぶ)した。脳が叩き潰された。それから次々と穴に突き落とされた。全員が処刑され

マラグナ村の老人たち

たよ」。「僕はその近くで別の穴を埋めるために働いていてそれを見たのです」。

処刑を命じたこの海軍設営隊兵は、後に絞首刑になった(1)。

アントン・キンガンさんが口を開いた。

「僕自身はタバコを盗んでね。仲間に分けたら、日本兵にばれた。3日間牢獄に入れられて鞭(むち)打たれた。ひどい痛みだったけれど殺されなかった」

「アントンは運がいいよね。普通だったら死刑だったのに」と皆が口々に言う。

ジェイコブ・トイタムさんが言った。

「僕はオーストラリア兵への協力者だった。疑われてスレイブになった。殺されなかったけど、道路づくりに送られてしまったのさ」

## 赤蟻(アカアリ)拷問

白髪の老人のアウグスト・タンバランさんがゆっくりと話す。

「この村の一人は生き埋めにされて頭だけを土の上に出して、その頭を棒で打たれた。ココヤシの木に生きたまま逆さ吊(づ)りにされた人もいた。日本兵はその人の上に赤蟻(アカアリ)を集めてきて、赤蟻に喰(く)わせ放題にした」。(赤蟻拷問は戦犯裁判記録にも多々残されている)

私は聞いていて胸が苦しくなった。いったい誰がこのような残酷なことを思いついたのであろうか。あるいは日本軍のなかに、この残酷さを生み出す何かがあったのだろうか。

## 戦争末期の穴掘り命令

米軍やオーストラリア軍の上陸が近い戦争末期のこと、「私たちに穴掘り命令が出た!」。

「日本兵は私たちに『穴を掘れ』って巨大な穴を掘らせようとした。私たちは皆疑った。『これは私たちを埋めるためではないか?』。日本兵たちは分裂していたと思う。戦争をやりたい日本兵と、一方で本当は戦争をしたくない、終わらせたいという兵隊たちとがいた。終わらせたい日本兵は親切だった。穴埋め命令のときに、私たちにそっと教えてくれた。『ゆっくり掘れよ』って。だからゆっくり掘った」と、老人たちは口々に言う。

この巨大穴掘り命令は、日本の統治下にあって「南洋群島」と呼ばれたパラオ(ベラウ)、ヤップ、サイパン各地でも行われた。「防空壕にしては巨大すぎたのよ。だから私たちは疑ったの。島民を埋める計画であったことが後に判明したのよ」とパラオの女たちが私に語ったことがある。住民を埋めるとともに、証拠と資料隠滅のための穴であった可能性がある。

## 憲兵に拷問された修道女たち

修道女たちへの拷問もあった。ラバウルのシスターたちが私に語った（1994年）。

「憲兵が一人のシスターを問い詰めたの。『ニッポン、ナンバー・テン！（日本一番悪い）と言ったそうだな』。シスターは『そんなこと言ったことありません』と答えた。怒った憲兵は、『殺してやる』と脅したの。シスターたちは全員が抗議しました。『もしそうなら私たち全員を殺してください』って」。「憲兵はシスターたち全員を跪（ひざまず）かせて、その足の間に太くて長い竹棒を挟ませたの。ローカル憲兵（憲兵隊の手先の現地人）に、棒の両側からシーソーのようにして、『踏め』と命令し、その拷問は長い時間行われたのですよ。シスターたちは賛美歌を歌って耐えました。多くのシスターたちが、その拷問の結果、終生足を悪くしたのです」。

## 恐怖の略式裁判

陸軍第8方面軍の司令部と、第6野戦憲兵隊の分註所があったラクナイは、そのなかでも残酷な拷問と処刑が最も多く行われたところである。パトリック・マベブさんは、私をラクナイに連

「ここで日本兵が住民をココヤシの木に吊して赤蟻拷問を行った」と説明するパトリック・マベブさん。地下牢への閉じ込め・拷問・処刑も行われた。

れていき説明する。

「ここは『ケンペイ』がいたところ、ケンペイの罰が怖かった。あのココヤシの木に、手も首も縛りつけて、ケイン（ココヤシの茎など）で２００回、３００回の鞭打ちをさせる。それから赤蟻を集めて、その人の身体に這わせて噛みつかせて3時間、4時間放置する。そのまま死ぬ人もいたよ」

ラバウルの憲兵隊は、その手下に80人ほどのローカル憲兵、通称「ポリス・ボーイ」を使っていた。憲兵の役目は「治安維持のため」の犯罪捜査活動、民政と軍事警察の役割を兼ね備え、裁判や処刑の権限をもっていた。その手下の「ポリス・ボーイ」は、マヌス島やニューギニア本島などから連れてこられ、憲兵隊や民生部の日本兵に代わって、住民を処刑する役割をはたしていた。

第6野戦憲兵隊の本部少佐であり、隊長代理でもあった松田才二さんは、略式裁判について私に次のように説明する（1995年）。

「憲兵隊には緊急やむを得ない場合、略式裁判での処罰を決定する権限がその場でありました。上級士官・将校も同様です。遠隔地から司令部にうかがいをたてなくてもよかったのです。この権限が乱用されたケースも少なくなかったのです。それが戦後戦犯裁判にかけられる原因にもなったのです」と認めながらも、「分註所での拷問や処刑の詳細を憲兵隊本部の私は知りませんでしたがね」と弁解するのだが[2]……。

第6野戦憲兵隊が行った拷問・殺害の「BC級戦犯豪軍ラバウル裁判資料[1]」の記録は凄まじい。

「土民を棒責め、水責め、殴打、陰茎を縄にて牽く拷問」

「顔面蚊取り線香焼き拷問」

「支那婦人（20歳）を樹木に縄で縛り、数百の蟻を振りかけ2時間にわたり放置し、翌日彼女を自室に引致し強姦し、その後数回にわたり強姦」

「支那市民、混血市民、土民50名を拷問、自白を強制して作成したる書面のみを基礎とした処刑」……。

## ピーター・ト・ロトへの毒薬注射と殉教

このラクナイで、毒薬を注射されて死んだ人がいる。ピーター・ト・ロト（１９１2年生まれ）さんである。彼は日本軍に幽閉されていた外国人宣教師たちに代わって、日本軍が厳禁していた聖書を教え、集会を開き、日本軍を公然と批判した。最後に捕らえられ毒薬を注射されて死んだ。１９４5年7月のことであった。

幽閉されていた大司教レオ・シャーマックの記録[3]にその詳細が残っている。

「ト・ロトの活動の一部始終は日本軍に報告されていました。１９４5年、彼は逮捕され岩穴の牢に入れられた。住民は彼の釈放を懇願したが、ト・ロトは『私は信仰のためにいつ殺されてもかまわない』と言った。ついにある朝、日本兵が宣言した。『今日の夕方医者が来てト・ロトに注射することになっている』と。彼は自分の最期がきたのを悟り、白い衣と十字架を身につけた。

日本兵はト・ロト以外のすべての囚人とポリス・ボーイに、岩穴から出て外で球技をして騒ぐように命じた（岩穴内で行われる音を聞こえなくするためであったらしい）。やがて日本の軍医が到着した。牢獄で何かが行われた。30分ほどしてポリス・ボーイたちが呼ばれた。日本兵は彼らに『遺体を引き取りにくるように伝えろ』と命令した。人々はト・ロトの死体を一目見て、異常な死に方をしたことを知った。鼻と耳から泡が吹き出し、特別の化学物質の匂いがした。喉（のど）は変色し、左腕に注射の跡があった」と記されている。

## 「BC級戦犯豪軍ラバウル裁判資料」は記す

「BC級戦犯豪軍ラバウル裁判資料[1]」にみる判決では、連行してきた捕虜への虐待や殺人が全体の8割以上を占めている。

「支那人捕虜15名を殺害。穴を掘らしめ病気の支那労務者24名をこれに投入射殺。その後6名射殺。11名殺害。殴打刺突し殺害」、「インドネシア人10名、インド人1名を逃亡の罪で銃殺」、「水や米を窃盗したインド人捕虜を銃殺。バナナを奪ったインド人捕虜を斬首」、「疲労のため荷物の軽減を依頼したインド人捕虜を縄で縛り海へ投入」、「インド人捕虜15名を殺害、うち4名の肉を食べた」等々（人数の特記がない場合は1名）。

ケラバット飛行場（北飛行場）の脇からは、戦後231人の華僑の死体が掘り起こされた。胸が苦しくなるような残虐の連続であった。

日本軍の侵略下で、なぜこのような冷酷な仕打ちが行われたのであろうか。

今村均の発した「戦陣訓」や「決戦訓」の玉砕精神と関連があると思われる。その玉砕精神が、捕虜になった者への冷酷な仕打ちにつながっていった。

またBC級戦犯裁判そのものが、命令を発した上級将校に対してよりも、直接犯行を担わされた下級兵士や現地の「ポリス・ボーイ」、さらには台湾などからの軍属に重い刑が課せられたという側面があった。

民生部の下で軍属2人が「巡警（ポリス・ボーイ）10名に杖を持たせ、現地住民1人を打ち殺させた」、「食物、水を給することを禁じ致死させた」という犯行に対しては、軍属1人に絞首刑、もう1人の軍属に10年の刑が下されている。「鞭打ち、木に縛りつけて2週間食事を給することなく放置して致死せしめた」件では軍属に10年の刑が下されている。

第6憲兵隊の下で華僑1人に「棒責め、陰茎殴打、吊り上げ懸垂の拷問」を行った犯行に対しては、軍属に10年の刑。

彼らは日本軍の上官からの命令に従ったために、刑を受け、戦犯にさせられていったのであった。[4]

多くの問題をはらみながら、「BC級戦犯豪軍ラバウル裁判」は、絞首刑87人、銃殺刑3人、終身刑8人、有期刑171人、無罪116人、その他23人という、他地域に類をみない最大規模の刑宣告結果をもたらしていった。

## 裁判対策に賄賂を贈った憲兵隊

しかもそうした裁判対策に「賄賂（わいろ）がものをいった」という人物がいる。憲兵隊長代理の松田才二さんである。彼は憲兵隊関係の責任をとって戦後もラバウルに残った。彼が私に語ったことは……。

「私はね、裁判対策に生命がけの買収工作をしたのですよ。ラバウルから日本へ帰国していく将校から、時計や宝石、カメラ、指輪などを集めたんです。机の上に小山ほど集まりましたね。これをオーストラリア裁判関係者への賄賂用にしました。

ラバウル裁判所の裁判官と検事たち、そしてグリフィン法務少佐（厳しい検事だったので松田さんが名前を覚えているという）に、それらを与えました。この賄賂は効果を奏しましたね！ 情報将校、陸軍警察、警戒兵、タイピスト、土民兵にいたるまで、私は徹底して買収工作をしましたよ。

対策以前は憲兵隊に絞首刑ほかの重刑がありました。でも対策以後の憲兵隊への重刑は、減刑されたりして、2年の刑が2人、他が無罪になったのですよ」。

「他の部隊の人は、『どうして憲兵隊だけが減刑なんだい』と言っていました。まさか賄賂だって言うにも言えないしね。人間は賄賂には弱いものだということをこのとき私はつくづく実感しましたね……」（1995年）

松田さんが私に打ち明けた裁判の暗部、賄賂と減刑！ この事実はまったく知られていないことであった。

## 釈放の条件がスパイ活動だった

松田さんの話はつづく。

「日本へ帰ってからも私は情報将校として、証言者として、ＧＨＱ（連合軍総司令部）から取り調べを受けました。ラバウル占領後のある事件について憲兵隊に容疑がかけられていたからです。その取り調べを終えるための交換条件として、やがてＧＨＱは、私にスパイ活動をすることを持ち出しました。

『君は情報収集将校としてラバウルで名が高かった。その優秀な能力をもってスパイ活動をやってほしい。海賊をして中共（中国共産党、中国のこと）とソ連の原爆配置についてのどんな話でもいいから、東シナ海の漁民などから聞き出してこい』と言うのです。

私はいろいろ考えることがあって、その交換条件を呑んだのです。それで取り調べも終わりました。そのうち問題の事件は海軍が起こしたことが判明したのですが」

松田さん釈放の交換条件が、中国とソ連へのスパイ活動であったこともまた興味深く重要な内容である。

戦後Ａ級戦犯容疑の岸信介氏らが釈放された背景に、なんらかの交換条件があったのではと憶測されているなかでの松田さんの証言は、ＧＨＱと戦犯たちの政治取引を垣間見させてくれる。

元憲兵隊長代理でもあった松田さんが、なぜ私にそのような重要なことを語ったのか。戦争時の思い出を精算したかったのであろうか。

闇に葬られた重要な事実を語られた者として、私は多くの人々に伝えなければならないと心に誓った。殺されていった無数の人々の無念の思いとともに、またそれをあえて語ってくださった松田さん自身の悔悟の念への応えとして……。松田さんの重要な証言は以下の「慰安所」のところにも続く。

## ラバウルの「日本皇軍慰安所」

ラバウルには「日本皇軍慰安所」[5]が30軒近くあった。

そのうち、陸軍関係は20軒ほど、少なくとも600人以上の女たちが連れてこられていた。海軍は将校用・一般兵隊用と、階級別の「慰安所」をもっていた。

10万人を超える日本軍がラバウルを占領していたので、「慰安所」の前はどこでも長蛇の列だった。「慰安所」の女たちの90%は性病にかかっていたが、それでも奉仕させられ、なかには一人で毎日90人の兵隊を相手にさせられた人もいた。

上官は前線に派遣する兵隊に「死ぬ前に慰安所に行っとけ」と命令していた。「慰安所」は極限まで大本営に奉仕させるための兵隊へのエネルギーの補給所であり、玉砕前の慰めとして女たちは奉仕を強いられていた。

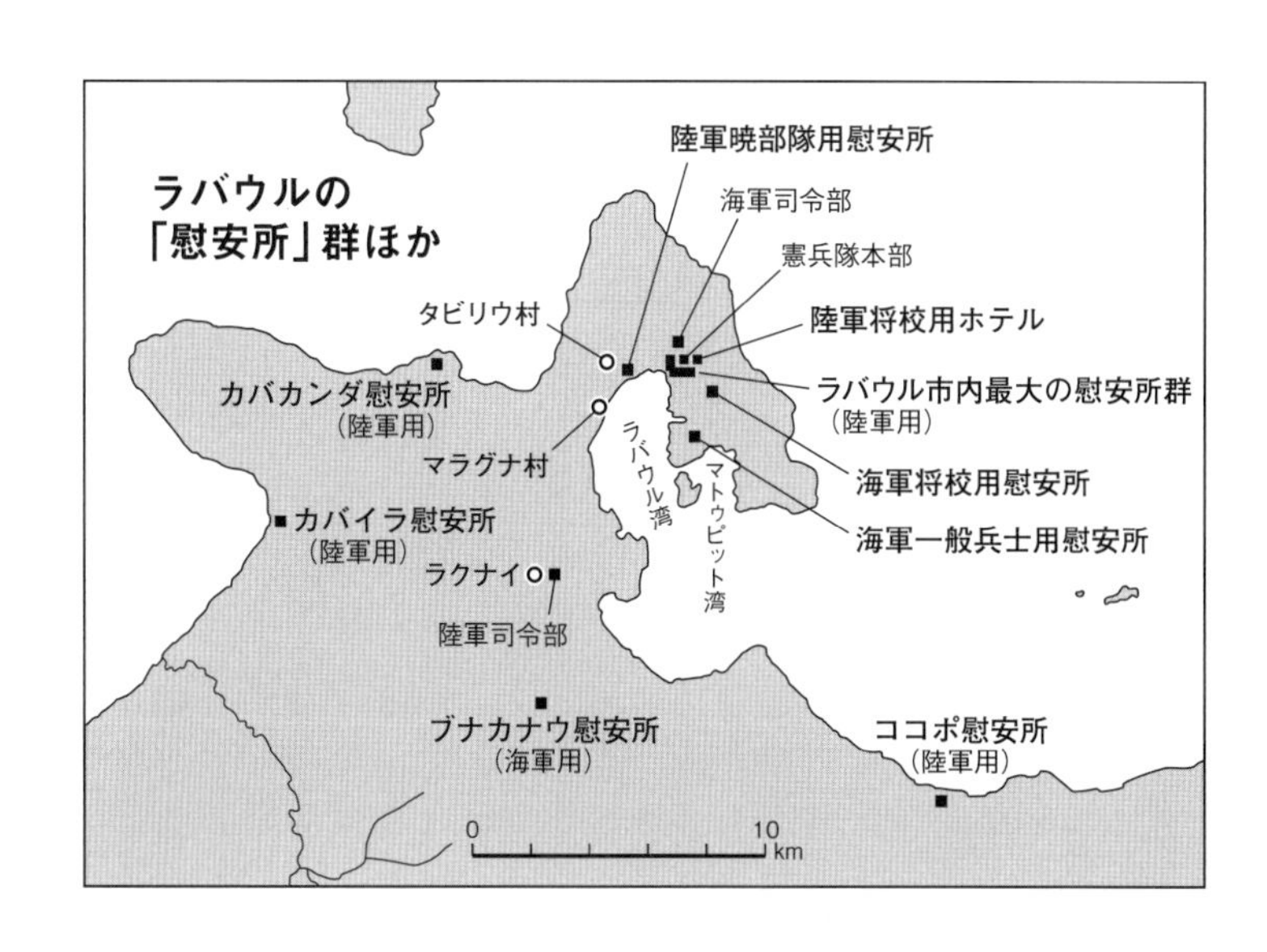


驚いたことに、現地の少年たちも「慰安所」で、奴隷のように雑役奉仕をさせられていたのである。

この「皇軍慰安所」の総監督・管理を公式に行っていたのは、憲兵隊と日本陸軍船舶輸送司令部であった。

語られなかったラバウルの「日本皇軍慰安所」の実態を、住民、憲兵隊、日本兵、元「慰安婦」の方々からの貴重な聞きとりで追ってみた。

## パトリック・マベブさんの語るカイバラ「慰安所」

パトリック・マベブさん（写真7ページ）は、ビンロウジュの実を噛（か）みながらゆっくり話してくださった。ラバウル湾を見下ろすタビリウ村で彼は棺桶（かんおけ）づくりをして生計をたてていた。幸せそうな家族が彼のまわりを取り囲んでいる

（1994年のインタビュー）。

「僕のグループは激戦地ココダ道での戦いに連れていかれて死んだ。僕はのろまだったので、ココナツの実を集めているうちに、その集合に遅れた！　それで、ただただ走ってそこを逃げたのさ。その後はカイバラ「慰安所」の女たちの食事づくり、洗濯、掃除をやらされることになった」

「明日そのカイバラの『慰安所』跡に連れていってあげよう」と言う。翌日は家族総出でのピクニックのようなカイバラ行きとなった。ラバウルからトンネルを抜けた海岸の途中で、彼は車をとめた。

「つらい思い出の場所だ。この浜辺で僕は、女たちの朝と昼の食事をつくった。そして天秤に乗せて、その食事を担いで30分かけて運んだ。私ともう一人の少年がね。重くて泣きたかったよ」

歯をくいしばって泣くまいとした少年（当時13歳）のころの姿が浮かんでくる。

「どんな食事をつくったの？」

「ご飯と魚とジャパニーズ・スープ」

車はさらに西へと進み、海を見下ろす美しい敷地に着いた。教会と修道院の立て札が見える。

「ここさ」

「えっ、で、でも、ここは修道院じゃないの!?」

「そうさ、ここが『慰安所』だった」

「びっくりしたかい？　修道院を『慰安所』として使ったんだよ」

出てきたシスターたちに挨拶する。兵隊が外でずっと並んで待っていたよ」

「この外壁にね、女たちの顔写真が貼ってあって、気に入った女のところに行く。兵隊が外でずっと並んで待っていたよ」

「………」（私たちシスター）

「僕たちは女たちに食事を与えて、掃除と着物洗いさ。兵隊が監視していて、なんどもビンタをくらった」

## 女たちの身体を洗う仕事をさせられた少年（カバカンダ「慰安所」）

カバカンダ「慰安所」はラバウル最北部の美しい岬にあった。海の青さが眩しい。

アルベルト・トマラさん（戦争当時12歳、本章扉に写真）と家族が口々に話してくださった（1994年）。

「ココヤシの木の向こう側に、5つほどのヤシ葺き小屋の『慰安所』があって、たくさんの女たちと、大勢の兵隊たちがいた。『慰安所』の前に列をつくって、10人ぐらいの単位でなかに入っていく。僕たちは、兵隊に命じられて、女たちの下半身を洗う仕事を毎日させられたのですよ。タオルも何も使わずに、石鹸をつけて私の手で洗ったのです。それが私にとって、どんなに耐えられない仕事だったか。嫌がる私に兵隊は私の手をとって、無理に洗わせた。命令に逆らうと拳銃が光ったんだよ」

そばにいた家族や村人たちが口々に「信じられないだろう。本当だった。ひどい仕事だった」と真剣な顔で怒り、私にこの事実を信じてもらおうとする。

私は言いようのない怒りと恥ずかしさに言葉を失った。少年たちまでもが、拳銃で脅され、ビンタをくらわされ、奴隷のように従わされ、日本兵の戦意を高めるための手段にされたのであった。日本軍は、ここを「赤根崎」と呼び、陸軍用の「慰安所」が5軒ほど並んでいたという。

## ブナカウ海軍・航空隊用「慰安所」

内陸のブナカナウ飛行場（西飛行場）近くの海軍・航空隊兵用の「慰安所」でも、少年が「慰安婦」の身体を洗う仕事をさせられていた。

「2階建ての家でね、ネイビー（海軍）とパイロット（航空士）が300人ぐらい、毎日並んでいたよ。女たちは泣いていたよ」。今も、その地区に住んでいるヴァット・カビド老人が話してくださった（1995年）。

## 憲兵隊本部の松田才二さんが語る太平洋最大のラバウル「慰安所」群

ラバウルの中心部を東西に走る大通りに沿って、太平洋最大の「慰安所」群があった。

華僑などの建物が接収されて、道路に沿って南に「慰安所」、その北の向かい側が憲兵隊本部

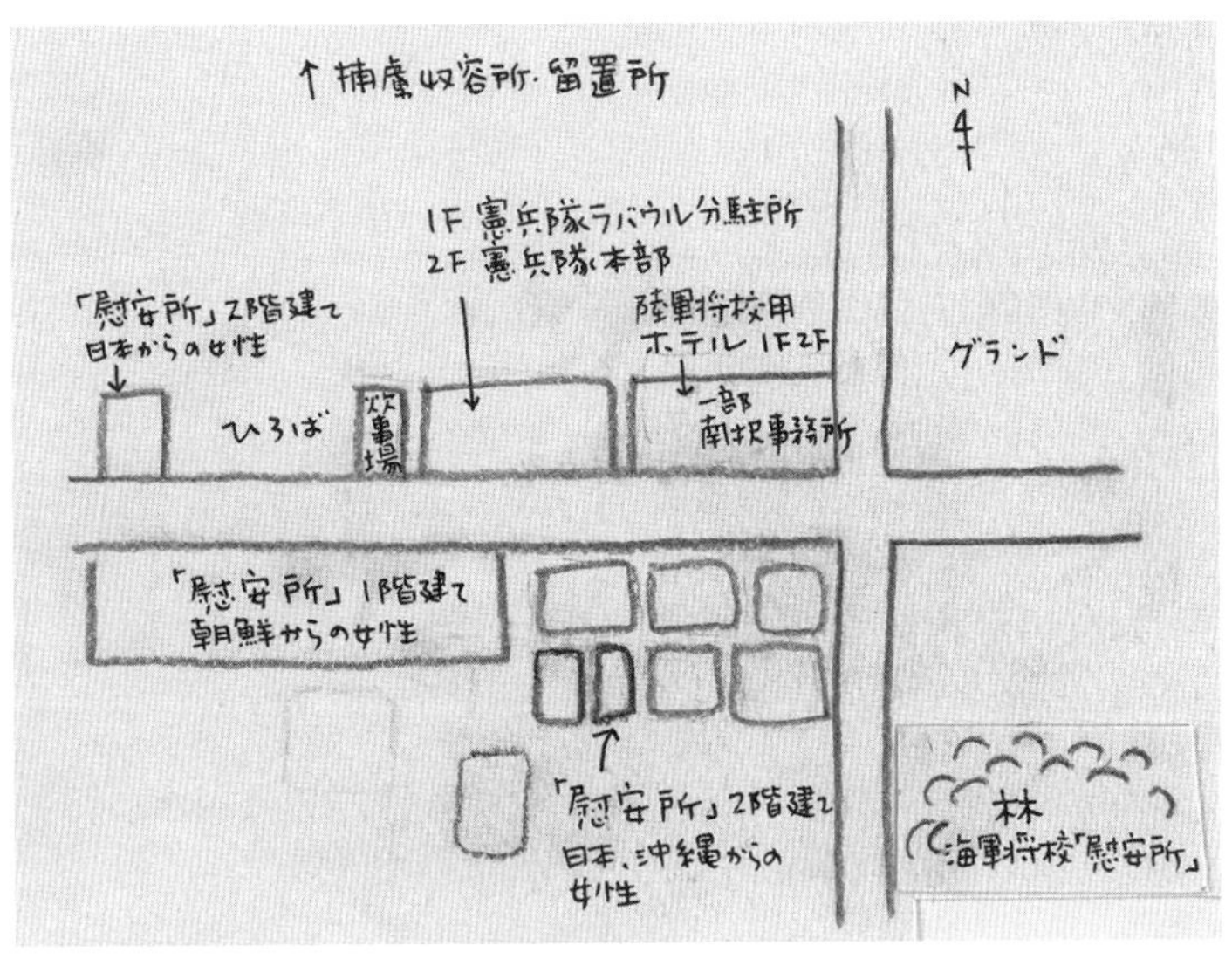


ラバウル憲兵隊通りの「慰安所」図

になっていた。それは、いわば「慰安所」と憲兵隊通りともいえるところであった。

この一画について詳しいのが「私は憲兵隊本部の責任者として『慰安所』の総監督もした」と語る松田才二さんである。彼は当時24歳で、第8方面軍の第6野戦憲兵隊少佐だった。病気がちな菊池憲兵隊長の代理として、治安維持、軍隊警察の仕事に加えて「慰安所」の総監督と、憲兵隊の建物の北方にある捕虜収容所や留置場の監督も行っていた。

松田証言の重要性は、「慰安所」運用に、今村均第8方面軍司令官以下の軍組織が、どのように公式にかかわっていたかを詳細に語ってくださったことにある（1995年に1年間をかけて彼と会い、聞きとりを重ねた）。

「ラバウルにおける暁部隊は、正式には第4船舶輸送司令部が統括する部隊で、強力な輸送力をもっていました。坂上中将が司令をしていました。支那事変・満州事変以来の日本軍相手の『慰安所』の親方と、暁部隊が話し合って、ラバウルに女たちを連れてきたのです。『慰安所』の管理は暁部隊、警備・取り締まりは憲兵隊がしていました」

「女たちはひどい生活でしたね。廊下の左右にうなぎの寝床のように布で仕切られただけの2畳ほどの部屋があってね。小さな包みほどの身の回り品を持っているだけ。食事は貧しいもので、ご飯と味噌汁にお新香だけ。健康を維持するにも足りません」

「わずかの時間に裏の空き地で行水をしていました。衣服は浴衣がけに帯でしたよ」

「一番大きい『慰安所』は平屋建ての長い建物で、朝鮮の女たちがすし詰めに２００人から３００人入れられていました。日本から連れてこられた女たちは、別の8棟ほどの2階建てにいました。1棟に20人ぐらい詰め込まれていたでしょうか。出身地は沖縄県、五島列島、天草、宮崎県、滋賀県、奈良県、和歌山県、東北など、貧しい地方からの女たちが多かったのですよ」

「もう一軒の『慰安所』は、憲兵隊側にありましたので、私の事務所から中が丸見えでした」

「女たちに対して暁部隊の軍医による性病の検査がありました。憲兵隊員の朝鮮人軍属が立ち会い、最後に私がその検査報告に目を通しました。検査の結果90％の女たちが性病を持っていることがわかりました。軍医が検査をすると膿が出てくるのです。女たちの3分の1は病気で伏せって、そしてまた多くが死んでいきましたよ。憲兵たちは『慰安所』の部屋と部屋の間の通路を巡察して回りました。重い病の女たちの部屋の前を通ると、膿の匂いがしたのですよ」

「『慰安所』の親方代表は毎朝、憲兵隊に報告に来ました。女たちがその日、それぞれ何人の兵隊をとったか、病気で休んでいるのは誰かなど。それを私の部下が点検して、最後に私に渡しました。女たちは一人あたり一日平均40人ぐらいの兵隊の相手をさせられていました。食事する時間もないほどです。兵隊たちの姿は極限状態のなかで恥も外聞もない浅ましいものでしたよ。

なかには一日80人から90人もの相手をさせられていた人もいました。

憲兵隊長の菊池さんが、『満州・支那でも、こんなに多数の兵をとったことを聞いたことはない。いったいどんな女かぜひ見たい』と言ったんですよ。連れてこられた女を見たら、色白で可愛い丸ぽちゃの小柄な美人だった。それで客が集中したのでしょうか。美人である方が性病の率も高かったりしました」

## 今村均司令官指揮下の「日々命令」が「慰安所」使用割り当てを通達

貴重な証言がつづく。

「今村均司令官指揮下の副官部（総務を担当する部）が『日々命令』を師団に伝達するにあたって、そのひとつがこの『慰安所』の使用だったのですよ。今日はどの部隊が『慰安所』を使うかなど、日を割り当てていたのです。そうでないと混雑してしまうからです。

各部隊では『慰安所』の使用割り当てや、コンドームを渡したり、『美人は性病の率が高いから』との注意などの、レクチャーを行っていました」

ちなみにラバウルやソロモン諸島方面の軍隊への、陸軍省からのコンドームの配付は、1941年だけでも第17軍に334万個、南海支隊に4万個であったことが、陸軍省経理建築課の記録に残っている。[6]

松田さんはさらに続ける。

「兵隊たちは各『慰安所』の入り口に50人ほど毎日たむろしていました。部屋の入り口で軍票を相手の女性に払う。女性は親方にその軍票を渡しにいく。そして客を迎える。売り上げのほんの一部を彼女たちが受けとっていましたが、それも軍票でした。

乏しい食事を補うために女は船員から仕入れた食べ物や、兵隊が貨物廠からかっぱらったものを貰ったりしていました。女たちの気をひこうとするこうした兵隊や将校がいたので、『慰安所』は揉め事が絶えませんでした。ラバウル郊外の部隊から逃亡してきて『慰安所』に逃げ込んで武器を持って立て籠もる兵隊もいました。そうした兵隊を牢獄に入れて監督するのも私たち憲兵でした」

「一般の兵隊と下士官は休みのある日の昼に行くのですが、まあなんといっても、夜も自由に外出できる特権階級の将校が最も『慰安所』を足繁く利用しましたね。これが大問題だと思いました。そのうえ、女を妊娠させては、『堕ろせ』と言ってきたりするのです。

ある日、一人の将校が私に頼みにきました。『女を妊娠させたので子どもを始末してくれ。自分はこれから陸軍大学を受験しなければならない身だから、子どもができたら立身出世に差し支える』と言うのです。私は激しい怒りを感じましたね。その女は流産してしまいました。女たちは身体がボロボロになっていたので子どもを身籠(みご)もっても流産してしまうのですよ」

「私自身は『慰安所』通いをしたことは一度もなかったし、『慰安所』での将校たちの態度に日ごろから怒りを感じていました」

「慰安婦」を空襲の危険から、送り返す計画を主張したのも松田さんであった。

「1943年ごろになると空襲が激しくなりました。それで私は女たちを内地に送り出す計画を主張したのです。最初は反対もありましたが実行されました。暁部隊が女たちを船に乗せて11月と12月にトラック島へ向けて出発させました。一度は輸送船で沈没させられ、もう一度は病院船だったと思います。私はマラリアにかかって伏せっていて、一度目のことしか知らないのです」

「慰安婦」たちは軍需物資として輸送されるので記録に残らない。輸送船で誰が沈んだのか、その後の追跡も困難である。


（補足）1度目の船は1943年11月の輸送船で、ケビアン沖で撃沈された。最後の船は1943年12月の病院船でトラック島に無事着いた。

## 「慰安所」も防空壕も将校と兵士とで差別

「海軍の将校用『慰安所』は豪華でした。憲兵隊から少し離れた林のなかに、将校用のクラブや料亭もありました。日本からわざわざヒノキを運んでつくらせたものでした。女将(おかみ)や料理人、女たちを連れてきていましたよ」。海軍の一般兵隊用「慰安所」は松島湾（マトゥピット湾）岸の東飛行場近辺にあった[7]。

一般兵士用の防空壕はココヤシの木（固いが腐りやすい）で、陸海軍とも高級将校用は、ラバウル郊外の熱帯雨林を伐り出した固くて腐りにくい木でつくられていた。差別は防空壕にもあった。

## 長倉さんの出会った「静香」さんは船とともに海に沈んだ

長倉義明さんは、陸軍船舶輸送司令部暁部隊の通信長として、連合艦隊司令長官の山本五十六の死亡や、『ズンゲン部隊玉砕せよ』の電文も打った人であった。彼の暁部隊は「慰安所」の女たちの輸送の仕事をしている関係上、「慰安所」に仕事で出かけることが多かった。当時23歳の若さであったという。

私が出会った長倉さんは、そよ風のように端正な佇(たたず)まいの方という印象であった。幾度となくインタビューを重ねさせていただいた（1993年）。

（補足）長倉義明さんは、私が熱帯雨林伐採について書いた記事に感想文として、「戦争中、日本軍は何万本と知れぬココヤシの木を伐った。今は熱帯雨林の伐採。申しわけないことをつづけています」と書いて送ってくださった人であった。これが彼との出会いのはじめとなった（1993年）。

長倉さんは語る。

「私は、『慰安所』の世話係の日本女性（大村静子さん）から、『〝岡村静香〟をよろしく』と頼まれました。紹介された静香さんは、朝鮮の17歳の少女でしたが、日本語が達者で色白の愛くるしい人でした。甘納豆などの甘いものが好きで、ときどき持っていきました。『私は父もない。母もない〝慰安婦〟、自分の国には帰れないの』と言っていました」

彼は静香さんと親しくなったが、あくまでも兄と妹のようなつきあいをつづけられたという。

「1943年10月ごろ、爆撃が激しくなって、女たちが輸送船で送り返されるということになりました。その前の日、静香は泣いていました。そうして、その輸送船はラバウル近くで撃沈され、静香は海の底に沈んでいったのです」

長倉さんは、静香さんを忍んで歌を詠み、後に出版しておられる。(8)

「月のある日ながらも病む友に代りて今日も兵を抱くと」

「いく度も通いながらも抱かざれば少女は訝る魅力なしやと」

静香さんの切ない思いが伝わってくる歌である。

「少年たちが手で女たちの身体を洗わされた」という、あのカバカンダ岬「慰安所」にも、長倉さんは仕事で行かれた。「休日で200人から400人の兵隊の行列ができていました。なかは奥行きの長い貧弱な建物で、布のかかった部屋の前で、兵隊たちが下着で待っていました。一人の人が終わると女の人が『はい次の人』と言うのです。出てきた兵隊は、サックをゴミ捨てに捨てる。いやもう浅ましい姿で、ラバウルにいるあいだじゅう、自分は「慰安婦」をとる気になりませんでしたよ[9]」

暁部隊専用の「慰安所」も波止場に一軒あった。その波止場ではインド人の捕虜たちが、よろよろ荷物を担がされているのを見て、思わず食べ物を差し出したという優しい長倉さんであった。

（補足）松田才二さん、長倉義明さんとは、幾度となくお会いしてお話をうかがった。「皇軍慰安所」の責任者であった暁部隊と憲兵隊の側からの直接の供述を記した書籍は、私の知るかぎりほかにない。知られざる貴重な内容を語られた者として、それを伝えていく責任がある。その思いで綴(つづ)らせていただいた。

## 爆破された輸送船から脱出したパク・オクリョンさん

パク・オクリョン（朴順愛）さんは、22歳のときに、ラバウルの「慰安所」に連れてこられた。

パクさんとは、「日本軍性奴隷制を裁く――女性国際戦犯法廷（２０００年）」のために韓国から来日された折に出会った。短い時間であったが単独インタビューさせていただいた。また手記として残しておられる文章もあり、以下にそれらも含めて、彼女の経験を紹介していきたい。

１９２８年全羅北道茂朱（ムジュ）生まれ、夫の暴力にも会い、紆余（うよ）曲折を経て、ラバウルに連れてこられた。ラバウルでは「シズ子」と呼ばれ、毎日20人ぐらいの相手をさせられた。憲兵隊の本部の前にあり、監視は厳しく、「慰安所」の大門から勝手に外出することは決して許されなかったという。しかし、アベ軍医（彼女自身の言葉）から目をつけられ、親方からの厚遇もあったらしい。

最後に米軍の爆撃が激化した１９４３年11月に、「慰安婦」たちは輸送船でラバウルから送り返されることになった。そうして彼女も乗っていたその船は、ケビアン沖（地図２１９ページ）での米軍による攻撃で沈没してしまう！　この沈没の状況を語っている生存者はパク・オクリョンさんしかいない。

「朝7時ごろ、ちょうど朝食のころでした。米軍潜水艦の魚雷に爆破され、船は真っ二つに割れてしまいました。私は船の先の方に乗っていて、そのまま海に放り出されました」。

「海のうえで爆撃が続いていたので、救助の軍艦も近づけなかった。何時間も泳いで、救命ボートに向かって助けを求めたが、私の声は届かなかったのです」

「最後に私は下着（パンツ）を脱いで、木の先に結びつけて白旗のようにかざして、『助けてくれっ』と叫びつづけたのです。そうして救命ボートに見つけられて引き上げられたのです」

軍艦に引き上げられたのは、夕方4時ごろであったらしい。

「長い間、波のなかにいたため、手足が震えていた。船の上で重湯を一椀ずつ与えてもらって人心地がついた。助けられた人たちの呻き声が聞こえていました」と言う。

長倉義明さんの「静香」さんは、この船の沈没で生命を落とされた。

奇跡的に助かったパク・オクリョンさん！　でも再びラバウルに戻され、また「慰安所」で働かされた。持ち物もなく、飢えに苦しむ日々であったという。１９４３年12月に、今度は病院船で看護婦たちとともにラバウルを出た。今度は無事にトラック島に着き、さらにパラオでの「慰安所」で働いた後、韓国の故郷に帰ることができた。再び多難な日々を経て、２０１１年5月に帰天された（92歳であった）。

遠く故郷を離れ、「皇軍慰安所」で働かされた朝鮮からの女たちの絶望と悲しみ、男たちに奪われ散っていく生命の絵がある。カン・ドッキョン（姜徳景）さんが描かれたものである。そのうちの「ラバウル慰安所」の絵（7ページ）を紹介させていただく。遠い南国で、「シズコ」「アキコ」「ハルエ」と書かれた小屋のかたすみに横たわり、空を仰いでいる姿は、「慰安婦」の置かれていた絶望の日々を私たちに訴えてやまない。

## 水木さんの語る「慰安所」――「死ぬ前に『慰安所』に行け」と命令

水木さんは、ラバウル南方のココポにも5軒ほどの「慰安所」があったと証言される。

「上官から『死ぬ前に〃慰安所〃に行っとけ』という命令が出たのです。行ってみるといくつかの小屋が並んでいました。そこに5人から6人の『慰安婦』たちが囲われていました」。長蛇の列を見て帰ってきた水木さんは、その風景を漫画に書いておられる。このときの仲間たちは玉砕しラバウルに戻ってくることはなかった[10]。

## グアム島での「慰安所」

日本が占領した米領グアム島にも「慰安所」が3軒ほどつくられた。45人ほどの女たちが連れてこられていたという。日本からの女たちはアガニャの「慰安所」で市民や将校用に、朝鮮からの女たちはササで一般兵隊用にあてがわれていた。「慰安所」の女たちは、「マンデイ・レディーズ」と呼ばれ、月曜日になると集められて日本軍による衛生検査を受けたという。「慰安所」の壁には、支払いや規則「15分を超えてはならない」ことが書かれ、また一人につき1日10人から15人の客をとるように期待されていた[11]。

## 将校たちのフルーツ・パーラーと食堂

沖縄の糸満市場で新垣キクさん（当時77歳）は、上手に魚をさばきながら、私に語りつづけた（1995年）。

「ラバウルの将校たちは、昼は食堂の銀めし、焼きめし、コーヒー、フルーツ・パーラーの豪華な食事、夜は宴会と『慰安所』通いという生活でしたよ」、「食堂には沖縄の女たち、華僑、朝鮮人、サイパンやニューギニアからの男たちが働いていました。『慰安所』には、ほっぺたの赤い10代の少女たちが監視されて住んでいました」。

「私はパラオにも女中奉公で行ってね、日本兵たちが、島の女たちに飛びかかるのを見ました。『慰安所』の女たちを殴る蹴るのも見ました。島の女たちは日本兵を怖がって、顔に墨を塗って汚くして防ぐようにしていました。でも日本兵の孤児がたくさん生まれました。私の母はそうした孤児を2人も引きとって育てたのです!!」、「日本政府は島々の女たちや、『慰安婦』たちに補償を支払うべきです!!」

魚をさばきながらてきぱきと語る彼女の凛(りん)とした態度は、沖縄や朝鮮や島々の女たちが、同じ苦しみを受けた者同士として、日本を告発しつづけるであろうことを告げていた。

(1)茶園義男『BC級戦犯豪軍ラバウル裁判所資料』不二出版、1990年

(2)略式裁判や捕虜の処刑についての問題を詳細に述べている本として、岩川隆『孤島の土となるとも　BC級戦犯裁判』講談社、1996年がある。

日本側は捕虜たちを処刑した根拠として陸軍刑法第22条適用の略式裁判の正当性を主張。しかしこれは日本軍の所属員にのみ適用されるべきものであり、住民・外国人・捕虜に対しての適用と執行は国際法違反であったはずである。これに対して日本側は、インド人等は捕虜ではなく、契約労働者または任意の協力者であり日本軍の所属員であったと主張した。

BC級戦犯とは、B級「通例の戦争犯罪」戦時国際法違反(交戦法規違反)とC級「人道に対する犯罪」

一般人への殺戮など非人道的行為を犯したものとされ、あわせてＢＣ級戦犯と呼ばれた。命令した指揮官だけでなく、実行した兵士も処罰の対象になった。Ａ級戦犯とは「平和に対する罪」を犯したものとされ、侵略戦争において国家の指導的立場にあって主導的役割をはたしたものが、重大戦争犯罪人として裁かれた。極東軍事裁判においては28人が起訴され、25人が有罪とされた。

（3）Leo Scharmack, This Crowd Beats Us All, The Catholic Press Newspaper, 1957.

Theo Aerts, The Martyrs of Papua New Guinea, University of Papua New Guinea, 1994（第二次世界大戦中に日本軍に殺された宣教師たちの記録）。修道女に加えられた拷問についても記す。

（4）そうしたなかで、中国人捕虜多数（栄養失調で弱っていた）を、上官の命令で殺害して絞首刑を宣告された第26野戦貨物廠の相沢治索伍長がいた。彼は配下の台湾人軍属や仲間の日本兵に命じて共犯を担わせたのであったが、その結果、ＢＣ級戦犯として軍属たちや配下兵も絞首刑を宣告されたことを悔やんだ。絞首刑を受けるのは自分だけでいい。彼は軍属らへの減刑を検察側に嘆願する遺書をのこして、処刑台に向かった。この遺書の結果、軍属の数人は減刑されている。彼の遺書と、死後家族を訪れた軍属が涙ながらに事実を話したことから、残された家族が真実を知ることになった。（「しずおか戦後70年　裁かれた兵士」静岡新聞 https://www.at-s.com/news/sengo70/）

その他の資料

Noel Gash & June Whittaker, A Pictorial History of New Guinea, Robert Brown & Association, 1989.

防衛庁防衛研究所『戦史叢書　南太平洋陸軍作戦⑴』朝雲新聞社、１９６８年

防衛庁防衛研究所『戦史叢書　南太平洋陸軍作戦⑵』朝雲新聞社、１９７５年

（5）「日本皇軍慰安所」という言葉は、国連の「クマラスワミ報告」にも「日本皇軍慰安所の性的奴隷」とあることから使用した。

（6）陸軍自身の手で陣中用品として兵隊に配付された「衛生サック」（コンドーム）の記録がある。１９４２年だけでも合計３２１０万個が配付された。ちなみに当時の陸軍総兵力は２４９万人だった。そのうち南太平洋地域へは、沖軍団（第17軍）に３３４万４０００個（ラバウル、ブーゲンビル、ソロモン行き軍隊）、南海支隊に4万個、一木支隊（グアムからガダルカナル行き軍隊）に1万３５００個、剛部隊（第8方面軍のひとつ）に６０００個配付された。（資料「陣中用品整備に関する件」、「陸亜密大日記」紀元庁陸軍省経理局建築課、１９４２年、防衛庁防衛研究所図書館所蔵より）

（7）ＡＴＩＳ（連合軍翻訳通訳局）関係文書 ATIS Research Report, No. 120（１９４５年11月15日）、米国国立公文書館所蔵

将校は30分で2円50銭を日本人「慰安婦」に、2円を朝鮮人「慰安婦」に払う。兵隊はそれぞれ50銭安く払う。夜から翌朝までの宿泊は将校のみ可能で、日本人・朝鮮人ともに10円を払ったとの記録がある。

このほかに女たちの平和と戦争資料館（ｗａｍ）の日本軍慰安所マップ　パプアニューギニア編に詳細がある（https://wam-peace.org/ianjo/area/area-pg/）

（８）長倉義明『悲しき戦記』文芸出版社、１９８８年

（９）長倉さんによると「慰安所」で払う金額は、陸軍の場合は将校が2円50銭、下士官が1円50銭、兵隊が1円25銭であった。

（10）水木しげる『総員玉砕せよ』オハヨー出版、１９８０年（『水木しげる漫画大全集67』収録）

（11）Tony Palomo, "Island in Agony", Library of Congress, 1984, Chamorro Studies Association and Micronesian Area Research Center, University of Guam, Chamorro Self Determination: The Right of People, 1987

第3章

# 星降る夜の深い苦しみ

## マヌス島の星の夜とセピック河での
## ティンブンケ村民虐殺事件

《パプアニューギニア》

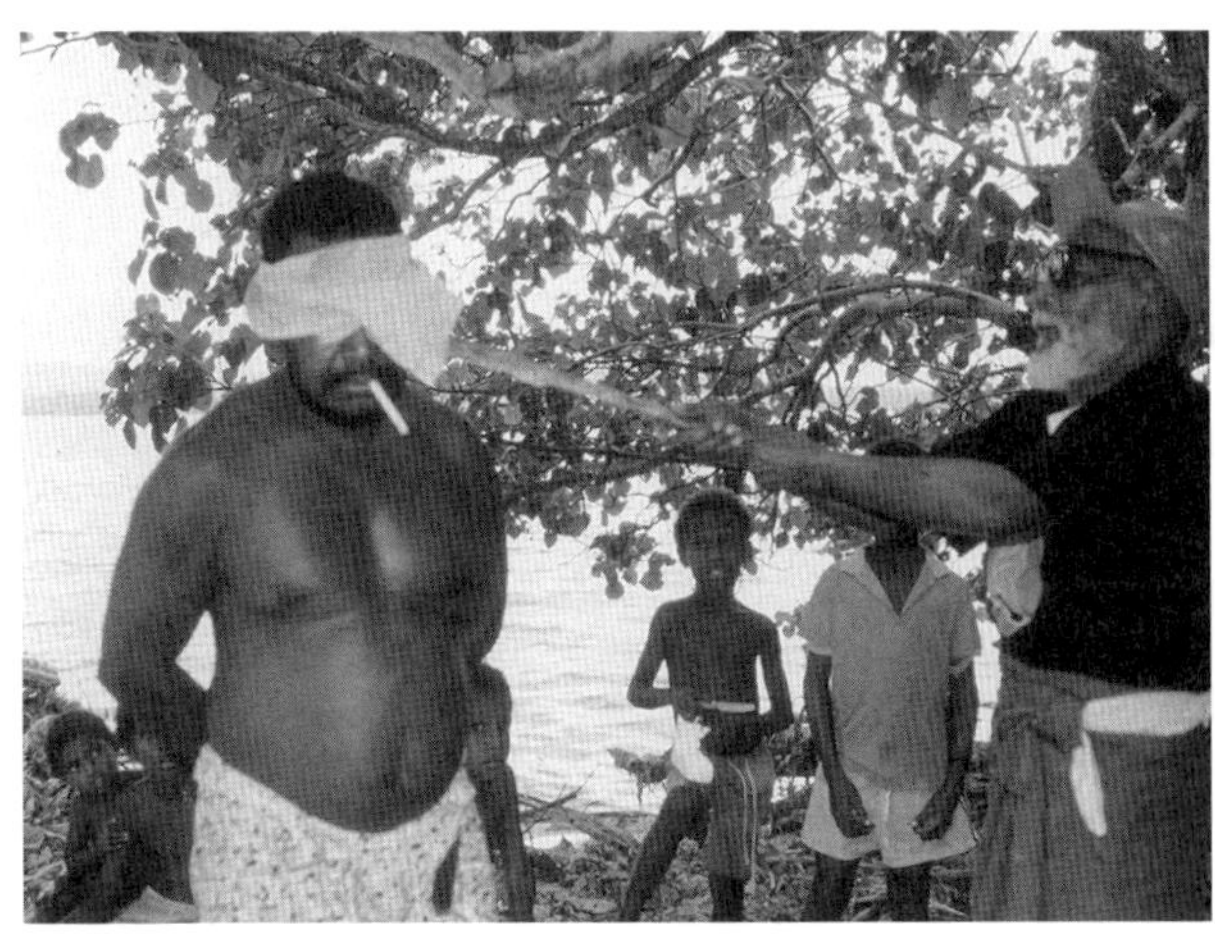

「日本軍の処罰の仕方はこうだった」と実演する
ジョゼフ・カリンさん（右）

# 日本軍が占領したマヌス島

## マヌス島の星の夜

マヌス島は夜も昼も美しかった。

1994年の12月はじめ、私たちの小舟は星が出る寸前に細い水路にさしかかった。マヌス島とロスネグロス島のあいだの「ロニュー水道」の難所である。夜目にはさらに操縦が難しい。舵をとるクレメンスさんも、助手のドミニクさんも無言となった。そしてついに水路の真っただ中で舟のエンジンはとまってしまった。2人は懐中電灯を照らし修理を開始した。

ここは赤道南緯2度の海だが夜は冷える。両岸のマングローブからは蚊がやってくる。今夜はこの水路で、このまま夜を明かすことになるのだろうか。マヌス島回りの5日間の出来事を走馬灯のように思い出した。空を見上げると、数知れぬ星が無限の空にしーんと輝いていた。深い暗闇に星！

こぼれ落ちそうな天空のしずく。大粒の涙のように、浜辺の砂のように、手を伸ばせば届くの

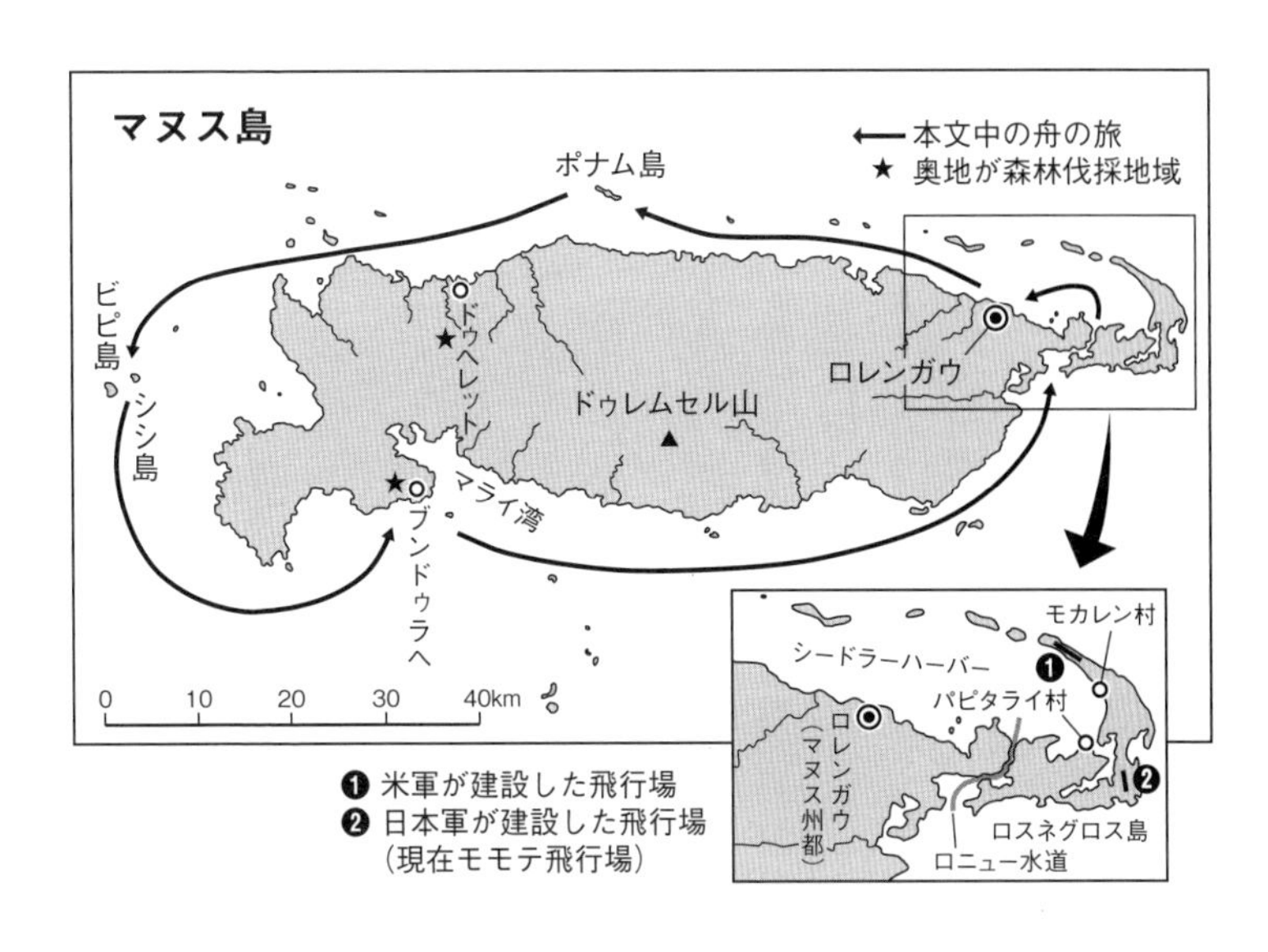


ではないかと思わせる大きさだった。夜というのはこんなに美しいものだったのか！

故障を直しているクレメンスさんたちには申しわけないと思いつつも、できることならこのままずっとここにいたいとさえ思った。

マヌス島はアドミラルティ諸島の主島で、淡路島の約3倍ほどの大きさの島である。狭いロニュー水道を挟んでロスネグロス島と向かいあう。マヌス島の中央部は火山地帯で熱帯雨林に覆われ、裾野はサゴヤシやマングローブに覆われている。その広大な海域には、マグロやカツオが絶えず群れ集う。伝統のカヌーは荒波にも横転しない比翼仕立てで、貴重なカロフィルムの樹でつくられている、

クレメンス・タウラムさん（40歳、神父）とは長年の友だちである。カトリックの神父で神学校の指導者であり、ドミニク・マカさんは、

彼の下で神父になる修行中の若者である。2人にとっても、久しぶりの故郷への舟旅であった。

## マヌス島回りへ出発の朝だった

「僕たち2人の祖先はワニだ。マヌス島の人たちは、航海に出ていく前に、ワニや、祖霊や、祖先の動物たちに、供えものをして祈るのさ」

「どんなものを供えるの?」

「まあ今ならタバコとかだけど」とクレメンス。

「人生の旅でもワニや祖霊が護(まも)っていてくれる。それをいつも感じている」とドミニク。

パプアニューギニアやソロモン諸島などメラネシアの人々は、「僕たちの祖先の鳥」や、「祖先のサメ」などとの、深いつながりを生きている。それがたとえようもなく温かく、私たちが遠い昔に失ってしまったけれど、魂の奥底で求めている何かの絆のようであった。

空は青く、海は穏やかで、舟はすべるように進んでいく。

「マヌス島周辺の海ではマグロ・カツオは一年中釣れる。でも6月から8月が多いかな。最近はマグロが減っているのを感じるよ。昔は湧くようにあったけど。外国延縄(はえなわ)漁船がいつもいるからなあ」とドミニク。

「そのマグロは日本人の食べる刺身になっていくの」

「知らなかったなあ」

本島を出発して2時間ほどで小さなポナム島に到着した。浜辺の白砂が午後の太陽に眩しい。出迎えてくれた女たちが美しい！

「昔ポナム島には人魚たちが住んでいた。マヌス島からの2人の兄弟が小舟でやってきて、人魚に一目惚れした。そうして人魚を妻にし、たくさんの美しい娘が生まれた」という伝説がある。

私たちはまず「男部屋」に案内された。男部屋とは独身の若い男性が村の伝統や狩猟・漁労などの訓練を長老から受ける特別の小屋である。屋根はサゴヤシで丁寧に葺かれ、天井裏には整然と漁労用の銛や矢が並んでいた。足元は掃き清められた白砂に清潔そのものの寝床が並んでいる。

その指導者のデミアン・セレフさんの人柄が偲ばれる佇まいであった。静けさと優しさに包まれた人であった。彼は私に挨拶したのち、ジョゼフ・カリンさんを紹介してくださった。

**「自分の戦いでないのに牢に入れられた！」**

ジョゼフ・カリンさん（戦争当時30歳、本章扉に写真）は、いかにも頑丈そのものの体格の人だった。

彼はいきなり私に向かって大声で怒鳴った!!

「ノー・カイカイ（食べ物もない）、キリム（殺す）、ニッポン・ナンバーテン（日本人一番悪い）、ニッポン・ダメ」

「私はラバウルで、日本兵の下で働くポリスの班長にされた。日本兵に逆らう人々の処刑人にさせられた。海軍の民生部のタシロさんが私の一番のキャプテン。すべての命令は彼からきた。抵抗する人への処罰であった。タシロさんが私に長刀を与えて、私がその長刀で首を斬った。肩から斜めにも斬った。２００人から３００人の首を斬った。食物なしで３週間牢に入れる罰があって、まだ生きていれば殺して、死んでいれば穴に放り込んだよ」

「戦争が終わってオーストラリア軍が戻ってきて、私は逮捕された。食べ物も、タバコも、水も与えられないで牢に入れられ、裁判にかけられたのだよ。『日本人が命令したんだ。命令が怖かったのでそれに従ったんです』って私は繰り返し弁明した。その裁判の尋問で、私の言っていることが正しいかどうかの証拠を見るために、『人の頭を斬ったときに、首がどこに落ちたか、どこに埋めたか、証拠を見せなさい』と言われた。それでその場所に連れていった。地面を掘ったら私の言う場所に骸骨が出てきたので、オーストラリアのポリスに差し出した。それでやっと釈放された。この尋問期間が長かったので、私は最後にラバウルを出た人になった」

「日本人は罰せられないでラバウルから早く出てしまったのに、私はその後まで牢に入れられていたんだ。こんなことがあっていいか‼　私の戦いではなかったのに‼」

ラバウルで日本兵に命じられるままに何百人とも知れぬ住民の処刑の実行係とされた彼。今もその記憶が彼を苛む。

（補足）日本の資料にも、マヌス島から来た男がラバウルで海軍の民生部の巡査部長に任命され、華僑と住民の治安維持を行い、戦後連合軍の刑務所に入れられたことが記されている。また、処刑を命令したのは、海軍民生部の田代恒助で、戦後の裁判で有罪になったことも判明している。

私は彼の前で言うべき言葉を見いだせなかった。謝罪のどの言葉もあまりに軽く感じられた。カリンさんは「目が悪くて光に耐えられない」と言う。私の持っていたサングラスをプレゼントすると「これで光に耐えられる」と喜んでくださった。カリンさんの心の傷も痛みも、光に耐えられないのかもしれない。私の目にも心にも、ポナム島の光はあまりにも眩(まばゆ)かった。

その後、男部屋の指導者デミアンさんにポナム島の暮らしについて話をうかがった。

「私たちは高瀬貝を集めて仲買人に売っているのです。高く売れるのですが、採り過ぎないように、小さい貝は採らないようにしています(貝ボタンの材となり日本でも貴重品)。その他は、ナマコを集めて乾燥させたり、魚の干物をマヌス島のマーケットに売りにいって収入を得ています。あとはタロイモとお魚で充分です」と静かに語られる。

## ポナム島から夜のシシ島へ

私たちはポナム島に別れを告げて、西に向かって小舟の旅をつづけた。夕焼けになり、日没になり、星を数えながら夜のシシ島に着いた。

クレメンスが「ヒュー……」と口笛と懐中電灯で合図すると、待っていたかのように暗闇から

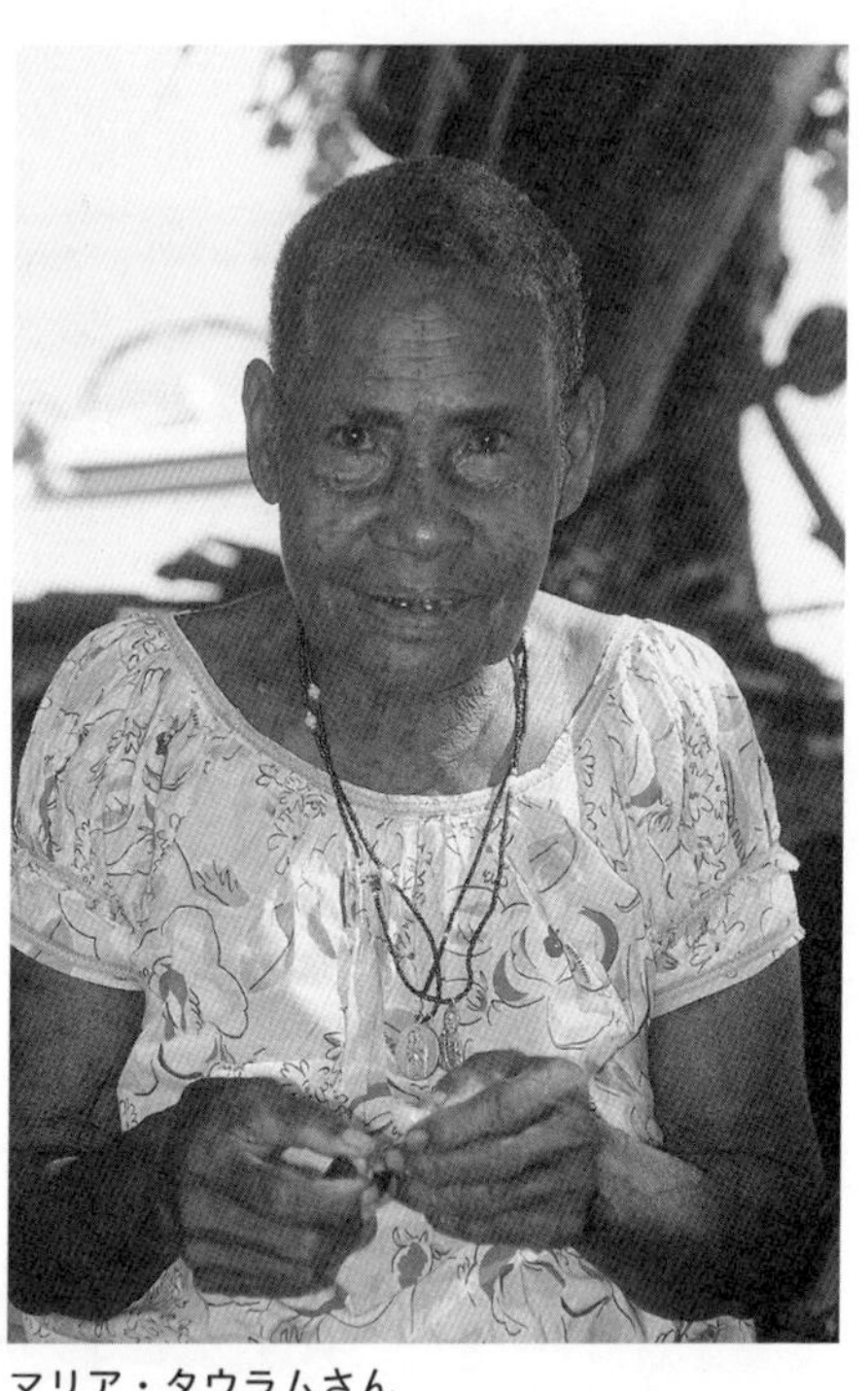

マリア・タウラムさん

灯が揺れて浜辺にお母さん（マリア・タウラムさん）があらわれた。

クレメンスが建てた小屋に、お母さんは1人で住んでおられた。「ビビ島で生まれ育ってここが好き」と言う。

「戦争になって日本兵に雇われたローカル・ポリスがやってきて、女たちを並ばせたのですよ。私たちにはわかりました。結婚していない女を連れていこうとしたことをね。それで私は『この人と結婚しています』って一人の男性に抱きつきました。それがクレメンスのお父さんで、もちろんまだ結婚していなかったのだけれど……。他の女たちも同じようなことをしました。日本兵の慰みものにされないようにね」。「他の島でも同じようなことが起こったのですよ」とのことであった。

その夜は、お母さんの優しい懐のような小屋で、私たちはぐっすりと安らかな眠りについた。

次の朝は、マヌス島の西端から南へ舵（かじ）を向け、ドミニクの故郷の村ブンドゥラへにたどり着いた。

「ここはカロフィルムの美しい森だったよ」とドミニク。でも激しい伐採でその森は消えたという。私が「日本側の資料だけれど、三菱や住友が、独占的にその丸太を日本に運んだの。日本では合板になってしまったのよ」と説明すると、ドミニクは、表現しきれない悲しみの目で私をじっと見た。

やがて、小舟が南岸へ舵をとると、今度は海鳥の群れに出会う旅となった。海面にマグロとカツオが飛び跳ねている。

「さあ糸をおろそうか」。「わー、嬉しい！」。私はその瞬間をどんなに待ちわびていたことか。急いで船尾にある糸巻きを解いた。釣り針にイカの形をした疑似餌がついている。クレメンスの舵とりでマグロを追う。やがてググ！……、私の糸が手応えをみせる。私を助けてドミニクが糸をたぐり寄せる。彼の糸にもかかった。次々とマグロとカツオが飛び込んできた。あっというまに皆で3匹釣ってしまった。クレメンスはサシミが大好きだから、今夜はサシミをつくって旅の感謝を表明しよう！

## 日本軍のマヌス島侵略と飛行場建設

かつて、このマヌス島には、日本軍が飛行場（モモテ飛行場）建設と、防衛戦線確保のためにやってきた（1943年）。まず第51師団輜重兵の850名が4月に上陸し、以後順次、独立混成第1連隊、第38師団歩兵229連隊など3000人以上が上陸した。ガダルカナル島、ムンダ、ココダ道（地図34〜35ページ）での激戦の生き残りに、補充兵を加えた混成隊であった。しかも、武器・弾薬・食料補給もないままに送られてきたために、島はその食料を支える場とされ、飛行場づくりに酷使されることになった。

やっと飛行場が完成した1年後の2月末、マッカーサー率いる米軍は、空からの猛攻撃で瞬く間に飛行場を占領する。そうして米軍はこのモモテ飛行場を重要な足場にして、フィリピンへと出撃していった。

ガダルカナル島からムンダへ、ムンダからマヌス島へと送られ、敗れた日本兵は、マヌス島内陸を彷徨（ほうこう）し、飢えとマラリアと死への道行きをたどった。マヌス島山中では、人肉嗜食（ししょく）も行われ、70名ほどがかろうじて生き残った。(1)

## モモテ飛行場づくりを強要された村人たち

「飛行場づくりのために、山のなかからも住民が集められてきました。日本兵はココヤシの茎で私たちを叩（たた）いて働かせたのです。これは足が裂けるような痛さだった。また、お仕置きに私たちの口に熱い石を入れたり、樹の上に吊（つ）るして銃で撃つという処刑もした。怖くて日本兵には逆らえなかった。私はこの目で見たんだよ」と、パピタライ村のルカス・カブスさんが語る。

モカレン村では、チャールズ・パチョさんが証言する。子どもたちも彼を取り囲んでいた。

「日本兵に従わなかったら、この重い石を高く持ちあげさせられたんだよ。いつまでもね。肩も腕も傷ついたよね」

「飛行場ができたと思ったら、米軍の爆撃が始まった。岬なので逃げる場所がなかった。あるとき滑走路にいた私を米軍機が迫ってきた。逃げる場がなかった。海に飛び込むか、でもサメに喰われる。陸に逃れようか、でも爆弾だ（彼のジェスチャーが可笑しいので子どもたちが笑う）。それでサメに喰われる方を選んで（子どもたちが「キャー！」と叫ぶ）、海に飛び込んだ。そんな毎日さ」とパチョさん。

「こうやって石をもちあげさせられた」と語るチャールズ・パチョさん

戦後、このモモテ飛行場には、日米それぞれの慰霊団がやってくる。それぞれの慰霊碑の前で祈り涙する。でも、踏み込まれた村々は、色あせた写真のように、虫喰いのココヤシのなかにひっそりと横たわっている。日米の激戦後、地下水までもが汚染され、ココヤシも病気になっている。岬には沈められた艦船にサメがたむろしている。

## ティンブンケ村民虐殺事件（ニューギニア本島）

マヌス島から海原を隔てたニューギニア本島に、セピック地域が横たわる。奥地にはトリセリ山脈やプリンス・アレクサンダー山系が連なり、そこからの水系が湿地の原野を縫って下る。

１９９４年、私は１泊したウエワクの小さな修道院で、衝撃的なティンブンケ村民虐殺事件のことを知ることになった。

修道院での夕食後、シスター・テレジア・カンブーラさんが隣席で私に小声で囁いたのだ。

「私の父は日本兵に殺されたのです」。

私は一瞬耳を疑った。彼女とはその日初めて会ったばかりである。

その夜、彼女は思いがけない話を始めた。

「私はティンブンケに生まれて、母は私の幼いときに死にました。首長であった私の父が兄と私と弟を育ててきました。１９４４年に日本軍はティンブンケ村を占領し、私たちはセピック河

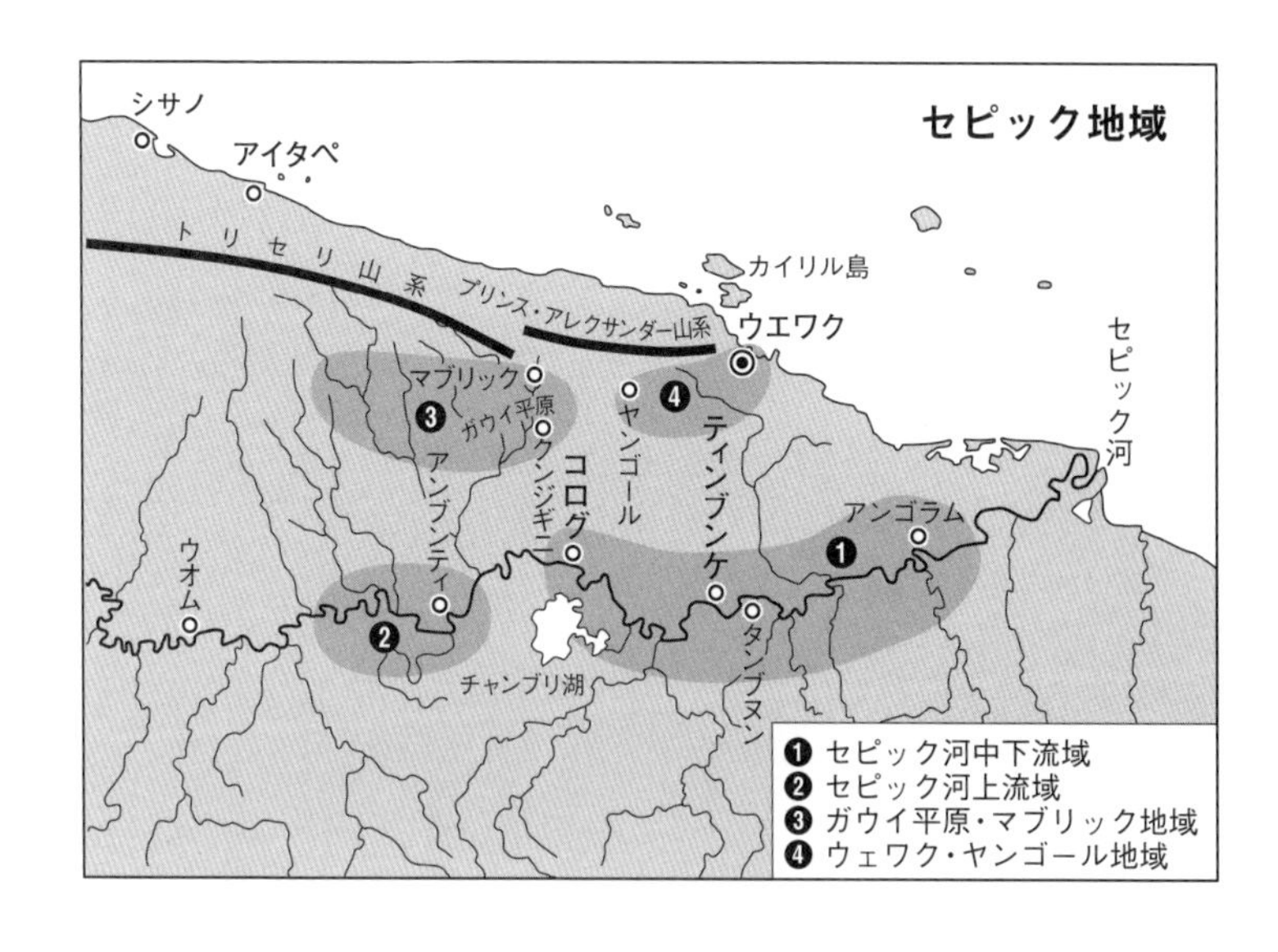


上流の村に逃れて暮らしていました。私が7歳のときです」

「ある朝、日本兵からの伝言で、『戦争は終わった。ティンブンケに戻るように』との呼び出しがありました。それは偽りの伝言でしたが、父はその言葉を信じて、私たちをカヌーに乗せて戻りました。でも村に着くや、父にはすぐにわかったようです。殺害が待っていることを。

父は兄に『父さんの代わりに、これからはお前が妹と弟の面倒をみるのだよ』と遺言しました。

私たち女はひとつの小屋に、幼い弟はもうひとつの小屋に入れられました。そうして小屋の外で、男たちへの虐殺が行われたのです。父も殺されました」

「その事件の後、私たちは他村に身を寄せて、いじめられて幼い日々を過ごしました。兄は当時13歳でしたが遺言を守って、私や弟たちをかばってしっかり守り育ててくれました」

「父は不正義に正面から向かう勇気のある人でしたから、私が正しいことのために立ち上がるとき、いつも私のそばにいてくれることを感じます」

「あんまりこんなことを誰にも話さないのですが、なぜかお話ししたくなったのです。兄に会ったらもっと詳しいことを語るでしょう」とテレジアさんは結んだ。セピック地域の州都ウエワクでの夜であった。衝撃のあまり私は言葉をもたなかった。

この思いがけない出会いは、目的地のアイタペからの迎えのトラックが、途中で村人にとって大切な犬をひいてしまい弁償しなければならないという事故で、予定どおりウエワクに到着できなかったことから始まる。この偶然の出来事が、不思議な出会いへと私を導いたのだった。

私は当面の仕事を終えた後、テレジアさんが準備してくださった切符を握って、ティンブンケ村に飛んだ。帰国前に残された唯一の空白の日だった。

## セピック河を斜めに飛んでティンブンケ村へ

小型飛行機は、セピック河を斜めに飛んで、草むらだけのティンブンケ村の飛行場に着いた。出迎えの男性に丁寧に案内されて、村のスピリットハウス（精霊の家）へ赴(おもむ)いた。

その私を蚊がわんさとついてくる。雲か霧のようにわーっと取り囲んで、束ねた私の長い髪の毛、黒いズボン、黒いリュック、黒いカメラバッグ、黒という黒に群がってきた。一刻も目を開

ティンブンケ村の虐殺現場に集った犠牲者の遺族たち。
中央に座っているのがジェリー・カンブーラさん。

けていられなかった。かつて経験したことのない蚊だった。

見れば村人たちは黒い布ではなく、白をまとっているではないか。テレジアさんはどうして白い服を着ていけと忠告してくれなかったのだろう。恨んでみても、後のまつりであった。

首長は私をおもむろに精霊の家に招き入れ、大きなクンドゥ・ドラムを叩いた。その音に男たちが三々五々集まってきた。蚊を追い払う小さな箒（ほうき）のようなものを持って身体を叩（たた）いている。これは大変なところに来たと思った。薪（たきぎ）に火をつけて蚊よけがつくられ、おもむろに集会が始まった。

紹介されるまでもなくジェリー・カンブーラさんがどの人かわかった。慎（つつ）ましく優しいテレジアさんによく似ていたから。

ティンブンケ村民からの虐殺事件遺族ピーター・カンブーラさん（右）とガブリエル・ラクさんが来日して記者会見をした。（共同通信社提供）

「祖霊があなたをティンブンケに連れてきたのです。この日がくることを私たちは信じ祈っていました」とジェリーさんは挨拶した。

「ティンブンケの私たちは、去年（1993年）日本大使館に補償を願った手紙を出しています。どうぞ、私たちの力になってください」とジェリーさんは私に懇願した。

「私は修道女にすぎません。その力が私にあるでしょうか」

「あなたならできます。私はこの虐殺事件について人に話したことがないのです。でも私はあなたに話したいのです」。ジェリーさんは、テレジアさんと同じ言葉を繰り返した。

## 事件の背景

1943年1月、大本営はラバウル防衛のために、「持久戦」と「食料現地調達」を強いながら、14万人の兵隊（第18軍）を安達中将の指揮下、ニューギニア本島各地に侵攻させた。ティンブンケ村で虐殺を起こすことになる中隊もこの年、ウエワクに上陸し、さらに内陸に、ティンブンケ村などを占領した。浜政一（まさいち）大尉が率いる第41師団歩兵239連隊の149名であった。

ある日、オーストラリアの飛行機がティンブンケ村の上空から爆撃を仕掛け、滞在していた日本兵の何人かが死んだ。浜政一大尉は、コログ村（親日的な村）からの一方的情報で、「これは、ティンブンケ村民のスパイ活動の結果である！」と信じてしまった。

怒った浜大尉は復讐（ふくしゅう）のために、「騙（だま）し討ち」を計画した。

## ティンブンケ村民の語る虐殺

ティンブンケ村民の話をまとめると、事件のあらましは次のようであった。

浜大尉はコログ村の男たちを使って「戦いがすんだから離散しているところから出てくるように」とティンブンケ村民に伝えてきた。信じた村民は、隠れていた森から出てカヌーで村に戻ってきた。

ところが浜大尉は、住民をカヌーから引きずり下ろし、まず女・子ども・老人を家のなかに入れ、男たちの衣服を剥がせ、数珠つなぎにし、米軍の爆撃でできた穴の近くに座らせた。まず4人の若者の縄が解かれ目隠しされた。見せしめの儀式として、そのうちの2人に浜大尉自身が刀を振るい、頭と右腕を一気に切り落とした。1人終わるごとに釜で熱した湯のなかで刀を洗った。小林曹長が同様に他の2人を斬った。

次に、数珠つなぎの男たちへの襲撃をコログ村の男たちに命じた。斧・弓・ナイフで襲撃がなされた。ティンブンケ村の男たちは呻き声もたてなかった。最後に浜大尉は、機関銃の一斉射撃を日本兵に命じた。まだ息のある人も穴に埋められた。縄を解かれてセピック河を泳いで渡るように命令された2名もいた。河のなかほどに達したところで射殺された。残る2人は森のなかへ連行されて殺された。

河のなかに浮いていた女性を加えて、男性99人、女性1人への集団虐殺であった。1944年7月14日のことであった。

夕方になって日本兵は、今度は女たちを外に連れ出して並ばせ、コログ村の男たちに襲わせた。子どもたちの前で65名の女たちが強姦され、最後にコログ村に連れていかれてしまう。

ジェリー・カンブーラさんたち幼い子どもたちは、どうして助かったのか。

「私は父といっしょに縛られ並ばされました。爆弾でできた穴の前に。皆は服を脱がされました。私も他の少年もいっしょに縛られたのですが、まだ幼いということで縄を解かれました。その後、母たちが入れられている小屋に向かいました。そのときです。虐殺が始まりました。父たちはナイフや槍(やり)や斧(おの)で襲われ、その後いっせいに銃がダダダダと火を吐いたのです」

戦後オーストラリア軍によって女たちは村に戻された。しかし精神的にもあまりにも深い傷を負ったので、ほとんどが25歳から30歳の若さで死んだ。子どもたちも早死にした。男手のいない村では柱の大きい(セピック河の洪水に耐えられるような)家も建てられなかった。住民は癒えない傷と貧しさを負って生きてきた。

## 浜大尉自身による記録「虐殺を命令したのは私だった」

実は「パプア人大虐殺を命令したのは私だった」と自分で告白する記録が残されていることがわかった。[2]

「ジャングル内にひそんでいた村人たちは村へ帰ってきた。攻略の第1幕がまんまと成功した。(中略)(ティンブンケの)酋長は、『約束がちがう』と抗議した。だが部下の仇討ちに燃えていた私は酋長の悲痛な叫びなど耳に入らなかった。(中略)直径20メートルほどもある弾着跡のひとつを〝集団虐殺〟の執行場所にえらび、原住民の一団をその穴の周辺に並ばせた。重機関銃の1挺、軽機関銃3挺をもった約30人の日本兵が、原住民の列から約20メートルはなれて一列横隊にならんだ。いよいよ発砲というとき、草野軍医中尉が私のそばに歩み寄って重い口をひらいた。『中隊長、いくら仇討ちとはいえ、非戦闘員を銃殺するのだけは中止してください』。私の心はこの諫言に一瞬ゆらいだ。だが草野中尉がなおも諫言をつづけようとするのをさえぎるように、3人の将校が、『中隊長、はやくやっちまいましょう』『戦争に情けは無用です』と口々に声をはりあげた。マンバー大酋長（コログ村の村長）もかけよってきて『はやくやっちまえ……』と叫んだ。私は予定どおり虐殺を決断、怒りをぶつけるように居丈高になって『撃て！』と命じた。〈ダダダダ……〉重機がうなった。原住民の群れが血しぶきをあげてたおれ、穴のなかにころがり落ちる。（中略）川まで逃げ延びた若者たちも（射撃の追い撃ちで）あっ気なく殺害されてしまった」と浜大尉は綴る。（まるカッコ内は筆者補足）

浜大尉自身の独白によると、やめさせようとした軍医がいたこと、「やっちまえ」と叫んだ将校がいたこと、軍隊のなかでの微妙な揺れ動きをも知ることができる。

事件後、ただちに箝口令が敷かれた。しかし浜大尉の隊のS元兵士が事件をしゃべったので、オーストラリア軍に知られることになった。そのため帰国後S元兵士は戦友仲間から村八分にされた。

箝口令を破った兵士や、浜大尉に銃殺をとめようとした軍医がいたことは、暗黒の軍隊組織のなかでの一筋の光ではある。戦友仲間から村八分にされたとしても……。そのような人がいたことを後世に伝えておきたい。

浜大尉はムッシュ島の捕虜収容所に入れられ、1946年のラバウル戦犯裁判で絞首刑を宣言された。しかし親日的であったコログ村のマンバー首長が助命嘆願をしたため、減刑され釈放されることになる。逆にマンバーは刑に問われて獄内で病死した。

## 日本へ遺族の代表が来日

このティンブンケ村からの遺族代表の来日は、私の帰国後、すぐに実現をみた（１９９４年8月）。日本の弁護士グループが、アジア太平洋地域からの戦後補償請求グループを招くという企画に、ティンブンケ事件の遺族を入れてくださったのだ。来日されたのは、ジェリー・カンブーラさんの叔父のピーター・カンブーラさん（当時17歳）と、強姦された母親の息子であるガブリエル・ラクさんであった。

2人は様々な集会で語り、日本政府に正式に「謝罪・個人補償請求」を提出した。しかし、日本政府の答えは、「サンフランシスコ条約で解決済み、個人補償には応じない」の繰り返しであった。

ただし、外務省の役人は次のようにつけ加えたのであった。「ティンブンケ村が、政治ルートを通してＯＤＡ（政府開発援助）の援助を願えば、ＯＤＡ援助をすることはやぶさかではない」。

これに対するラクさんたちの怒りは大きかった。

「ＯＤＡでごまかすことは被害者への裏切りである。あくまでも補償を」との書簡を送って帰国した。他のアジアからのグループに対してもＯＤＡへの提案があった。

ＯＤＡをこのような場面で使うということは、まさに謝罪なしの口封じ、ＯＤＡの実態が透けて見える。

## セピック河奥地での略奪と強姦と人肉嗜食事件

悲劇の舞台となったのはティンブンケ村だけではない。ニューギニア本島に上陸した第18軍の14万人は、食料の争奪をしながら進軍と撤退を繰り返した。アイタペでの連合軍との決戦（1944年7月～8月）での敗退以後は、4万5000人の日本兵が、プリンス・アレクサンダー山系とトリセリ山系南嶺、セピック河中流域（地図109ページ）に立て籠もった。侵入を受けた村々は、飢えた日本兵へ食料提供をするか、食料強奪と強姦と虐殺の場とされていった。多くの証言と記録が残っているので、ここではその一例を引用しておくにとどめる。

「『ステーキを食べにいくから、夜の9時に調味料を持参して○○地点に希望者は集合されたし』と人肉嗜食に部下を誘った」将校もいた。現地住民の肉を黒豚と呼んだ。(3)

「ココナツの実を乾燥させたコプラを集める袋に入られて、袋の外からめった突きにされ、身体の部分を切り取って煮られて日本兵に食べられた人がいた」。「両親の前で連れ去った16歳の少女を殺し、死体を民家に吊るし、肉を切り取ってポットで煮て食べた。両親が翌日見たものは吊るされた娘の死体の残骸と骸骨であった」。集められた少女たちがコックと、セックス奉仕をさせられた村々もあった。（ガブリエル・ラクさんの聞きとり調査から）

口減らし玉砕命令下、第18軍の14万人いた日本兵も、飢えとマラリア、戦病死の果てに1万人しか生き残らなかった。

（1）防衛庁防衛研究所戦史室『戦史叢書　南太平洋陸軍作戦(5)』朝雲新聞社、1975年
　読売新聞社大阪社会部『アドミラルティ諸島』新風書房、1993年
　その他の資料
　防衛庁防衛研究所戦史室『戦史叢書　南太平洋陸軍作戦』各巻、朝雲新聞社
　ニューギニア方面遺族会慰霊巡礼団報告ほか
　草鹿仁一『ラバウル戦線異常なし』光和堂、1976年
　第18軍従軍関係者の記録
　Noel Gash & June Whittaker, A Pictorial History of New Guinea, Robert Brown & Association, 1989.
　Jackson Rannells, PNG A Fact Book on Modern Papua New Guinea, Oxford University Press, 1990.

（2）「パプア人大虐殺を命令したのは私だった」雑誌『丸』1972年3月号、潮書房（国会図書館所蔵）。著者名は渡辺政一であるが、これは浜政一が戦後、姓を渡辺に改姓していたことによる。

（3）唐澤勲『餓鬼道のニューギニア戦記』新潟日報事業社、1993年
　その他以下の本に人肉嗜食について記されている。
　田中利幸『知られざる戦争犯罪』大月書店、1993年
　尾川正二『極限の中の人間―「死の島」―ニューギニア』筑摩書房、1983年
　尾川正二『東部ニューギニア戦線』図書出版社、1992年
　奥村正二『戦場パプアニューギニア』中公文庫、1993年
　森山康平『米軍が記録したニューギニアの戦い』草思社、1995年

# 第4章

# 激戦地の海を<br>カヌーで渡った少年の話

## ガダルカナル島での秘話

《ソロモン諸島》

負傷した米兵を乗せて戦火の海をカヌーで渡った
ブルノ・ナナさん

ソロモン諸島に魅せられて、1990年から2019年にいたる30年間ほどの訪問を重ねてきた。

第4章ではガダルカナル島、5章ではランガランガ環礁とニュージョージア島、6章ではベララベラ島を中心に、小さな民の、涙と苦悩と勇気の物語を綴らせていただくことにする。

誰にも知られず、埋もれさせられたままにしておくには、あまりにももったいない。その星の涙のような出来事の数々を、読者の皆さまに贈りたい。

その日、ブルノ・ナナさんが私に語ったことを、彼はそれまで家族以外には語ったことがない。ナナさんは、その小さな物語を誰にも語らず生涯を終えようとしていた。

ナナというのは、「それは本当なんだよ」という意味だそうである。

謙虚で優しいブルノさん。彼が経験したその不思議な物語は、ブルノさんの言うことなら、それは本当にあったに違いない、と思わせてくれる。

その日、ブルノ・ナナさんは、故郷のカカンボナ村の海辺の庭で、夕日がかげるまでの午後、私にぽつりぽつりと語りつづけた。カカンボナ村は、ガダルカナル島の首都ホニアラから西に5キロほどの海辺にある。彼は村の外れを切り開いたところで、家族とともに静かな余生を送っていた(1994年6月にインタビュー、ブルノさんは63歳になっていた)。

家の庭に、コプラの乾燥カマドが白い煙をあげていた。傍らで妻のセラさんが美しく微笑んでいる。

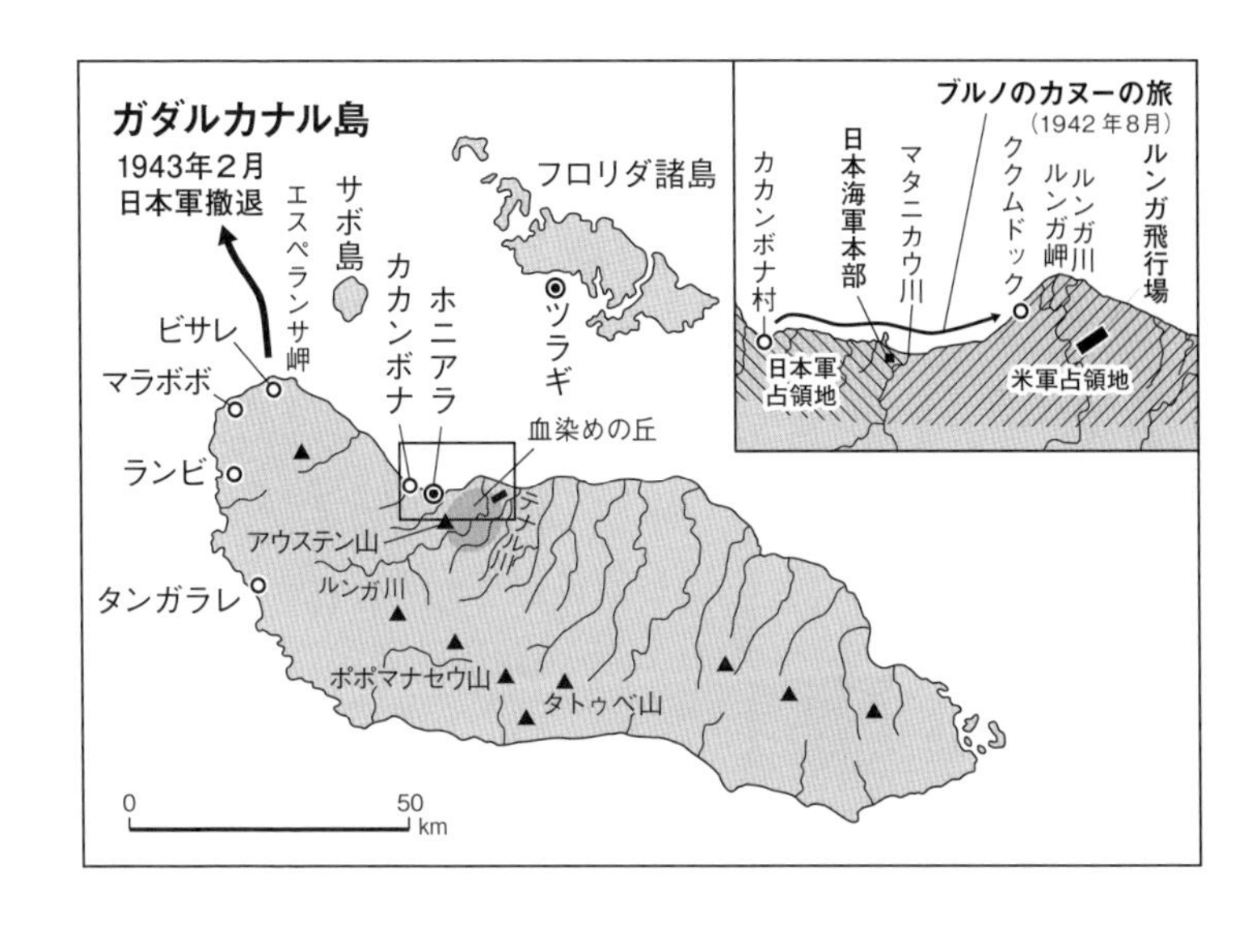


「日本と米国が上陸する前は、ここカカンボナ村民の暮らしはシンプルで楽しい生活だったよ。コプラ（ココナッツの実を乾燥させたもの）2袋か3袋ずつ、中国人の商人に売って暮らしていた。お金が少し入ってきたけれど、それに依存しない生活だった。森の暮らしだったからね。ほかにはケロシン(ランプ用の油)とラプラプ(腰巻き布）があればそれで充分だった。

ところが日本軍が、この村にもやってきて占拠した（1942年7月〜）。防空壕づくりで森もココヤシも伐っていった。だから戦後は、ココヤシの木がないし、なぜか育ちも悪い。コプラの値段も下がって家中で働いても、一週間に100ソロモンドルぐらい（64米ドル、約6400円)。これではどの家でも暮らしていけない」

傍らのセラさんも語る。

「ホニアラのすぐ近くの私の父の大きな家は、日本軍の司令部のひとつとして占拠されたの。鶏も豚も銃で殺され食べられたのよ。私たちは洞窟に隠れて過ごしていたのよ。日本軍はホニアラからビサレ（ガダルカナル島の最西端）までの村々から、男たちをルンガ川のほとりの飛行場づくりに駆り出したの。私の兄も連れていかれたのです」。

ブルノが続ける。「僕も日本軍によって7月7日にルンガに連れていかれて、あらゆる仕事をさせられた。働かない人には拷問だった」。「ある日、私の足の上に、トラックから200リットルものドラム缶が落ちてきた。足の親指が平らになってしまい、重傷だった。病院へ行かせてくださいと願っても拒絶された。それから1ヶ月も働かされつづけたので、我慢できずにもう逃げようと思っていた」。

## ナンバーシックス（1942年8月6日）の日

「ナンバー・シックス（8月6日）のことだった。日本軍の下でルンガ飛行場づくりに働いていたドイツ人が『明日、アメリカ人がここに来るから逃げなさい。もう戻ってくるな。私のことは心配しなくてもいい。私はどうせ死ぬから』と言って、私たちを逃がしたのです[1]」。

## ナンバー・セブン（1942年8月7日）の日

「私は故郷のこのカカンボナ村に逃げてきました。次の日、ナンバー・セブンに、米軍はホニアラの西からテナル川まで、雨のように爆撃を仕掛けてきました」

米・英・豪軍の連合艦隊は82隻、輸送船と貨物船23隻による壮大な軍備であった。米軍の海兵隊1万7000人以上が上陸して、日本軍が建設したルンガ飛行場を占拠した。

「私は15歳の少年だったので、恐怖と同時に好奇心もあった。カカンボナ村の森に隠れて見ていると、日本の飛行機3機が米軍の飛行機1機を撃ち落としたのです！

米軍機は、私たちの隠れていた森すれすれに飛んで海岸に落ちた。私たち少年は急いで見にいった。そうしたらそのパイロットは、頭も腕も足も撃たれて大火傷(やけど)だった。名前はジェームズ・ジャコル。

私は彼を家に連れていって夜じゅう看病した。彼の容態はとてもひどかった。彼は『ルンガ（米軍が占拠した飛行場のところ）に連れていってくれ』。そう私に願ったのです」

## ナンバー・エイトの日（1942年8月8日）戦火の海に漕ぎ出す

「ナンバー・エイトの朝3時ごろに、私は彼を連れていく決心をして家を出た。仲間の少年2人も誘ったら『行くよ』と言ってくれた。4時にカヌーで漕(こ)ぎ出した。戦艦がたくさん見えた」

ブルノは鳥の声や動物の動き、月と星と太陽で時刻の移りかわりがわかるのだそうだ。

このナンバー・エイトの日は、その海と空とでの日米大海戦の日であった。第一次ソロモン海戦の日であった。雨のように弾丸が降った。

米軍のいるルンガまでは、カヌーで13キロほどの旅になる。負傷した米兵を乗せて、戦火の海を、しかも日本軍の陣地の前を通過するカヌーの旅がどんなに危険なものであるか、ブルノは気がついていなかった。気がついていたとしても、生命を助けたい一心でカヌーを漕ぎ出したに違いない。

「ロペ近くに来たとき、住民はもう逃げていなくなっていることがわかった。ところがカヌーの私たちを、一人の日本兵が陸から双眼鏡でじっと見ていた。

マタニカウ川の河口近くに来たら、今度は米軍の飛行機が低空飛行してきた。私たちは手を振った。パイロットもシグナルを送った。爆弾を落とさなかった。

もう昼になっていた。8時間ほどカヌーを漕いでいたことになる。

あたりはありとあらゆる艦船でいっぱいだった。小さなカヌーはその波で転覆しそうになった。もっと漕いだ。

やっと米軍占拠地域に上陸した。見渡すかぎりの米兵だった。見たこともないほどの多くの船、戦車、トラック、機械、テントがあった。赤十字が来て私たちに、タバコや食べ物をくれた。それから車が来て、私たちとパイロットを日本兵が建てて米軍が占拠した病院に連れていった。私は嬉しかった。助かってほしいと思った。

英国人のキャプテンがピジン語（ソロモン諸島の共通語）で、『君たちになんでもあげるよ』と言ったからびっくりした。

『私はただ生命を助けたかっただけです。何もいりません』と言った。でもたくさんのみやげものをくれた。米国の缶詰、ドリンク、タバコ、衣類……。それらをカヌーに積んだら、カヌーは重くて沈みそうになった。

私たちは『さようなら』を言った。

マタニカウ川の西（日本軍の占領地）の海に来たとき、日本軍が私たちを撃ってきた。そうしてとうとうカヌーを撃たれた。みやげもので重かったカヌーは沈んでしまった。3人は捕まえられて、日本軍司令部らしいところに連れていかれた（日本海軍設営隊長以下、設営隊員、警備隊員の宿営地であったと思われる）。後でその家がサラの家であったことがわかったのだが。

私たちは尋問された。『カヌーで誰を運んでいたのか？』。私たちは『ドイツ人です』と嘘を言った。ところが『いやあれは米兵だった』と双眼鏡で見ていた日本兵が言った。それで嘘がばれてしまった。夕方4時ごろだった」

## それは不思議な夜だった

「私たちは後ろ手で縛られてベランダに放り出された。2人の番兵が銃を突きつけて私たちを監視していた。日本兵でいっぱいだった。

夜になって、日本軍の老人が出てきて番兵に『早く殺したいなら後ろ手に縛った方がいいが、ゆっくり殺したいなら前で縛った方がいいよ』と言った。番兵が私たちの手を解いた。手はもう麻痺（まひ）していた。今度は手を前にして縛られた。

真夜中になって、この老人は私たちを家のなかに入れてくれた。朝は外に連れ出された。木の下にそれぞれ手を縛られて座らされた。

3日間、ノー・ドリンク、ノー・カイカイ（水なし、食べ物なし）のままだった。3日目に私は『ココヤシの木に登って実をとってこい』と言われて、私は縄を解かれた。久しぶりで手が自由になった。木の下には日本兵がいっぱいいた。私は上からココナツを落とした。木の上でココナツを一個飲んだ。友だちにあげるため2個抱えておりたら日本兵にとられてしまった。そしてまた縛られた。

4日目に、もう渇きに耐えられなくなって番兵に『ウォーター』と言って舌を見せた。すると彼はころがっていた、肉を食べた後の空き缶を拾いあげた。どこかへ行った。その缶に何かを入れて、私に『飲め』と言った。一口味わってそれが彼の尿だとわかった。私はそのときイエスを思い出した。十字架の上でイエスが死ぬ間際に喉が渇いているのに、番兵に酢を飲まされたことを。イエスに習おう。それで私は尿を飲んだ。他の2人も飲んだ」

「その夜、雲が暗く厚く地上を覆った。こんなことは、今までの生涯で一度もなかった。普通はスコールが降るのだが、それもなかった。暗いのであたりが見えなくなった。朝2時ごろ、私は手の縄が解かれているのに気がついた。まわりに誰もいなかった。私は眠ってはいなかったのに。でも誰かが解いたらしい。他の2人を見ると、その縄も解かれていた。

私は足の縄を解いた。小さな声で『逃げよう』と言った。一人は『怖いから逃げられない』と言った。もう一人は私の後についてきた。真っ暗闇が覆っていた。地上には日本兵が丸太のようにころがって寝ていた。どこも日本兵だった。皆死んだように寝ていた。私はその上をまたいで逃げた。アウステン山から裏道を通って逃げた。やっと自分のカカンボナ村に来たら、ここも日本兵でいっぱいだった。また逃げた。最後に島の裏側のタンガラレまで来ると、いっぱいの住民と宣教師が逃れてきていました」

「以来、私は生涯思いつづけています。あのパイロットのことです。生きていてほしいと……」

ブルノの話が終わった後、この話をはじめて聞いたアブラハム・バエアニシアさん（私をブルノに会わせてくださった方、ソロモン諸島の魂の人といわれる）は、感動して言った。

「どうして今までこの話を語らなかったのかい」。「……」ブルノは微笑むだけであった。

ブルノの話は、激戦地の様々な姿を驚くほど鮮やかに描く。ドイツ人、英兵、米兵、日本兵、宣教師、そして村とキャンプと激戦地を……。そして何よりも感動的なのは、米兵の生命を助けたいそれだけの心で、雨あられと降る爆弾の海を渡ったブルノの心、同行した少年の素朴な姿……、さらには日本軍の司令部にいた高官らしい老人の姿だ。

夕暮れのガダルカナル島のしっとりとした空気のなかで、ブルノ、アブラハムさん、私は、あの夜の暗闇の不思議について語りあった。

「ソロモン諸島の古い語り伝えでは、厚い雲が覆うときに、何か不思議なことが起こるというのがあるんだよ。あの夜、神さまか、先祖の霊がブルノたちを助けたんだと思う」とアブラハムさん。

「………」ブルノは幸せそうに微笑んでいる。

「本当に眠っていなかったの」と私。「よく覚えている。あの雲が覆ってきたとき、私は起きていた。そして祈っていた」。

ソロモン諸島の古来の不思議がブルノを助けようとしたのかもしれない。私は茜色に暮れゆく空を見上げて深い感動に浸った。

「あるいは……」、私は内心思ってみた。あの縄を解いたのは、誰にもわからないように暗闇を利用した司令部の老人ではなかっただろうか？　それとも尿を飲んだ少年に心うたれた番兵その人であっただろうか。

神さまか、ソロモン諸島の祖霊か、あるいは日本軍部の老人か。その誰のしわざであったとしても、心揺さぶる神秘の何かであった。

激戦地の夜の不思議な物語、そしてそれを今まで語らなかったブルノの心とともに……[2]。

## 激戦地の経験のなかで若者たちは目覚めた

激戦地での若者たちは、「血染めの丘[3]」と、ルンガ飛行場の裏道を往復しながら多くのことを学んだ。

米兵たちは、若者に友だちのように接してくれた。飛行場の労働では蛸壺（たこつぼ）か土のうえに寝かされていた少年たちであったが、米兵は、戦闘のないときにはキャンプのなかに入れてくれた。こんなことは英国人にはないことだった。英国人たちは、約束の給料をほとんど支払わないうえに、「米兵から食べ物を貰（もら）うな」と取りあげる人もいた。

かねてからの旧植民地での支配者（英国人、役人、プランテーションの主人、宣教師たち）に雇われて、「沿岸監視隊員」（コースト・ウオッチャー）として、村々の見張り台に立って日本軍の艦船や飛行機の動向を逐一知らせた3000人ほどの少年たちもいた。

その一人、ギデオン・ゾレベケさんは、日本軍に捕らわれて銃剣で頬と首と肺を刺され血だらけになって、生命がけで逃げ帰り、ヒーローとなった。(4) 多くの若者が、日本軍の衛生状態の劣悪さ、食料争奪と拷問、日本兵相互の残酷さと上下関係、病気になった人を見捨てていく冷酷さを見た。

戦後、若者たちは目覚めた。外部の侵略者から、自分たちの島を、自分たちのものに取り戻したい。その思いを抱いて成長した若者たちが、その後のソロモン諸島独立（自治権獲得1976年）への、大きなうねりの中心となっていく。

（1）日独の同盟関係で、ドイツ人が日本軍の下で飛行場で働いていたと考えられる。住民が逃げたことについては、日本軍設営隊側の記録にも「突如として住民の女も子どもも誰もいなくなってしまった」とある。

（2）設営隊の司令部の老人とは誰だったのか。海軍の第13設営隊長岡村徳長少佐であるとすれば、彼は日本に帰国後、戦争に加担したことへの深い反省を生きたという記録が残されている。

ガダルカナル島には日本兵約3万2000名が投入された。そのうち1万4000名が戦死したとされているが、劣悪な衛生状態と飢餓、マラリアと熱病で死んでいった。生き残った骨と皮だけの1万人が西のエスペランス岬から撤収していった（1943年2月1日〜7日）。沈没艦船38隻、喪失した航空機は683機。一方、連合軍の死者は7100人、沈没艦船29隻、喪失した航空機615機であった。島民の死者は4万人と推定されるが、正確には不明であり、その被害についての記録は残されていない。

ソロモン諸島は1893年に英国の植民地となり、ドイツ領だった北部も1900年には英国植民地下に置かれる。ココナツ・プランテーションと、コプラの輸出で栄えた。1976年にソロモン諸島は自治権を獲得、1978年に英連邦加盟国（英連邦王国）となって独立した。

一ノ瀬俊也『日本軍と日本兵　米軍報告書は語る』（講談社現代新書、2014年）によると、日本兵の衛生状態はひどく、病人は特に夜間、壕内の便所へ行くのを嫌がったため排泄物が敷物のすぐ近くに積み重ねられ、雨が降ると差し掛け屋根の壕のすぐ近くまで流れていた。キニーネその他の薬の供給は激減し、病兵は食塩水不足のため代わりにココナツミルクを注射されたこともあった。食料は極度に不足していてヤシ、草、野生のイモ、シダ、タケノコ、そしてワニやトカゲまでも非常糧食として食べていたとある。

その他の資料

防衛庁防衛研究所『戦史叢書　南太平洋陸軍作戦(1)ポートモレスビー・ガダルカナル島初期作戦』朝雲新聞社、1968年

平塚柾緒『米軍が記録したガダルカナルの戦い』草思社、1995年

児島襄『太平洋戦争』中公新書、1993年

（3）日米の地上部隊が激突し、戦死者で埋まった丘。地図参照。

（4）この項はホニアラでのギデオン・ゾレベケさん（元沿岸警備隊）とのインタビューと、彼自身の著作①、また他の参考文献②③をもとにまとめた。

①Gideon Zoleveke, Zoleveke–A Man from Choiseul, The Institute of Pacific Studies, 1980.

②Solomon Islanders Remember World War II, The Big Death, Solomon Islands College of Higher Education and the University of South Pacific, 1988.

③Office Souvenir Publication, Guadal Canal 1942–1992, Mace Marketing, 1992.

# 第5章

# 生命の蛍が舞う飛行場の不思議

## 星のようなきらめきの物語と抵抗の数々

《ソロモン諸島》

「ソロモン大洋」がチャーターしたカツオ一本釣り漁船「漁幸丸」の操業風景

## ソロモン諸島の海は世界一いい漁場だ!!

「ソロモン諸島の海は世界一いい漁場だよ！　オーストラリアの東から赤道に上がってくる海流に魚が乗ってね。そのシーズンは3月から12月だ。そして世界のカツオ漁獲量の3％をソロモン大洋一社で獲(と)っているのだ！」

世界の海を延縄(はえなわ)漁船で駆け巡り、世界の海を知ってなお、「ソロモン諸島の海は世界で一番いい漁場だ!!」と私に手放しでほめるのは、当時のソロモン大洋のアシスタント・ディレクター、伊藤保夫さんであった（1992年）。

ソロモン諸島は、南緯5度〜12度に連なる1000を超える美しい火山島と環礁群によって織りなされている。オーストラリアからの海流に乗って回遊してくるマグロやカツオの群れ、環礁島を産卵場所とする生態系の豊饒(ほうじょう)さは他に類をみない。

「大洋漁業」は、その環礁と海の豊かさに目をとめ、子会社「ソロモン大洋」（SOLTAI社）、通称ソロモンタイヨウを1973年に設立した。

初期は、ガダルカナル島の対岸のツラギ基地（日本軍の占拠した元軍港）で、1989年からは、ニュージョージア島のノロ基地で、マグロ・カツオの漁獲と輸出操業を行った。

日本政府は、この大洋漁業に対して、日本の漁業協力財団援助（日本政府からの補助金を含む16億円）で缶詰工場建設や、ODA（政府開発援助）による17億円もの無償援助で岸壁工事などの手厚い支援を施した。

## ランガランガ環礁の民が「撒き餌」捕り船を追い出した

こうしたソロモン大洋に対して、環礁の民からの抵抗は、操業の初期から始まっていた。

1980年、ソロモン大洋の船は、ツラギ基地から近いマライタ島のランガランガ環礁に入り、カツオ一本釣り用の「撒き餌」捕りを始めようとしていた。

「カツオの一本釣り」とは聞こえがいいが、実はその撒き餌のために、膨大な量のカタクチイワシや、キビナゴ類など、現地の小魚を環礁から収奪する必要があった。撒き餌のことを、「ベイト・フィッシュ」と現地の人々は呼ぶ。

環礁の民にとっては、ベイト・フィッシュを大量に奪われることは、環礁の脆い生態系を崩壊させる。外洋からのマグロ・カツオも入ってこなくなる。環礁も慣習的土地所有の大切な部分であり、勝手に入ることは許されない。この撒き餌捕り問題は、すでに他の太平洋の民からも抵抗が大きく、多くの企業が撤退している。ソロモン諸島では、最初に抵抗の火の手をあげたのは、ランガランガ環礁の民の指導者の、まだ若きアブラハム・バエアニシアさんであった。

1980年、「ランガランガ環礁の民が日本企業の漁船を追い出した！」。このニュースは太平洋各地に広がった。それは小さな出来事にみえたが、ソロモン諸島の民が、大きな外国企業と、それに結託した島々の有力者に抵抗するにはどうすればいいかを示す、シンボルのような出来事でもあった。

私は1990年に、首都ホニアラの一角で、夕日の陰るまで、アブラハムさんからゆっくりと話をうかがう機会を得た。

「おおらかな風貌のなかに、瞳の奥に深い思いを秘めた人」、これがアブラハムさんとの出会いの最初の印象であった。

どのように追い出すことができたのであろうか。彼は語る。

「ソロモン大洋の3艘(そう)もの大きな船が、夜こっそりとエンジンをかけて魚灯をおろして、ランガランガ環礁に撒き餌捕りにやってきた。村人がそれを知ったのは第2夜だった。小舟で環礁に出てみると、なんと『魚が湧くようにいる秘密のスポット』で捕っているではないか！　誰かが密通しているのは確かだった。実は慣習的土地所有制度で皆が環礁を共有するなかで、一部の首長と大学出の若いやつが、ソロモン大洋と密約を結んでいたのだよ」

「第3夜、闘いの準備は整った。ランガランガ環礁の男たちは棒を持ってカヌーに乗り、石を投げるふりをして棒でその船に迫った。ソロモン大洋の船は逃げた。でも、あまりにも欲張ってたくさんの撒き餌を捕り過ぎていたので、魚が死んで私の家の前まで流れついたほどだったよ」

「ランガランガ環礁の人々は強かったのですね！」と私。

「ところが1987年にまたやってきたのさ。例の首長は、政府の有力者のおかげで諸部族間の代表である大首長になりあがっていた。これは危険だった。反対する村人たちが集会を開いてね、大首長に攻め寄った。『撒き餌捕りでソロモン大洋から受けとった金はどこに行ったのか』。

実は彼は金を自分の懐に入れていた。私は彼に『あなたがソロモン大洋の撒き餌捕りを受け入れる契約を結びたいなら、他の村へ行って、それが村人によいかどうか、それを見極めてから結びなさい』と言った。でも大首長は勝手にソロモン大洋に行って告げた。『ボ

村々を巡って指導する
アブラハム・バエアニシアさん（左）（1990年）

スの私がOKだから』。それでソロモン大洋の船がやってきたというわけさ。若者たちは怒った。団結して勇気をもって船を追い出した。以来二度と来ない」

「小さな島の民にとって、森を守るにしても魚を守るにしても、外部の企業と闘うには、内なる有力者や、ときには仲間とも闘わなければならない。こうしたことは一番しんどい闘いだよ。村は分裂する。一致して闘うのは並々ならぬことなのだよ」

私は感慨深くうなずいた。

以後、彼が帰天される2014年まで、彼はその深い思いと知恵をもって、何も知らない私を弟子のように導いてくださった。

ランガランガ環礁の抵抗に触発されて、各地で撒き餌捕りを拒否する動きが広がっていった。金を懐に、撒き餌捕りを許す環礁の有力者たちも継続していたが……。

## ランガランガ環礁への小舟の旅

1993年、アブラハムさんに連れられてランガランガ環礁を訪れた。風に吹かれるボートの旅は、いつも気持ちがいい(1)。

やがてアブラハムさんが、「あれが私の故郷の島だよ!」と指さされたのは、古びた小屋が立っているだけの、「島」というには、あまりにも小さな何かであった。

「えっ?　あれが?」

「そうさ、人工島だよ。祖先たちが、なんどもつくり直してきたのさ。昨年のサイクロンでやられてしまったままだけれど」

アブラハムさんたちの先祖は、気の遠くなるような長い年月をかけて、海底のサンゴ石灰石を積み重ねて人工島をつくり直してきたという。サイクロンでやられては積み直す。祖先たちは、その人工島の上に「聖なる樹」（バヤン・ツリー）を植えて祭壇を置いた。

アブラハムさんは、その人工島で１９３７年に生まれた。

「父は私に伝統の知恵を授けつづけてくれた。アブラハムよ。よく見ておくがいい。あの樹とあの樹を結んだ先が、魚が湧くようにいる秘密のスポットだよ。誰にも教えない伝来のスポットだ」。「人工島にサンゴ石を積む時期は、オスエレの風（北西の風）が吹くサイクロンの時期を避けて、南東風のときがいい。舟の旅もその時期がいい。ガダルカナル島に行くには昼間はアアサア島をめざす。夜になったらあの星をめざす」。「マングローブの樹の薬。ストーンフィッシュに刺されたときは、どの樹の汁を塗るか？　マラリアにはマングローブの樹の皮を剥いで煎じたのを飲む」などなどを伝授された。

「どうして人工島をつくったのですか」と聞いてみると、

「居ながらにして魚が捕れる。捕った魚を陸の民の主食であるタロイモなどと交換できる」、「陸の人口が多くなったので住む場所を求めたため」、「かつては、海に住めば陸の民との闘いに有利なのだよ。陸の民は泳げないからね。そして潮風は健康にいい！」との答えが返ってきた。

ランガランガ環礁では、現在もおよそ50以上の人工島が点在しているという。

## 環礁の民が崇拝していた樹を伐った宣教師

アブラハムさんは嘆く。「私たちが樹木を崇拝することについて、キリスト教の宣教師は、『それは異端だ』として、祭壇も樹も伐らせてしまったのだよ。『ヴァサ』という船づくりに大切な樹も、どこかの聖堂建設用に運んでいってしまったよ。村人は皆、泣いた！」。

「それで私の祖母は、私の名前にバエアニシア、『樹が伐られて泣いた』という意味の名前をつけたほどだ。嘆き悲しんでね」

「宣教師たちは言った。『お前たちが樹を崇拝するのは邪教だ』、『お前たちは遅れているから勉強せよ』、『進歩と開発はいいことだからデベロッパー（＝伐採企業）を受け入れよ』。でも今になって宣教師たちは言うのだよ。『あなたたちの樹も森も伝統も重要だ』って。でもそれってトゥーレイト、遅すぎる。失われた森も伝統も帰ってきはしないよ」

## マグロが卵を産みにくる聖地

アブラハムさんの人工島は、その後訪問したときには、ヴァサの樹のベランダもできあがって見違えるようになっていた。ベランダから下を見ると、イカがゆらゆら泳いでいた。あらゆる小魚が群れていた。そうして採ったばかりの貝やイカが食卓に出てきたときの絶妙な美味しさ!!

「餌として食べるエビや小魚が美味しいから、魚もイカも美味しいのさ」という。

そうか！　ソロモン大洋がほしかった撒き餌とは、そうした美味しい、活きのいい小魚であったのかと、初めて実感した。

滞在中の最後の日に、アブラハムさんは私を「マグロの聖地」に密（ひそ）かに案内してくださった。それは環礁のマングローブの木陰にひっそりとあった。「マグロが生命をかけて卵を産みにくる聖地だよ」。「この一角では漁労をしない。祖先からの伝統でしっかりと見張り守っているのだよ」。

ランガランガ環礁での
アブラハム・バエアニシアさん（2004年）

壮大な母なる星の、生命の「揺りかご」のような、その一角を、生命をかけて守りつづけているアブラハムさんたちであった。

## アバロロ村のネックレス状の貝貨づくりと女たち

アブラハムさんは幼いとき、この人工島から対岸のアバロロ村の学校まで海を泳いで通ったという。彼の逞（たくま）しい厚い胸は、そうして鍛えられた。そして、その

伝統の貝貨を作る少女（アバロロ村）

小学校で可憐な少女マリアさんと出会って結婚した。以来人工島とアバロロ村の間を行き来して暮らしている。

　マリアさんのアバロロ村は、伝統の「ネックレス状の貝貨づくり」で有名な村である。そのネックレスは、花婿や花嫁の持参品として、はたまた祝いや部族間の仲直りの印として使われてきた特産品であった。

　ちょうど訪問した日も、村中総出での貝貨ネックレスづくりが行われていた。貝を細かく叩く人、その貝に穴を開ける人、糸を通す人、細工用の土台には、硬いヴァサの樹が使われていた。

　特に「ロム」というピンク色の貝は、神聖で高価な貝として重んじられるため、その貝貨を求めて遠くから人々はやってくる。それがアバロロ村の収入となり、森を守り、環礁を守る糧になってきたという。その中心に女たちがいるから、アバロロ村の女たちは強かった。

「でも……」と女たちは言う。「ピンク色の貝はマライタ島南部とニュージョージア島のノロ海峡から採れるの。最近はノロ基地からの排水で採れなくなってきたのよ」。

## 樹を植える若者たち

アバロロ村の奥地のバラカシ山（1000メートル級）の中腹では、アブラハムさんが中心になって、若者たちといっしょに、失われたヴァサの樹の森を回復させる試みが進んでいた。「見にきなさい」と誘われて、カヌーで上流まで漕いで、陸に入り、村々を越え山の中腹まで登った。「よく登ったわね。私たちも行ったことがないほどよ」。女たちが私をからかう。

大樹の根元の苗を育てた後、その苗を、山の大地にライン・プランティングしていく。ヴァサ（カヌーや船の材）、アクア（床材）、ウウラ（ボートの脇腹用で重く堅い）、アルココ（二世代の耐久性のある樹）、カコ（壁面用）、ナリーナッツ、果物の木、薬の木など[2]。

女たちのプロジェクトも麓で進んでいた。女たちは貝貨を売って貯めたお金で、若者たちを雇って村の共同体作業所（集会、貝貨づくり、ミシン作業）を建てた。山のヴァサを手斧で伐り出させ、伝統の木組みの作業所づくりをさせていた。若者は、女たちから労賃を受けとり、若者たちの懐も潤った。

## 西欧の学問に疑問を抱いたアブラハムさん

アブラハムさんは若いころ、パプアニューギニア大学からフィジーの大学へ、さらには英国のオックスフォード大学へと送られて留学をしてきたという。これは異例のことであった。

しかし彼は、その勉学を通して西欧の近代文明と学問、科学や調査のありかたに、大いなる懐疑を抱くようになったのだから、面白い!!

「ソロモン諸島の伝統の英知、衣食住の知恵、森と薬の伝承、漁労と農耕の伝承、そして無限の島と森の富のなかにこそ、最も大切なものがある!! 魂の奥深く、そう悟ったのだ」と言う。

以後、伝承と知恵を活かして住民が自立する道、森と魚を企業に売らない道を島々で教えた。

ソロモン諸島ディベロップメントトラスト（Solomon Islands Development Trust）という草の根運動を起こし、伐採企業と闘い、腐敗した政治家や権力と対決した。後に彼は太平洋諸島のＮＧＯのネットワーク、ＰＩＡＮＧＯ（ピアンゴ）（Pacific International Association of NGOs、１９９１年発足）の代表に選ばれる。そして「ソロモン諸島の魂の人」といわれるようになる。

「自分たちは貧しいのだ、という発想から始めてはダメだ。自分たちは豊かなのだ。そこから始めなさい」、「あなたたちには、土地も、森も、海も、魚もある。あなたたちは貧しくない。富んでいるのだ」、「二束三文のインスタント収入に目を眩（くら）ましてはならない。すべてを失うのだよ」。

彼は若ものたちに「ボトム・アップ」、草の根意識からの変革を伝えつづけた。

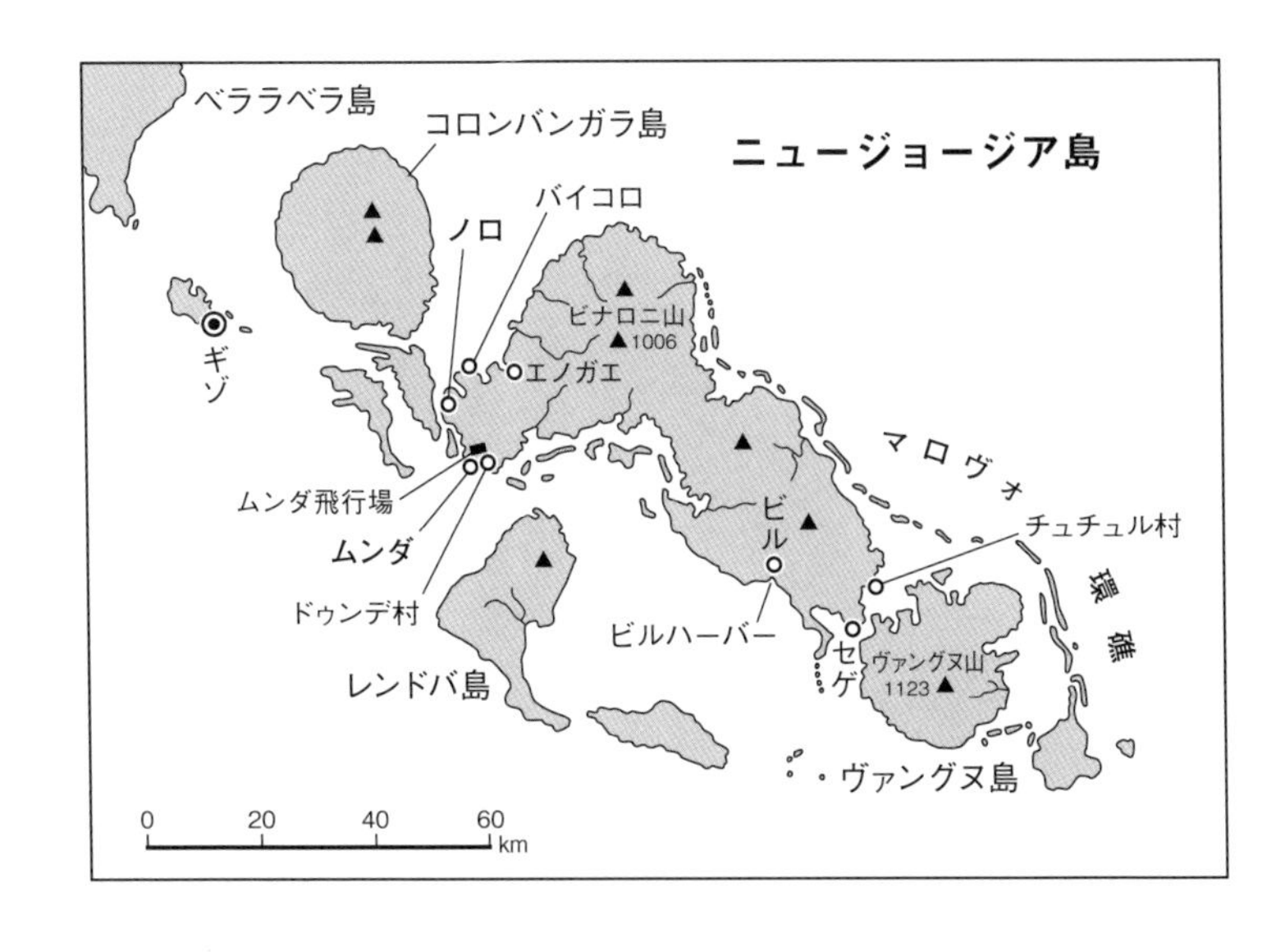


## ニュージョージア島の魅惑とソロモン大洋のノロ基地

ソロモン大洋が１９８９年に本格操業のために拠点を移した先は、ニュージョージア島のノロ基地であった。

私はその翌年の１９９０年にアブラハムさんに連れられて、初めてノロ基地への旅に出た。

当時の空から見るニュージョージア島は魅惑に満ちていた。微妙に入り組んだ海岸線、世界最長の環礁群といわれるマロヴォ環礁[3]、奥深くまで広がる原生林。溜め息が出るほどの美しい佇まいであった。しかし飛行機がいったんノロ基地上空にさしかかると、ノロ基地の缶詰工場からの油と魚の廃棄物が茶色の帯となって海峡に漂い広がっていた。機体はニュージョージア島の玄関口であるムンダ飛行場に着陸。アブラハムさんの先導でチャーターしたトラックで深い森を抜け、海峡に面したノロ基地に着いた。

## 日本政府が大洋漁業を私たちの税金で支えた

折しも、そのノロ基地では、日本政府による17億円のODA無償援助、「ノロ地区漁業基地整備計画」による岸壁建設が行われている真っ最中であった。

（補足）加えて超低温冷凍倉庫、冷蔵庫、製氷機、コミュニティ・センター、オイルタンクの建設等がセットになって、北野建設が受注していた。

照りつける太陽のもとでの工事をしばし立ちどまって見ていると、目の前の波間をすべるように、小さなカヌーを漕いでゆく子どもたちの姿があった。その先には、ソロモン大洋の巨大巻き網漁船がフィジーに送るため魚の積み替えをしていた。

海は油と廃液ですでに汚れている。これから子どもたちの暮らしはどうなっていくのだろうかと思いを巡らした。

2年後の1992年に再訪したときには、アシスタント・ディレクターの伊藤保夫さんが説明してくださった。

ノロ基地でのソロモン大洋のカツオ・マグロの漁獲量は、およそ年に2万～4万トン。そのう

埠頭に横付けされた巻き網漁船。フィジーの缶詰工場への積み替え作業中。

ち、巻き網漁船（巨大な巾着網を海底に広げて獲る漁法）によるキハダマグロの漁獲量は年間約1万トン。冷凍運搬船で諸外国（米領サモア、フィジー、米国、日本など）へ輸出。冷凍カツオの方は、タイに輸出されていた。タイの工場からは、ペットフードとなって日本にも輸出されるとのことであった。

大洋漁業はこうした漁獲物を輸出するエージェントとして利益を得ていた。

缶詰工場からは、日本、英国、西ドイツ、オーストラリアなどにカツオ缶を輸出。カツオの赤身部分は、「ソロモン・ブルー」という銘柄で国内向け缶詰に。荒節は日本の「やまき」、「まるとも」などの節屋に送られていた。それらの原料となる一本釣り漁船によるカツオの漁獲量は、年間1万5000トン。

その日も私の見ている前を、陸揚げされたカツオが車で運ばれ、ベルトコンベアで工場に吸い込まれていった。

ＯＤＡで建設された冷凍庫などはどうなっていたか？　巨大急速冷凍庫（マイナス30度～40度）のなかは空っぽであった。地元の零細漁民の漁獲用には大きすぎ、「ソロモン大洋のためには小さすぎる。温度も中途半端。運転しないと機械が駄目になるので運転費用が大変です」という。州政府が費用を負担して運転をしていた。(4)

日本政府のこうしたＯＤＡは、地元の漁業振興に役立たせるというよりも、進出日本企業への支援や、日本のマグロ延縄漁船や巻き網漁船の「入漁交渉を有利にする手段」となっていたのである。

## ソロモン大洋の缶詰工場の女性たち

缶詰工場内では、およそ５００～６００人の女たちが、朝６時から夕方まで働いていた。カツオ船が夕方入荷すると夜も働く。毎日50トンのカツオを潰(つぶ)して缶詰にするノルマが課せられていた。

工場内には、強烈な血合いの匂いが漂い、高温と匂いのなかでの流れ作業がつづく。塩水づけ後のカツオの身をトレイの上に並べて機械まで運ぶ作業は非常に重く、男性も加わるが、女性にとって腰痛の原因になっていた。その後ベルトコンベアで流れてくるカツオの皮と身と背ワタをナイフでこそげとる。身の良い部分は欧米用、赤身は地元用になる。手で缶詰に詰めた後は、缶ごと90分蒸して、最後にカートンに詰める。見学している私も汗だくになり、目がくらくらしてくるほどの熱気であった。

なんどか訪問するなかで、女性たちにインタビューさせていただいた。

「多くの女性は下痢、腰痛、頭痛、足のむくみの病気にかかっている」と現場監督の女性は言う。

ソロモン大洋の缶詰工場で働く女たち

女性労働者たちはつらい現場を語る。

「村から会社のボートで朝5時半にたって、朝食の時間はないの。昼休みはコンクリートのうえでゴロンと寝るだけ。そうでもしなければ終業時まで身体がもたないの」

きちんとした昼食をとる人は少なく、ビスケット程度ですます。

「カヌーで島々から来る場合は、4時に起床で寒い雨風にさらされて通う」

「帰りが遅いし、家族との時間はないし、父なし子を産む女たちがいて、家族の問題になっている」。

「月給は200ソロモンドル（約8000円）」、「あまりにも少ない。家族の生活も支えられない」、「缶詰にしても、安い赤身の缶詰しか買うお金がない」とのことだった。それでも家族を養うために来る。毎月10人から20人の退職者が出ていることからも、過酷で不安定な労働環境がみえてくる。機械のベルトに巻き込まれて右手切断などの深刻な労災も多いということであった。

ノロ基地ではエイズ患者の発生率が他地域よりも高い。外国漁船員が、１００～２００ソロモンドルで女たちを買うのだそうだ。それは缶詰工場の１ヶ月の給料に相当する。工場の女性たちが父親のない子どもを産むケースも多いということであった。[5]

工場の外の丘の上には、ＯＤＡで建てられたコミュニティ・センターがあり、そのクリニックに日本からの女性の看護士さんが働いておられること、女たちの健康を憂慮していることを聞き、インタビューにうかがった。

ところで、話の途中で彼女は、私に目をとめて言われたのだ。私が手足を包帯でぐるぐる巻きにしていたからだった。

「その手足はどうしたの？」

「パプアニューギニアの海辺で、サンドフライ（ごく小さなブヨ）にやられて、水ぶくれで熱っぽいのです。どうしても治らなくて……」と私。

私の包帯を解いて見た彼女は言われた。「もう生命の危険の状態よ」。「ええっ？」。インタビューどころではなくなった。

彼女は、あっというまに、なけなしのペニシリンを冷凍庫から出して、自分の身体で暖めてから、私のお尻に、ブスッ！と注射をしてくださったのだ。本来なら地元の女性たちに使う貴重な化膿どめのはずなのに……。

ＯＤＡ調査に来て、ＯＤＡで救われてしまったのは、後にも先にもこれが初めてで、恥ずかしく、穴があったら入りたかった。それにしても素敵な日本の看護婦さんだったなあ。１９９２年の出来事であった。

## 一本釣り漁船への乗船記

その日の夕べのことである。ノロ基地からムンダまでの環礁の海を、心地よい夕風に吹かれながら小舟で渡っていると、「漁幸丸」という船が波間に停泊していた。

「おおい、船にあがっておいで！」と声がする。波間にそびえる一本釣り漁船「漁幸丸」からの声だった。

私が戸惑っていると、案内役のカーターさんたち（アブラハムの弟子の若者）が、「大丈夫」とうなずく。

梯子をあがると、船長室で漁労長の仲間謹一さんが、「よおっ！」と満面の笑みで迎えてくださった。漁幸丸は、ソロモン大洋がチャーターした沖縄のカツオ一本釣り漁船のひとつで、59トンの中型船である。

船長室では仲間さんが、同じ沖縄からの３人の乗組員といっしょに、切り干し大根と豚肉を煮込んだ夕食の最中だった。３人で機関長、餌撒き、めがね役（カツオの群れを見つける役）、台所係をする。

暮れゆく夕日のひととき、その船のなかで仲間さんは語る。「魚と海が私の恋人だよ。だからこの生活に満足している。毎年一度沖縄に帰って、３つ年上の英語のできる妻と旅行をするのが楽しみだ。息子はもう35歳になったしね」。

仲間さんは１９３９年に沖縄の衣良部町で生まれ、漁船員となり、漁労長になり、ソロモン大洋と契約した船の漁労長を17年間勤めあげてきたと語る。

人事については日本側の徳洋漁業という会社が沖縄の船員を雇い、食料は「ソロモン大洋」が支給する。チャーター契約はカツオ１キロあたり90円で契約する。餌代は船主もちで、ムンダで捕ったときにはムンダにある州政府に払うという。

私たちは台所係がつくったという美味しい料理と酒をご馳走になってしまった。窓からは、興味津々の地元の乗組員の若者たちが、鈴なりになって私たちを覗いている。

別れ際に仲間さんが言われた。

「明日、同じところで待っているから船にあがっておいで……」。

驚いたり、夢のようで、その夜は興奮してなかなか眠れなかった。

「漁幸丸の謹ちゃんは名誉漁労長」として名を知られる人であることは後で知った。

約束の夜は、霧がかかったような海だった。10月は天候の変化が多い月である。小舟でムンダの桟橋から出発したが見通しが悪い。約束どおり漁幸丸に出会えるだろうか。でも仲間さんはちゃんと約束の場所で待っていてくださった。

すでにエンジンの音も高く、ベイト・フィッシュ捕りが始まっていた。漁幸丸は、撒き餌捕り用の小舟を4隻所有していた。それらの小舟は夕方から小魚の群れるスポットに出向いて、集魚灯で魚を集めておく。キビナゴなどの魚は光に集まってくる習性があるからだ。夜になって本船（漁幸丸）がそのスポットに行き、棒受け網でベイト・フィッシュを母船に引き上げるという手順だ。

さて、棒受け網を引き上げる段になると、仲間さん自身が小舟に降りて先導する。長い竹竿の下に網が沈めてあるので、網を広げ、一つずつ光を消しながら、光の中心に小魚を集め、最後は残った光も消す。その後ライトをあげて網を船の方に引っぱっていく。やがて無数のキラキラ光った小魚が見えてくる。それをバケツで掬いあげ、船のなかの餌タンクに入れるのだ。

だが、その夜は水温が低く、バケツで100杯分しか捕れなかった。

仲間さんは「ベイト・フィッシュが減っている」という。

「以前はバケツで、一晩に230杯ぐらいは捕っていた。わしらのような中型の船は200バケツかな。だけど今はとてもそんなに捕れない」、「ベイト・フィッシュがカツオ釣りの鍵なんだよ。元気のいいベイト・フィッシュをまくと、カツオの食いつきがいい。ヴァングヌ島やマロヴォ環礁のベイト・フィッシュだとカツオもよく釣れる」

「でも、そのマロヴォ環礁の小魚が捕れなくなったので、ムンダに来た。でもムンダのベイト・フィッシュは元気がないし、カツオがよく釣れないね」と仲間さん。

そうか！　活きがいいベイト・フィッシュが捕れるところは、マロヴォ環礁のように原生林が豊かな環礁なのだ。そして、ソロモン大洋の一本釣り漁船（当時21隻）が20年近くも、夜な夜な、環礁に入ってきては一夜に各船が300バケツも撒き餌を捕れば、激減するのはあたりまえなのだ。私はそう心のなかで呟(つぶや)いた。(6)

そのうちに私はデッキの上で、うとうと寝てしまっていた。はっと目を覚ますと外は真っ暗だ。波が高く船は大揺れに揺れている。ここはどこだろう?

「レンドバ島の外洋だよ！」と仲間さん。船は外洋に出ていたのだ。

船首の方を見ると、若者たちが並んで座ってすでに一本釣りを開始していた。竿(さお)がしなり、次々にカツオを釣っていく。

カツオの群れを見つけては沖縄の人（餌係）がベイト・フィッシュを撒いている。船の脇腹から放水された水は、海面を叩(たた)いて小魚がいっぱいいるように見える。カツオがそれに寄ってくる。海鳥の群れが船の前後を飛び回っている。

カツオの一本釣りは24時間操業だ。夜に餌を捕って（4回〜7回繰り返す）、明け方暗いうちに外洋に出る。海鳥とカツオの群れをみつけては餌を撒いて釣る。これを繰り返すのだ（章扉の写真）。

「1船に35人ほどソロモン大洋が雇うのだ」。「といっても実は40人を乗せているんだけれどよ。そうでないと35人分の働きのカツオが釣れない。私たちの働きとは違うんだよ」と仲間さん。

その夜は水温が27度と低く、場所を変えても、「カツオの食いつきが悪い」と仲間さんは嘆く。

## 「今夜は釣れなかった」と仲間さん

一休みしている若者たちにインタビューした。

一様に「つらいのは、夜と朝の風の寒さだ。そして長時間労働と睡眠時間の不足。安い賃金だ。特に棒受け網を引き寄せる仕事がつらくて身体、特に肩が痛くなる」と言う。

「ソロモン大洋の要求する漁獲ノルマのための長時間労働で、睡眠時間がほとんどないのがつらい」。「楽しいのは違う島の人々に会えること。でも給料が安いので長続きしない」などなどの答えが返ってきた。

日給は働きによって9ドル（約360円）から、技術者は50ドル（約2800円）と様々であった。

「給料は何に使うの?」。「貯金する」、「ビールを飲んでしまう」、「家族を援助する」などだった。

漁幸丸は不漁のままに、明け方のノロ基地に帰ってきた。

仲間さんは「今夜は数百キロしか釣れなかったなあ。たくさん釣れたところを見せたかったのに」と笑顔も寂しそう。

「この船の漁獲量は1位か2位だった。でも今落ちてきたね。月に120トンから130トンかな。一日5トンは水揚げしないと駄目だけど、このごろは2トンか3トンしか捕れない。大漁旗は10トンにつき一本あげることになっているから大漁旗もあげられない。それにしても今夜は仕事にならなかったなあ」

私は申しわけない気持ちでいっぱいになった。心優しく親切な仲間さんに感動して、ベイト・フィッシュ捕り反対という自分の立場も忘れて、漁幸丸の大漁を祈った私だった。

ノロ基地に近づいたところで、徳洋丸という船に出会った。なんと大漁の旗を2本もなびかせているではないか……。25トンの水揚げをしてきたとかで、仲間さんの船の漁獲量の数十倍だ。

私は仲間さんの顔を見るのがつらくて下を向いてしまった（1992年10月6日）。

## ソロモン諸島の「魂の人」アブラハムさんが来日

1992年にアブラハムさんは来日した。日本での熱帯林伐採反対運動が盛り上がっていた時期で、日本消費者連盟と熱帯林保護のNGOによる招待であった。

ただし、大洋漁業の本社訪問には私が同行した。

応対に出た社員がアブラハムさんに、「あなたは撒き餌捕りのことを問題にしますが、オーストラリアの学者の調査では、撒き餌用のベイト・フィッシュは減っていないといっています」と言い放った。

アブラハムさんは、怒り心頭に発して言ったのだ。

「環礁の魚のことを一番知っているのは環礁の民なのです。外から来た近代的な御用学者の調査とやらを私は信用しない。本当のことがごまかされていくのですよ」。アブラハムさんの魂の怒りに、私は心の奥が震える思いであった。

帰国したアブラハムさんに、現地の日本領事臨時大使からさっそく圧力がかかった。

「ソロモン大洋の製品の輸出に差し障るから、日本で発言したいろいろなことを取り消せ」というのであった。アブラハムさんは、もちろん「NO!」と答えた。進出企業先の領事が、進出企業の代弁者かのように振る舞って、島民の発言に圧力を加えたのであった。こんなことがあっていいものだろうか。

大洋漁業はその翌年1993年に「マルハ」に社名変更。ノロ基地はマルハのソロモン大洋となった（現在はマルハニチロ株式会社）。

## 「抹殺者のリスト」にあげられたアブラハムさん

1993年からのママロニ政権下では、伐採量・丸太輸出量が急増した。政府・企業・有力者は手を取りあって、その利益を手中にしていた[7]。

伐採反対の指導者であったアブラハムさんは、この時期ついに「抹殺者リスト」に入れられた。ともにそのリストに載っていたA氏が謎の飛行機事故で死んだ。伐採企業を訴えた重要な裁判のなった。

前に、その企業の不正の証拠を握ったまま帰らぬ人となったのであるから、大センセーションと

アブラハムさんは、今度は自分が抹殺される番であると悟った。

そうして、その年のクリスマスに、刺客が首都ホニアラのアブラハムさんの自宅を襲った。幸い彼は家族とともにランガランガ環礁に帰っていたため、難を逃れたのであったが……。

「政府と企業から脅迫や迫害を受けたことは数知れない」とアブラハムさんは語る。

1995年には、パブブ島（地図34ページ）で伐採反対の指導者マルティン・アパさん（30歳）が暗殺された。

「暗殺者を捜査してほしい」とアブラハムさんたちは政府に求めたが、答えはなかった。

政府にバックアップされたその伐採企業（カレナ・ティンバー社）は、パブブ島民の猛反対を押し切って、7000立方メートルもの丸太積み出しを断行したのであった。行き先は日本であった。[8]

## 「マルハ」が撤退

2001年にマルハは撤退した。これは意外なことであった。

（補足）背後に1999年から2003年にかけてのソロモン諸島内の部族間の内紛があり、ソ

ロモン大洋の船と漁船員宿舎が襲撃される事件もあって、マルハは去っていった。

その年、日本の朝日新聞には、マルハについて、おや？と思わせる記事が載っていた。１９９６年から１９９９年にかけてのマルハによる4億７０００万円の脱税という記事であった。「外国税関の文書を偽造し、常習的に関税を逃れていたマルハ」（２００１年11月19日紙上）。マルハは１９９６〜１９９９年、特恵関税を利用して、西アフリカの関税のかかる国で獲れたタコを、モーリタニアやガンビアという非関税の国で水揚げをしたかのように原産地証明書を偽造していたのであった。他域での出来事ではあったが、マルハのやり方が透けてみえる。

ノロ基地をはじめとするウエスタン州は、２００７年4月2日に、ムンダ沖を震源地とする地震と津波に襲われた。その支援の目的もあって２００７年6月29日、久しぶりにノロ基地を訪問した。[9]

ノロ基地では、日本企業が去った後に規模を縮小し、ＳＦＰＬ公社（SOLTAI Fishing and Processing Ltd）が、ＳＯＬＴＡＩ社の名前で操業を継続していた。[10]

ＳＯＬＴＡＩ社の支配人のキクさん（マロヴォ環礁出身）が案内をしてくださった。「カートンにして年間３０００カートンの缶詰しか生産できていません」と言う。一本釣り操業が振わないのだった。

ところが、その一方で巨大イタリア資本（トライ・マリン社）が、巻き網漁船で獲ってきたキハダマグロを、ノロ基地のＳＯＬＴＡＩ社工場でロイン（内臓を取り出したキハダマグロの真空冷凍パック）にして、大型冷凍船で月に2隻から3隻もイタリア向けに送っていた。ノロ基地は一本釣り中心の操業の時代から、巨大外国資本と巨大巻き網漁船による操業の時代へと変貌を遂げようとしていた。

私はキクさんがマロヴォ環礁出身と言っていたので聞いてみた。

「活きがいいので評判のマロヴォ環礁のベイト・フィッシュの方は、今はどうですか？」

キクさんは、顔を曇らせて答えた。「最近、マロヴォ環礁にも伐採企業が入ってしまったために、活きのいいベイト・フィッシュが消えてしまったのです」。一本釣り用の餌も不足なのだと言う。

## 美しさの極みのマロヴォ環礁の変貌と首長の涙

キクさんが言ったように、マロヴォ環礁での伐採は悲惨であった。

実は、２００４年にグリーンピースによる映画制作の船で、私もマロヴォ環礁の一角、チュチュル村訪問に同行したことがあった。「一度はマロヴォ環礁を見ておけ」とアブラハムさんが背中を押してくださったからである。

一行が伐採地を撮影している間、私はチュチュル村の首長に単独インタビューをする機会に恵まれた。まわりに誰もいなかったので気を許されたのか、首長は私の前で男泣きに泣かれたのであった。

「後悔してもしきれない。私は首長として、マレーシアの伐採会社（リンブナン・ヒジャウ社傘下の企業）と契約したのだが、伐採権料を一度たりとも受けとっていないのだよ。他の首長が受けとったかどうかも知らない。私たちの森は禿げ山になってしまったが……」

その首長の涙に、私もともに泣いた。怒りがわきあがってきた。「伐採マフィア」たちは、首長を騙し、森を身ぐるみ剥いでしまったのだった。

「サメたちが首長たちの闘いの先導をしてくれた」という伝説のあるマロヴォ環礁、そこに棲むサメも、ミナミバンドウイルカも、森からの恵みを失った。

「伐採の入った今は、サメも魚たちも寄ってはこなくなった」と首長は泣き続ける。(11)

## ムンダの森林省の役人が語る「日常茶飯事の賄賂」

マロヴォ環礁の悲惨な出来事、ニュージョージア島での猛烈な伐採。私はムンダを通過するたびに、質問をいっぱい抱えて、その地域の森林省支部の主任のケルウイン・ロイさんを訪ねることにしている。

ムンダのバス停前にあり、船着き場、飛行場、路上マーケット、宿舎に近い。道から一段下がった暗い小さな建物である。

ロイさんは、いつ行っても、「やあ、久しぶりだね」と、いろんな話をしてくださる。大らかで、体格のいい、豪快な人で、彼の語る伐採企業の裏話も面白い。

2007年のこと、「ロイさん、ムンダからノロ基地に行く途中の深い森がなくなってしまっているのですが、どうしてなのですか」と私は質問した。

「この裏、ムンダから北岸のバイロコ湾にかけてはね、2000年からデルタ社（リンブナン・ヒジャウ社傘下の伐採企業）が、急激な伐採を行ったのさ。2005年には4万2000立方メートル、2006年には3万7000立方メートルもの伐採をやってしまった。伐りすぎて2007年には残る森が少なくなったのだよ」

「伐られた丸太はどこへ行ったのですか」。「中国と日本へ送られたよ！」。「えっつ、そうなのですか。それは悲しすぎます」と私。

この時期、ニュージョージア島のあるウエスタン州からの丸太輸出量は凄まじく、ソロモン諸島全域からの丸太輸出の50％を占めることになった。2000年代以前は日本への輸出中心の時代であったが、2000年以後は、中国への輸出が中心になった。しかし、その中国に渡った熱帯材から、中国が製造した合板などを日本は輸入している。日本は昔も今も熱帯材消費大国でありつづけている。

2004年には、「ムンダ管轄下でこんな逮捕事件が起きていた」とロイさん。

「アース・ムーバー社のアレックス・ウオン氏が税関署員から丸太積み荷の不正をとがめられた。彼は5000ソロモンドル（20万円）の賄賂を役人に渡して、とがめを逃れようとした。しかしその役人は警察に通報し、ウオン氏は現行犯で逮捕とあいなったというわけさ」。

ロイさんたちもやるではないか。ソロモン・スター紙は一面トップでこのことを報じたのであ

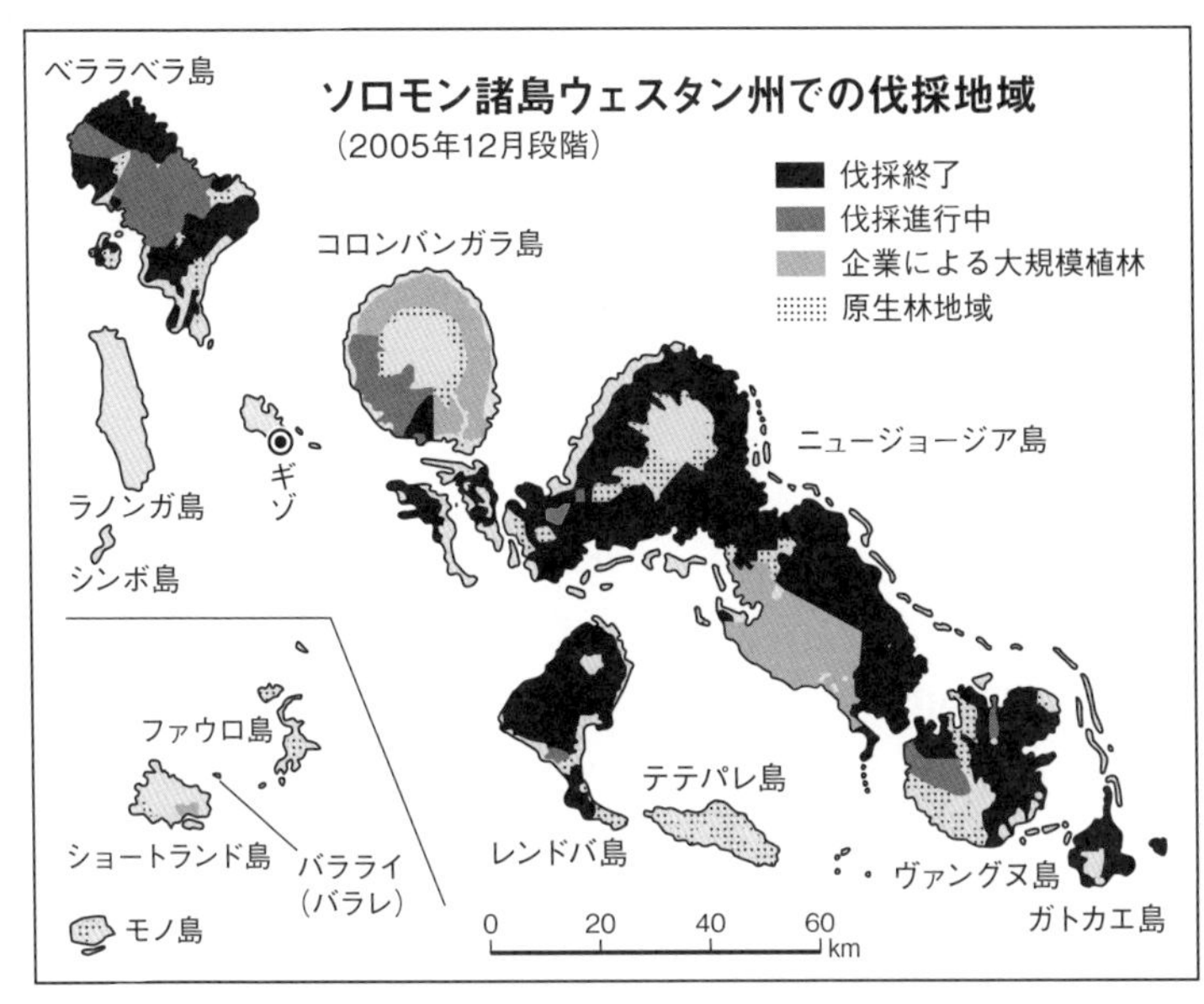


出所：国連食糧農業機関アジア太平洋地域事務所発行『Solomon Island Forestry Outlook Sutudy』所収の地図より作成

った（2004年9月15日）。

2007年には、「ソロモン諸島全体での伐採企業の数は152社にもなった。そのうち41社がこのウエスタン州で伐採中だよ」とロイさんは嘆く。森林官として、ロイさんも歯止めをかけることができていない。

「賄賂は日常茶飯事だよ。実は、私も駐在先でイーゴン・パシフィック社のマネージャーに食事に招かれたことがある。企業はそうやって金を渡して森林官を買収するのさ。私の場合は、もちろん断ってやったけどよ!!」。愉快な人である（2008年）。

「丸太積み出し量の記載ごまかしは日常的。最終集計する森林省本部が賄賂を受けとっているから、書類に目を通さずにサインをしてしまう。企業はチェックなし。インチキ輸出さ」

「森林省本部は私たちに予算を回さない。私たち支部の役割は管内に不正伐採があるかのモニターをすることなのに、回るための車もない。ガソリン代も乏しい。カヌーが1艘あるだけ。これでは調査もできない。結局企業の車に乗せてもらってモニターをする。これでは不正の摘発はできないよね」

「それからね、バイヤーと伐採企業の船積みマネージャーが曲者だよ。両者が馴れあってチェックなしで船積みさせてしまうのだよ」。

日ごろの鬱憤も交えて、ロイさんは、堂々といろんな裏事情を話してくださる。痛快な話し方で、聞きあきることがない。

私が「輸出統計を知りたい」と言うと、「首都のホニアラの森林省本部に行きなさい」と、森林省への紹介状を書いてくださる。細やかな優しい人でもあった。

## 森林省訪問とアラン・ケマケザ氏逮捕事件

首都の森林省本部は、ガダルカナル島の丘を曲がりくねった道の奥にある。丸太輸出が政府収入の20～40%を占める国であるから、その森林省本部は、さぞかし立派なオフィスであろうかと思っていたが、古いしょぼくれた建物なのであった。このしょぼくれ方は何を意味するのだろうか？　森林省に入った金はどこにいくのだろうか？

しかも、役人の姿はほとんど見かけない。それぞれ、「どこかに外出中」である。

しかし、ロイさんから紹介された役人は、コンピューターに向かって待っていてくださった。優しい微笑（ほほえ）みの誠実な人であった。彼からいただいた木材輸出統計と資料も貴重であった。


（補足）丸太輸出量は、２００６年には前年比2倍以上の１１８万立方メートルへ。２００７年には１４４万立方メートルへと急上昇をとげている。輸出先は、第1位が中国で２６３万立方メートル。2位は日本の１９７万立方メートルであった。この伐採量の急増を招いたのは、森林大臣アラン・ケマケザ氏の下であった。

企業別には、リンブナン・ヒジャウ社系のマレーシア企業イーゴン・パシフィック社、ＯＭＥＸ社、デルタ社が名を連ね、コロンバンガラ・フォーレスト・プロダクト社（双日による「ユーカリ植林」の独占的買い付け先）の名が記されていた。日本関連の丸太買い付け業者には、日商岩井香港、双日、伊藤忠、住商が名を連ねていた。


もっと日本企業との関連を聞きたい。アラン・ケマケザ森林大臣にも面会をできないものかと、遠慮がちに聞いてみると、意外なことに担当の彼は、すんなりと森林大臣の携帯番号を教えてくださったのだ。「外出が多い高官との連絡は、携帯電話が一番よいのだよ」と言う。

私への信頼からなのか？　なんとありがたいことか。彼に深くお礼を述べて、私は坂を曲がり下った。折しもガダルカナル島の丘に夕日が射していた。日米が激戦を繰り広げた丘が茜色に染まっていた。しばし佇んでそれを眺めながら、私は複雑な気持ちに浸った。かつては激戦地、そして今は日本の「企業軍」が群がって、生命の丸太を奪い取る激戦地にしている。

「さあ、明日は森林大臣に電話だ。でもケマケザ氏は、伐採企業との癒着で有名な人だから、アポイントなんて難しいかもしれない」と、少し、いやかなり不安になる。

一夜明けた。電話をする前に、まずは念のため、ソロモン・スター紙を読んでおこう。そう思って新聞を開いてみると、なっ、なんと、目の玉が飛び出るほどの、驚きの記事が飛び込んできた！

「アラン・ケマケザ氏逮捕される。伐採企業との癒着」（２００８年8月4日）

電光石火のような出来事ではないか？　よりによってアポイントをとりたかったこの日に。なぜ⁇

もしその朝、何も知らない私が、彼に「もしもし……」とか言って電話をしていたならば、刑務所内からの、「もしもし、アラン・ケマケザですが……」とかいうお声を聞くことができたかもしれなかったなあ……。残念なような、大物の魚を逃したような気持ちになった。

その私を見て、宿主のブライヤン・ブラントン弁護士は笑う。彼はソロモン諸島政府に招かれて、内紛究明のために働いていた調査委員長で、政界の裏も表も知っている人物。逮捕劇なんて驚くなと笑いたかったのだ（ブライヤン・ブラントンさんについては第13章に記した）。

その後、ケマケザ氏はどうなったか？　またまた、驚くなかれ、彼は逮捕にもかかわらず、その後森林大臣や首相の座に返り咲いていったのだ。しかも長期政権の座に……。[12]

これって何？　でも、日本の政界でも、同じようなことが起こっている。よその国だけのことではないのだ。

ソロモン諸島からの丸太輸出は、その後も急増をつづけ、２０１８年には４００万立方メートルに達した。

## ノロ基地はイタリア資本トライ・マリン社傘下へ

２０１８年には、ノロ基地にも大きな変化が起きていた。世界最大のマグロ漁獲・製造・貿易企業であるトライ・マリン社がノロ基地を傘下に収めていたのである。

巨大な巻き網漁船は5隻にもなり、ソロモン諸島の海を総なめにし、年間2万5０００〜３万トンを超えるマグロ・カツオを収奪していた（２０１８年）。

埠頭は大改装され、最新式の水揚げ機材と輸出用の超低温コンテナがずらりと並ぶ。

人事部のマネージャーのベルタ・シミカさんが説明役になってくださった。彼女の歯切れのいい完璧な英語は、ノロ基地がまったく新しい操業に入っていることを私に告げていた。

「缶詰工場では、毎日２００トン！の生産をめざしているのよ。かなりの量でしょう？」

「大洋漁業」や「マルハ」時代の4倍のノルマであった。

女性労働者たちの人数も4倍。年間缶詰生産量は2012年1万3000トンから、2017年2万4000トンに。缶詰の7割は米国とEU（欧州連合）に輸出。海外用缶詰はキハダ。国内用の缶詰はカツオが原材料。冷凍にしたキハダのロインはEU中心に輸出されていた。

ベルタさんは語る。

「2000人の労働者のうち1500人が女性の労働者なのよ。だから女性たちが重要なの。そのため寄宿舎、バス代、ボート代、昼食など、すべて会社が提供しています。指導者養成の研修も海外留学もさせているのです」

大洋漁業時代の女たちは、昼食もなしにコンクリートの床に寝転がって休んでいたから、たしかに労働環境の改善は大きいに違いなかった。

年配のクリス・エヴォさんは、そっと私に、「でもね、缶詰の生産技術は日本時代の方が上だと思います」と囁（ささや）いたことは興味深かった。

翌2019年には、さらなる驚きが待っていた。ボルトン・グループという、イタリアのミラノを拠点とする世界最大の複合企業が、トライ・マリン社を100%買収して、ノロ基地の主（あるじ）になっていた。

巾着網を広げて海を総なめにする巨大巻き網漁船はなんと15隻!! ソロモン諸島のEEZ（排他的経済水域）内の資源を総なめしているといっても過言ではない。[13]

「大手資本が大手資本を喰（く）う」資本のグローバル化の波に翻弄（ほんろう）されて、民の暮らしと森と海の幸は、行方も知れず遠い海の果ての国々の人々とペットたちの食事として大量に喰いつくされていく。

## 水平線に巨大漁船群と丸太満載船の軍団が

ノロ基地の調査を終えて私はかなり疲れて、すぐ西方にある州都のギゾ島の様子を見にいった。修道院で姉妹たちとほっと一息つきながら過ごした（2018年）。

漁港に出てみると、かつては漁師たちのボートが埠頭にずらりと横づけされ、路上マーケットには、カラフルな魚と野菜の数々が延々と並んでいたが、今やその活気は失われていた。マーケットの漁師たちは嘆く。「ガソリン代にみあう魚がもう捕れない。遠くまで行っても釣れない」。

ここは2007年4月に20メートルの津波に襲われたところであった。その直後にサンゴ礁は死んだ。しかし専門家の予想を超えて、ギゾ島近辺のサンゴは思いがけず早く回復したのであった。原生林の島々からサンゴの卵が流れてきて、白化したサンゴの再生を助けたと考えられる。魚も再び集まってきた。

ところがであった。その後、島々の原生林の伐採で、陸からの土砂がサンゴ礁にダメージを与え、魚も集まってこなくなってしまったのである。2017年には、年間300万立方メートルを超える森林伐採（1本の丸太を3立方メートルとすると100万本相当の樹の伐採）が、ソロモン諸島の森を消し去っていった。

水平線を見れば、数知れない外国漁船の姿がある。巻き網漁船群と延縄漁船群の「軍団」が年間200隻以上の数で、ソロモン諸島領海内を行き交い、マグロ・カツオを一網打尽にしている。それを冷凍運搬船が洋上積み替えして運び去る。地元の漁師たちのボートは、その波間をむなしく行き来する。

2018年にソロモン諸島政府は発表した。「ソロモン諸島の環境は、もうソロモンの民の暮らしを支えるだけの豊かさをもっていない」と。

かつて水平線を覆った戦艦に代わって、森を伐り、魚を一網打尽にする「軍団」が島と海を覆っていた。

## ムンダ激戦地跡に蛍が舞う夜の不思議

ノロ基地調査で多くの人々と出会い、宿舎への帰りが遅くなってしまった夜があった。アブラハムさんと私は、近道のムンダ飛行場の滑走路に沿って、黙々と歩きつづけた。星もない暗い夜の、長い道のりであった。心細かった！

そのときのことであった。

草むらの脇から、ふわっと、流れるように湧いてきた、何か光のようなものがあった。蛍であった。草むらから、蛍たちは、呼びあい、集まりあい、光の渦となって、点滅の饗宴を始めた。

その数知れず、私たちの足元を灯し、光の輪を舞いながら導いてくれた。不思議な夜だった。島々では、蛍はこの世を去った先祖や生命の魂であるという。

もし、そうであるとしたら……。

集まってきた蛍たちは、ムンダで生命を失った無数の人々の霊ではなかっただろうか？　ここムンダこそは、知られざる悲しい激戦地、日本軍と連合軍が、壮絶・悲惨な戦闘を繰り広げ、数えきれぬ生命を吸いとった大地であったからだ。

## 「ムンダ飛行場を死守せよ」

「ムンダ飛行場を死守せよ」。１９４３年に大本営が下した命令は、玉砕命令に等しかった。ガダルカナル島撤退後、制海権も制空権も失っていたムンダでの飛行場死守命令であった[14]。
連合軍の数は３万人（米兵とオーストラリア兵）、ムンダの北と南から戦車と銃火器で攻撃を仕掛けた。２ヶ月にわたる壮絶な戦いの末に、１９４３年8月３日、連合軍はムンダを占領した。
その間、日本側は、タコツボ（身を隠す穴）を掘っての肉弾戦で対峙した。そのためムンダでは、実に大量のダイナマイト弾や手榴弾が使われた。かつて海軍の陸戦隊にいた福山孝之さんが私に語ってくださったことは……。（１９９４年）
「日本の大砲も武器もちょろいものでね。戦いにならないたぐいのものでしたよ。ムンダ飛行場に置かれていた24機の零式戦闘機やその他もあっというまにやられてしまいました[15]」

空からの応援は零戦（ゼロ）しかなかった。ラバウルから、ブーゲンビル島から、バラライ（バラレ）島（地図229ページ）から、若者（操縦の未熟な）が操縦する零戦が送りだされたが、ほとんどが帰還しなかった。特攻死は2000機を超えたとされる。ムンダ戦での陸上での日本側の死者は3000人におよんだ[16]。

生き残った日本兵は、背後のコロンバンガラ島へ逃れた。踏み込まれたムンダの住民も命を落としたが、その数については記録さえ存在しない。

## 飢えと赤痢と肺炎と……踏み込まれたムンダの住民

「ムンダの森は焼けただれ、水も着るものも食べるものもなく、森から森へと彷徨（さまよ）いました。飢えと赤痢（せきり）と肺炎とマラリアで苦しみました」、「川の水は油で汚染されて飲めないうえに、煮炊きはできず、軍隊が徘徊（はいかい）しているので夜も怖くて寝ることもできなかったのです」。

幼いときの苦渋の経験をドゥンデ村のレンネル・マムさんは語る（2008年）。

「戦後は、日本と連合軍が残した爆弾がムンダ環礁と地中に残されたままです。いつ爆発するかわからない。焼き畑をするときには、準備をすべて整えて、家に帰る間際に点火しなければなりません」。

サイラス・デイヴさん（ムンダの地主の一人）も戦禍に巻き込まれた。

リンブナン・ヒジャウ社（デルタ社）の丸太積み出し港で。
「日本の艦船が米軍の大攻撃を受けて炎上した港でもあるよ」と語る
サイラス・デイヴさん（2009年）

ムンダの戦跡遺物展示小屋と番人の老人。
日本兵が使用していた鉄兜・飯盒・不発弾などが所狭しと並べてあった。

「幼い私は、家族といっしょに森の洞窟にずっと隠れていました。食べ物なんてないままでした。夜を待って畑へ急いで行ってもなかった。爆弾が海と陸に炸裂して魚も消えたのです」。「日本側は高射砲を準備して待機していたが、役にたたなかったですよ。日本の艦船が火炎をあげて爆発し、次々に沈められていったのを幼い私も見ました」。

「私の父は『コースト・ウォッチャー』として米軍に通報していたので、家族は祖父が引き連れて避難させました。しかし避難先に日本兵の一団があらわれて祖父を連行していったのです。母は命がけで抵抗しましたが……、それが祖父を見た最後でした。戦後私たちは、日本の領事館に補償の要求をしました。でも『講和条約によって解決済み』との返信が1回来たきりです」とサイラスさんは語る（2009年）。

その激戦を物語る「戦跡遺物展示小屋」が、今もムンダにある。日米の残した飯盒や銃剣や鉄兜が小屋の内外に、あふれるほど並んでいた。ゆっくりと時間をかけて見ている私に、番人の老人が、そっと近づいてきて、小さな声で囁いた。

「まだ〝ボーンズ〟（骨）があるよ。私の家に持っている」

「えーっつ？」

「あんたが高く買ってくれれば売るよ。遺骨収集団には渡すつもりはない」。

死んでいった人々の骨を、自分の家のどこかにしまっている人がいる。このことをどのように受けとめればいいのか。私は自分の気持ちを整理することができなかった。

## ムンダの女たちの生き方

ムンダ奥地への広大な森の伐採を許してしまった「自称地主代表者」と、それに抵抗をしてきた多くの村人たち。その経過を見てきた女たちは、いったい何を思っているのだろうか。

トラックをチャーターしたときの女性運転手ジュリーさんに聞いてみた（２００９年）。彼女は宣言する。

「ムンダの慣習的土地所有権は女性たちにあるのよ。でも女たちは会議に出させてはもらえず、男たちで決定してしまうの。しかも代表と偽る一部のやつが契約をして、そいつらの口座に雀の涙の伐採権料が振り込まれて終わり」。「その金を手に入れた男たちは、酒に溺れ、女を買い、最初の妻を追い出しては、荒れた生活をしているの。私たち女は、そんな男にかまっていられない。自分で自分の暮らしを守るのよ。だから私はトラック運転で稼ぐの……」。

ドライバーとして稼ぐ女たち、布を染めてラプラプ（腰巻き）を売って家族を支える女たち、ペンションを経営する実力派、ノロ基地バス停での弁当売り、島々から野菜や魚を運んできて路上で売る女たち、缶詰工場で安い賃金で働く女たち、外国船員相手に身体を売って貧しい家庭を支える女たち……。

ムンダは、女たちの涙と汗の舞台でもあった。

## 子どもたちとサイラス・デイヴさんの最後の抵抗

ムンダをたつことにした朝、私が飛行場への道を歩いていると……、トラックを運転しているサイラス・デイヴさんとすれ違った。なんとそのトラックの上に、村々の子どもたちを満載しているではないか!!

「どうしたの?」と私。

「さようなら靖子。これから子どもたちといっしょに、奥地の伐採道路の封鎖に行くのだよ」。

「ええっ?……」

「私は活動家ではない。でも子どもたちに森を残すために、伐採をやめさせるデモをせずには、死にきれない」。

手を振って去っていくサイラスさんに、私も「祈っているわ」と手を振った(2009年)。

それが彼を見た最後であった。その勇姿の一年後に、サイラス・デイヴさんは帰天した。

ある老人は、海を見つめながらぼそっと語った。

「私はせめて、奥地の伐採現場を見にいくことだけはしたくない。あまりに悲しいから……」

(1) ランガランガ環礁が寄り添うマライタ島は、和歌山県ほどの広さの島で165キロメートルの長さ、ガダルカナル島に次ぐ大きな島である。高さ1400メートル級の山並みが連なり、貴重なヴァサの樹の森が茂り、その材で伝統の船づくりをしている村もある。

(2)企業の「植林」とはまったく違う。日系企業がやっているパプアニューギニアなどでの植林は、太古の森を皆伐して、ガソリンをぶっかけて焼き払い、ユーカリやオイルパームの大規模単一樹種を植えていく、いわば大地のジェノサイド、大地をモノカルチャー化していくものである(第8章に詳細を記した)。

(3)マロヴォ環礁は、ニュージョージア島に沿って、ほぼ2列に並んで連なる周囲700キロメートルにおよぶ世界一長い環礁群。その美しさと貴重な生態系で、2008年に一部が世界遺産地域として認定された。

(4)冷凍用のボックスパレットは岸壁に野ざらしになっていた。コミュニティ・センターの建物はすでに雨漏りがし、ミシンは使う人がいなかった。

ちなみに、この巨大急速冷凍庫と同じものが、ミクロネシア連邦トラック諸島のデュブロン島へのODAでも供与されているのを見た。大きすぎて役立たずの「ホワイト・エレファント」と呼ばれていた(第12章参照)。

(5)雀部真理「ソロモン諸島の女性たち」「続・真理のソロモン大洋奮闘記」月報『パシフィカ』1993年3月号および1994年9月号(反核パシフィックセンター東京)に「ソロモン大洋」の缶詰工場の女性たちの問題の詳細がある。

(6)ちなみにベイト・フィッシュ捕り代は、各船のオーナーが統計を報告して州政府に月払いするという。たとえば「漁幸丸」のような中型船(59トン船)が、200バケツ平均も捕って、たったの50ソロモンドル(約2000円)という安さだ。まさに雀の涙だ。しかも支払先は州政府経由だそうで、環礁の民が受けとるのは、そのおこぼれということになる。

(7)ママロニ政権下では、地元政治家や有力者が、「地元企業」をつくり、伐採ライセンスを取得し、サブコントラクターとして外国伐採企業を雇うという方式に変更された。結果として、サブコントラクターの外国伐採企業が伐採を急増させた。蚊帳の外に置かれた慣習的土地所有権をもつ住民が抗議しても、政治家や有力者はすでに金を懐に入れてしまい、雇われた伐採企業側は「我々のライセンスで伐ったのではない」とケリをつけてしまう。裁判沙汰になるころには、すでに伐採を終えて、社名を変えてまた入っていくことになる。

(8)パブブ島からの丸太の買い付け業者は、日本のニチメン、住友商事などであった。

(9)津波の高さが20メートルを超えたところも多く、被害の調査と支援のために、私はウエスタン州を巡る旅に出た。島々の南岸での被害が大きかった。ノロ基地では、荒節工場が波をかぶり停止していたほか、大きな被害はなかった。

(10)SFPL公社は、NFD(国営から民営化された

National Fisheries Development社）と、ソロモン諸島政府と、ウエスタン州政府の共同出資であった。NFDは巻き網漁船3艘でカツオを獲り、缶詰工場に売り、SOLTAI社が代価をNFDに支払うシステムになっていた。

（11）チュチュル村の隣村で若者たちは、「原生林の一部を保全地域として残してほしい」と首長たちに要求して、手製製材機でオルタナティブの収入を試行錯誤で開始していた。家づくりと、埠頭づくり、製材の販売など。若者の尽力に首長たちも一目置くようになっていた。小さなとりくみではあったが、今後マロヴォ環礁を守る道につながっていってほしいと願った。

サメが泳ぎ、子どもたちが泳ぎ、海の幸・山の幸の豊かなマロヴォ環礁の暮らしと、そこに入って破壊していく伐採についてのビデオ（2010年以降のもの）を紹介しておく。URLは、https://vimeo.com/showcase/1806605

（12）アラン・ケマケザ氏が政権を掌握したのは、①2000年から2001年、②2006年から2007年、③2014年から2017年、④2019年から4度目の首相職にある。

（13）巻き網漁船の巨大巾着網にからめ捕られたマグロ・カツオは、超低温コンテナに積み替えられ、超低温冷凍運搬船で、ノロ基地からの缶詰やキハダのロインとともに、ボルトン・グループによってEUと米国を中心に世界市場に送られていた。

ボルトン・グループは、現地子会社ゆえに、ソロモン諸島水域の200カイリEEZ内の自由な漁獲を手に入れ、さらには他の太平洋諸島の200カイリ内での操業までも獲得していた。

（14）防衛省防衛研究所戦史室『戦史叢書　南太平洋陸軍作戦⑶ムンダ・サラモア』朝雲新聞社、1970年

ムンダに送られてきたのは、陸軍の佐々木登・南東支隊指揮下に6000人、海軍の大田実第8連合特別陸戦隊指揮下に4000人、飛行場の設営隊3600人であった。

「ガダルカナル島ノ撤退ハ遺憾デアルガ、今後一層陸海軍協同一致シテ作戦目的ヲ達スルヨウニセヨ」と次なる戦いを天皇が統帥部に示唆したことも記されている。（イアン・トール著『太平洋の試練　ガダルカナル島からサイパン陥落まで　上』283頁、文藝春秋社）

（15）福山孝之『ソロモン戦記』図書出版社、1980年
福山孝之『ソロモンの死闘』海軍ソロモン会、1985年

（16）奥宮正武『ラバウル海軍航空隊』朝日ソノラマ、1994年。日本航空隊はムンダ飛行場で猛烈なウジとハエに苦しんだという。米軍は飛行場奪還後すぐに、上空から見てもあたり一帯が真っ白に見えるほどDDT（有機塩素系殺虫剤）を散布しまくったとされる。

# 第6章

# 赤い鳥ククユンジューの森

## クリスマスに伐採企業を追い出した女たちの物語

《ソロモン諸島ベララベラ島》

森を守り抜いたレオナ村の女たち。奥地のキャンプで寝泊まりし、自作の歌と踊りで励ましあった。（2009年）

## オウラ河の岸辺にて

突然「ピシーッ、ビーン」という音とともに、私たちのボートをめがけて石が飛んできた。ボートは岸辺から遠く離れているというのに、石はビシビシと波しぶきをあげて当たってくる。見ると岸辺の埠頭に大男たちが数人立っていた。私たちに向かってパチンコで石を投げてきている。すごい力の持ち主たちだ！

私は波に揺れながら彼らを撮影した。彼らは、何やら叫んでいる。

企業の名はOMEX社。石を投げてきているのは、その雇われ私兵たちであった。

「危ないことになる‼」そう叫んだオペレーターは、猛スピードでボートを発進させた。

すぐに豪雨がやってきた。一寸先も見えなくなる。ずぶ濡れになりながらも、私は耳を澄まして背後からの音を聞きとろうとした。何も聞こえない。

でも私は確信していた。「私兵たちは必ず追ってくる‼」と。

これは長年の伐採企業との出会いからの勘だった。

2007年7月11日、ベララベラ島の美しい朝の静寂を破る突然の出来事であった。

その朝、レオナ村の人々とともに、オウラ河めざして、ボートの旅を楽しんでいた。河口の森を守って住んでいる仲間の老人に、励ましの訪問をするためであった。ククユンジューの甘い声が岸辺の森から聞こえていた。しかし突然の出来事が朝の空気を破った。

豪雨で何も見えないが、追っ手の勢いを感じた私は、河口に着くと一気に岸辺を駆け上がった。出迎えの老人に挨拶（あいさつ）して、彼の小屋の藁（わら）のなかに、カメラを隠させていただいた。「カメラと記録は生命よりも大切。伐採企業にカメラをとられてはならない」。そう思ったからだ。

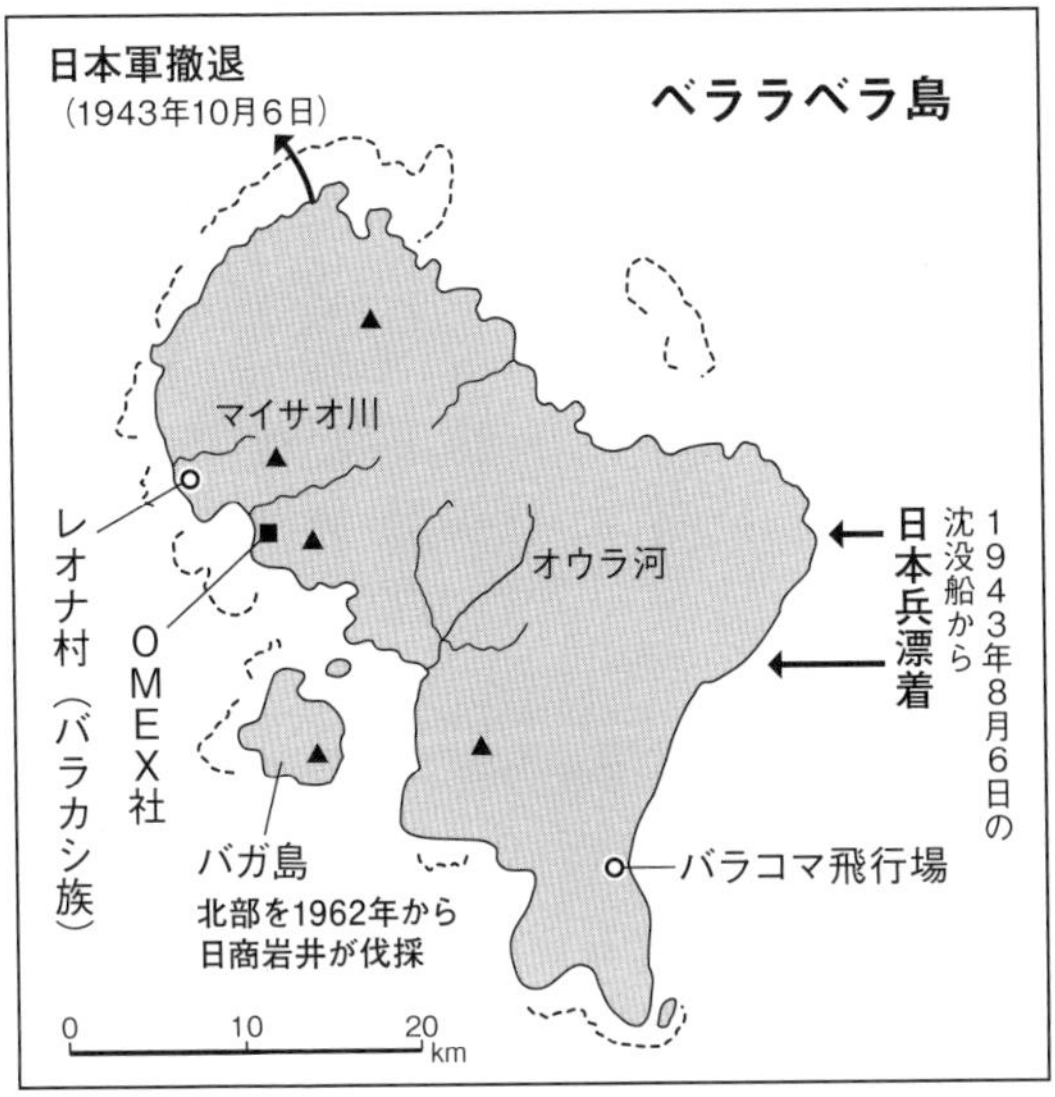

案の定、たちまち急速エンジンの音がして、完全武装をした8人が、岸辺を駆け上がってきた。銃を所持して私たちに迫った。その眼力が凄（すさ）まじい。

私たち側はレオナ村の女性や若者（4人）と、同行していたオランダ人の環境NGOのウイルコ・ボスマさん、そして私だった。

ウイルコさんは、まだカメラを手にしていた。私兵のボスが低い声で彼に迫った。

「そのカメラをよこせ。我々を撮影していたではないか」。

驚いたことにウイルコさんは、全員の無事を慮（おもんばか）ったのか、眼力に恐れをなしたのか、

OMEX社の埠頭で投石をしてきた男たち（2007年）

カメラの画像を消してしまう。そしてカメラをボスに見せた。

私は内心呟いた。「画像を消させる権利などない。遠くから撮影してなにが悪い」。

すると、その私にボスが向かってきた。「お前も撮影していたな。見たぞ‼」

私は決心した。生命をかけてもカメラを守ろうと。

そのときのことだった。ウイルコさんはすばやく、私とボスの間に割り込んで立った。そして言ったのだ。「彼女はカトリックの修道女のシスターで、津波被害の調査に来ていて、いろいろ撮影しているのです。撮影するのが大好きなのです。別にあなたたちだけを撮っていたわけではない！」

とんがっていた私は、不覚にも笑いたくなった。確かに本当のことであったから……。

笑いを噛みしめる私をボスはじろりと見つめ、私も彼を見つめた。にらみあいがつづいた。しばし彼はどうしようか迷っていたようだった。しかし、ついに彼は私から目を逸らした。そして仲間に合図をして、嵐のように去っていった。

皆の緊張が、ふーっと解けた！　これってまるで映画の一場面？

村人が企業に抵抗すればどうなるか。ＯＭＥＸ社と対決しているレオナの村人たちの日々の一端を知った。

オウラ河の岸辺の花が、雨上がりの露に濡れていたことを鮮烈に思い出す。

「上流での伐採が入る前のオウラ河の河口は、透明で清らかな流れだった……」と老人は言う。上流２カ所からの原生林伐採で、濃淡２種類の茶色が河口を染めていた。レオナ村以外の、どこかの村が企業に伐採を許してしまっていたのだ。老人の目に涙が光っていた。私も泣きたくなった。

## 「美しさの極み」のベララベラ島

ベララベラ島は、「美しさの極み」という意味をもつ。

面積６２９平方キロメートル（琵琶ほどの面積）ほどの島の中央に、高さ７００メートルほどの火山の峰々が連なり、その原生林から幾筋もの大河が、伸びやかな谷筋と海岸沿いに流れ下る。裾野に点在する村々のひとつがレオナ村である。

## ククユンジューの森を守る日々

レオナ村はバラカシ族に属し、ベララベラ島南岸中央部から奥地の深い原生林の秘境を皆で守りつづけてきた。バラカシ族の祖先の赤い鳥ククユンジューは、その甘い鳴き声で、朝な夕な、村人を慰めてくれる。そして敵には警戒の声を発するという。

あの日、２００７年７月11日に、私たちに石を投げてきたのは、世界最大の伐採企業リンブナンヒジャウ社（第８章に詳細）傘下の子会社ＯＭＥＸ社であった。

ＯＭＥＸ社は、レオナ村の隣の部族の森の伐採権を得て、そこから密かにレオナ村の森に２００６年12月、ブルドーザーで侵入し、２０００立方メートル（６００本相当）の丸太を不法伐採する暴挙に出た。たまたまパトロール中のレオナ村の若者がそれを見つけたので大騒ぎとなった。レオナ村側はパトロール体制を強化し、また伐られた丸太が港から搬出されることのないよう見張り、小さなカヌー群を繰り出して、ＯＭＥＸ社の船の動きをとめた。抵抗はすべてレオナ村の自力であった。レオナ村は２００７年２月にＯＭＥＸ社を裁判に訴えた。しかし政府も警察も助けてはくれなかった。

## 巨大津波がウエスタン州を襲う

この状況のなかで、２００７年４月２日にウエスタン州を襲った巨大津波が、20メートルを超える高さでレオナ村をも呑み込んだのである。ベラベラ島の南岸海底には、深いトレンチが急勾配をつくり、下から吹きあげてくるような荒波地域である。津波は岸壁を崩し、家と家財と漁労の舟を奪った。

レオナ村も崖上に臨時のテントを張って仮住まいとなった。私たち「パプアニューギニアとソロモン諸島の森を守る会」は2007年6月から7月、支援調査に被災の島々を訪れた。村々を巡るうちにわかったのは、伐採地の村々では、被災からの自力回復が困難であることであった。水も食料もなく、崖下の汚染された水を運びあげるのも困難、支援された水タンクは、伐採地では降水量も少なく、無用の長物となっていた。完全に外部からの支援に頼らなければ復興は難しかった。

ところが原生林の村ではまったく様相を異にしていた。その例がレオナ村であった。

## レオナ村の輝く顔

2007年7月10日から数日間、私はそのレオナ村に宿泊し、その一端を学ばせていただいた。苦境のなかでも、村には活気と笑いが絶えなかった。朝には、静かで深いお祈りの時を皆でもち、その後、畑や復興作業場やパトロールに出かけていく。夕べになると畑や森から帰って、皆で水浴びをする。

その水浴び場の泉は、原生林からの透明で勢いのある水を保っていた。でも崖崩れで洗い場は狭く、超満員。お互いの身体が触れあう「芋洗い」の場となっていた。

慣れない「芋洗い」に縮こまっている私を見て、順番待ちの崖上の女たちは大笑いをする!!

「人は見るもの、食べるものになる」といわれる。津波後も奥地の畑は、美味しい食べ物を提供しつづけ、子どもたちの皮膚は艶々し、目は森の美しさを映し、大人も子どもも、森の恵みに輝いていた。

## 女たちとの雑魚寝の夜

私の滞在の最後の夜、女たちは私の宿泊していた小屋に集まってきた。津波に流されなかった唯一の小屋であった。子どもたちを寝かして女たちはやってきた。

レオナ村の子どもたち

背負いきれない重荷を背負って生きているというのに、包み込むような温かさはどこからくるのだろうか。皆のなかから優しさがあふれ出ていた。
まるで故郷の懐に抱かれているような気持ちのなかで、皆と雑魚寝の夜を過ごした。
「ＯＭＥＸ社とのこれからの闘いをどうしようか」、「何か知恵がないものか?」、「女だからできることはないか」。女たちは話し合っていた。

私はふと、パプアニューギニアのある村の出来事をわかちあうことを思い立った。

「パプアニューギニアのセピック州のある村でのことだけれど、なんらの契約もなしに、伐採ブルドーザーを入れて、森を伐ろうとした企業があったの。そのとき一人のおばあちゃんが立ち上がった。2人の孫の手をとって、ブルドーザーの前に立ちはだかったの。そして言ったのよ。『もしこの森を伐りたいなら、代わりに私を伐ってください！』、『私は年老いていて、もう生命は惜しくはない。その代わり孫たちのために、この森を残してください』。ブルドーザーは、おばあちゃんを伐ることも、森にブルドーザーを進めることもできず困惑した。そうして、ついに引き返していったのよ。おばあちゃんは、こうして森を守った。小さい物語であったのだけれども、新聞記事にもなったのよ」

女たちは泣いた。身に沁みる話だった。

私は昼間の疲れですぐに眠りに入り、枕元の女たちの柔らかい声を、揺りかごのように聴いていた。

次の日、私はレオナ村に別れを告げた。その後、女たちがどのような行動をとることを決意したのか、知るよしもないままに……。

翌年の2008年に、準備した支援のプログラムをもって、再度レオナ村を訪れたとき、私は心底驚き、感動し、言葉を失った。

女たちはOMEX社と闘い、追い出していたのである!! それは信じられないほどの闘いをとおしてであったけれども……。

## 女たちは重傷を負わされる

その歴史を残しておくべく、女たちからの聞きとりを綴（つづ）っておく。

私が去った直後の2007年7月20日、原生林の奥地でパトロール中の女たちを、OMEX社の雇われ私兵たちが襲った。女たちに、「森から出ていけ」と怒鳴りながら、弓と小刀とブッシュナイフと棒で女たちを打ちのめしたのであった。

「これは私たちの森よ。あなたたちこそ出ていきなさい」

OMEX社に血管をナイフで切られてもひるまなかったダルシー・ククさん

女たちは叫びながら素手で抵抗した。そして傷を負った。レオナ村の男たちは女たちを病院に運び、特に重傷の2人をムンダの病院へ、さらには首都ホニアラの病院に運んだ。それほどの重傷であった。1人は腕を折られたウエンディ・アニタさん。もう1人は血管を切られたダルシー・

ククさんであった。

「ポリスも政府も私たちを助けなかったのよ。だから私たちが素手で抵抗したの」と口々に語る。

7月30日に、日刊紙のソロモン・スターがこの事件を報道。レオナ村への共感がソロモン諸島中に広がった。同時に政府とOMEX社への激しい非難が寄せられた。

## テントでの寝泊まりを決意した女たち

8月30日、このまま引っ込んではいられない。女たちはさらに決意した。

「OMEX社はまだ居座っている。原生林の入り口へのブルドーザーをとめるために、奥地での寝泊まりキャンプをしよう」、「必要なときには、ブルドーザーの前に横たわろう」、「OMEX社が伐ってしまった丸太についても搬出されないよう見張ろう。どんなことがあってもキャンプを去らずに、素手と非暴力で闘おう」。

女たちの計画と決心は堅かった。男たちは、それがどんなに危険なものであるか、女たちの身を案じたが、最後にはその申し出に応じた。

「子育ては残る人で交代にやろう」、「老人はテントへの食料運び」、「男たちは村を守り、津波の復興と裁判対策にあたる」。

「その間、OMEX社が伐ってしまった丸太を運び出して、手づくり製材機で製材をする」、「そのお金で家の復旧や、他村へ製材を売って裁判費用を捻出しよう」。

森を守る男性側のリーダーは、マーロン・クベさん。地方政府の会計の経験を積んで、森を守るために帰ってきた人であった。彼の静かで謙虚な知恵の指導で、綿密な話し合いがなされた。首長としてのルーベン・タパラさんも、女たちの計画を支援した。

新聞報道以来、ベララベラ島出身の女性国会議員による、抵抗への応援が加わった。そうしたネットワークが、レオナ村の皆を燃え立たせた。

9月13日、環境保全省はやっと口を開いて、ＯＭＥＸ社に埠頭での即時操業停止、レオナ村への侵入道路での操業停止、実行しない場合の操業許可書停止勧告を出したのである。

しかしなぜか後に環境保全省は、その勧告を取り消してしまう。どこからかの圧力があったに違いなかった。

10月5日、首都ホニアラの高等裁判所は、ＯＭＥＸ社の操業停止と、レオナ村への損害賠償命令を下した。しかし……、ＯＭＥＸ社は去らなかった。政府も警察も、ＯＭＥＸ社を黙認していたからだ。

## オドマ・キャンプの歌

女たちがキャンプを張った原生林の入り口は、「オドマ」という。

女たちはオドマ・キャンプでの寝泊まりと抵抗を続けた。

ブルドーザーの前になんども横たわった!!　飢え、渇き、蚊からの猛攻にも耐えた。でも皆で、

「オドマ・キャンプの歌」をつくって、つらいときにそれを歌った！（章扉に写真）

「子どもたちは、おかあちゃんといっしょにいたい、って言うの。キャンプでの寝泊まりを許したこともあるの」。でも、「子どもたちのために、子孫のために、私たちの森を守りつづけよう。飢えても渇いても苦しくても守りつづけよう。そう言って互いに励ましあったの」。

先祖の鳥、ククユンジューの甘い声が女たちを慰め、「敵の来襲も知らせてくれた」と言う。

「ブルドーザーはなんども来た。でも私たちを越えていくことができなかったのよ」

どのようにブルドーザーの前に横たわったのか、どのように運転手が反応したのか、面白可笑しく実演して見せてくれた。

「ブルドーザーの前に、レオナ村の男たちが寝っころがったら、そうはならなかったわよね!!」

「ＯＭＥＸ社の社員のなかには、話をよく聞いてくれる人や、密かに食べ物を持ってきてくれる人、会社の情報を流す人も出てきたのよ」。なんと素晴らしい経験であったことか。

女たちは、身振り手振りで、それを再現して見せてくれた。

私たちは涙を流し、またいっしょに笑いつづけた。


**女たちはクリスマスにＯＭＥＸ社を撤退させた！**

その年のクリスマスにＯＭＥＸ社は撤退した。ＯＭＥＸ社は、女と子どもを越えてブルドーザーを進めることができなかった。伐採ができないから、丸太輸出もできない。操業が不可能になった。

「クリスマスに伐採企業を追い出した女たち」の物語は、ソロモン諸島中に広がった。

女たちが中心となった抵抗の物語、民衆の歴史に残る物語を、２００８年1月10日のソロモン・スター紙が伝えた。それは村々に限りない勇気と希望を与えることになった。

「もちろん、負った傷は今も痛いわ」、「でも森のため、子どものために生命をかけたの」と語ってくれた。（写真10ページ）

## ククユンジューの森が教えてくれたこと

女たちと熱い抱擁を交わして、レオナ村にさようならを言った。見上げる高い樹の上に、鳥たちが歌を歌っていた。さようならレオナ村……。さようならククユンジュー。

小さな村のバラカシ族は、私たちに大切なことを教えてくれた。原生林が生命であることを。原生林があれば、大津波からの自力復興も可能であることを。日ごろからの地道な自助努力がすでにあったからこそ、復興の役にたったことも。すでに女たちは、ココナッツ・オイルづくり、ココナッツ・オイルからのケロシン（灯り用の油）づくり、タカラ貝採集に、ハチミツづくり、ミシンでの縫い物……。男たちも手作業で伐り出した材木を、再建が必要な村々に届けた。

津波からの復興に向けて近隣を助けながら、収入の糧としてきた。それらが復興への、「セルフ・エンパワーメント」の原動力となっていった。

## 零戦の日本兵が空から落ちてきた！

レオナ村近くの村人が、私に見せたいものがあると言って、海辺に連れていってくださった。そこで見たのは、海辺に突き刺さったプロペラであった。

日本兵の操縦していた飛行機のプロペラが空から落ちてきて海辺に突き刺さっていた（2009年11月11日）

「ある日、日本兵が空から墜落してきたの」、「米軍の航空機に撃たれた零戦の若者だったのよ」。深く傷を負っていたので村人たちは必死で看護した。しかしむなしく、その若者は死んだ。村人は深く悲しみ、誰に言われるでもなく、皆で彼の墓をつくった。

「今もその墓守をしているのです」と皆が語る。

「日本から誰か彼を訪ねてきましたか」と私。

「誰も……、靖子が最初よ」

戦争末期には未経験な若者が、制海権も制空権もないこの海域に、「お国のために」と肉弾として零戦で送り出され、「戻ってくることは、なかった」のだった。ベララベラ島海域は、まさにその零戦の墓場となったのである。駆逐艦も多数撃沈され、駆逐艦の墓場ともなった。

## ベララベラ島への漂流兵

日本軍はベララベラ島の最南部に飛行場（バラコマ飛行場）を建設し、「飛行場死守」の命令が大本営から下された。撤退つづきで弱っていた多くの兵が送られてきた。その後、連合軍の海と空から6000人の大軍によって、バラコマ飛行場は占拠される。1943年8月15日のことであった。

生き残ったわずかの日本兵は、ベララベラ島の海岸沿いに、北への逃避行をたどっていく。この残兵に海からの漂流兵も合流する。というのは、その直前の8月6日に、日本の駆逐艦（萩風、嵐、江風、時雨）が、陸軍5600人の増援部隊を乗せて航行中に、待ち受けていた米軍の攻撃で大破・炎上・沈没し、日本側の5000人が海の藻屑（もくず）となった（この海戦をベラ湾海戦という）。

このとき、重油と炎の海に飛び込んで、生命からがら島影を頼りに泳ぎつづけ生き延びた日本兵が少なからずいたのであった。島影をめざして2昼夜後にベララベラ島にたどり着いた。

こうして、バラコマ飛行場からの生き残り兵と、燃える海からの漂流兵は、ベララベラ島を北へ北へと、先の見えない逃避行をつづけた。その一人に、津田貞義さんという人がいた。

彼は「私の戦争体験絵とベララベラ島漂流記」という記録に、その逃避行を記している。

**津田貞義さんが描いた「私の戦争体験絵とベララベラ島漂流記」より。**
**津田さんの枕元にそっと食べ物を置いていく村人。**
出所：下枝長年氏によるWEBサイト
http://shi.na.coocan.jp/wer.experience.00.html

２０１１年の自費出版によるものが、ＷＥＢサイトでも見ることができる（ＷＥＢページは下枝長年氏による[1]）。その「漂流記」は絵入りで、泳ぎを得意とした津田さんが、火の海・重油の海を脱出して、ウミヘビと闘い、褌(ふんどし)の流しでサメを避けて泳ぎ、ベララベラ島にたどり着くという圧巻の記録となっている。

津田さんが重油まみれのまま、浜辺で目を覚ますと10歳ぐらいの少年が近づいて、「ジャパニーズ？ジャーマニー？ イタリー？」と聞いてきた。津田さんは、よろよろと杖をついて立ち上がり、少年の後を追う。少年は振り返りながら、丘の上の美しい村の茅葺(かやぶ)きの家まで案内してくれたのであった。

翌朝、津田さんが目を覚ますと、小屋のなかの枕元には菜汁の食事が置いてあった!!

村人の複雑な思いと、優しい気持ちの交差が、その日記と絵に淡々と綴られていく。

## 日本兵の腐乱死体が内陸まで匂った

津田さんは、浜辺に打ち上げられた無数の日本兵の腐乱死体に遭遇したときのことも描いている。

「撃沈された艦船から波に打ち寄せられたのか、仰向(あおむ)けに横たわっていた。肉体は軍服いっぱいにふくれあがり、その悪臭は密林の奥深くまで通っていた」

その匂いに村人は、どんなに苦しめられたことであろうか。

村人の視線を感じながら、衰弱した兵士と漂流兵は、ひたすら北に逃れる。

兵士のなかには無線機で連絡をする人がいたが、撤収船は来ないまま、2ヶ月が過ぎる。

最後にベラベラ島北端から、日本軍が仕掛けた救出作戦によって小船艇で撤収することができた津田さんたちであった。(2)

## ソロモン諸島での負け戦(いくさ)を語らないようにとの大本営の箝口令

撤収後に日本に転属させられていった津田さんは驚く!

日本では大本営の命令下で、ソロモン戦の敗北は隠され、まったく報道されていなかった。「ソロモンでの日本軍の不利な戦況は隠され、我が軍戦勝の報道が続いていた。ソロモン帰りの私たち生存者には、敗戦の状況などを口外しないように上層部から固く口止めされた」と記す。帰国後、脳卒中で右半身が不自由になった津田さんは、左手で絵と日記を描き、戦争のむなしさを訴えつづけた。他の帰還兵たちも、同様にソロモン戦のむなしさを記した。

誰のために、何のために、衰弱したまま、転進と玉砕を命じられたのか。誰のために、不都合なことは、闇に葬られつづけたのか。

**ベララベラ島と日本の伐採企業（日商岩井など）**

戦後すぐに、日商岩井など日本の商社が、ベララベラ島の対岸のバガ島と、ショートランド島（地図229ページ）にやってきた。そして伐採を開始した。日商岩井の社員が語った。「家具にするとてもいいソロモンマホガニー（タウン）があるからさ」。「1965年からは、ソロモン諸島とパプアニューギニアで、本格的な伐採を開始した」と言う。

日商岩井、伊藤忠、山陽国策パルプ、住友林業、安宅産業、ニチメンという、並みいる商社群が、マレーシアなどの伐採企業に融資を行いながら、その原木の独占的買い付けを行った。

80年代の最盛期には、ソロモン諸島で伐採された丸太の80％以上が日本向けであった。年間300万立方メートル（およそ100万本相当）もが輸入されつづけた！　ほとんどが合板となり、コンパネとなって使い捨てられてきた。私たちの家のために、ビルの林のために……。

（1）津田貞義「私の戦争体験絵とベラベラ島漂流記」下枝長年編集（http://shi.na.coocan.jp/wer.experience.00.html）

（2）1943年10月6日に、海軍が「第2次ソロモン海戦」を仕掛けて、救出作戦を行った。米国側は日本側の囮作戦にかかって、艦船（シャヴァリア号）を失う。

その米国艦船群が去った後、日本側が未明の暗闇を縫って救出を行った。ベラベラ島北西部のマルカナ湾から、小船艇の往復で駆逐艦へと逃避行の589人を撤収。急な作戦であったため300人ほどが島に残されたと考えられている。その後の捜査は行われなかった。

第7章

# 第４艦隊海軍病院における生体実験ほか

## 第４艦隊海軍病院での生体実験〈トラック諸島デュブロン島〉
## 「秋風」船上での民間人処刑〈パプアニューギニア〉
## バラライ島での英軍捕虜集団虐殺〈ソロモン諸島〉

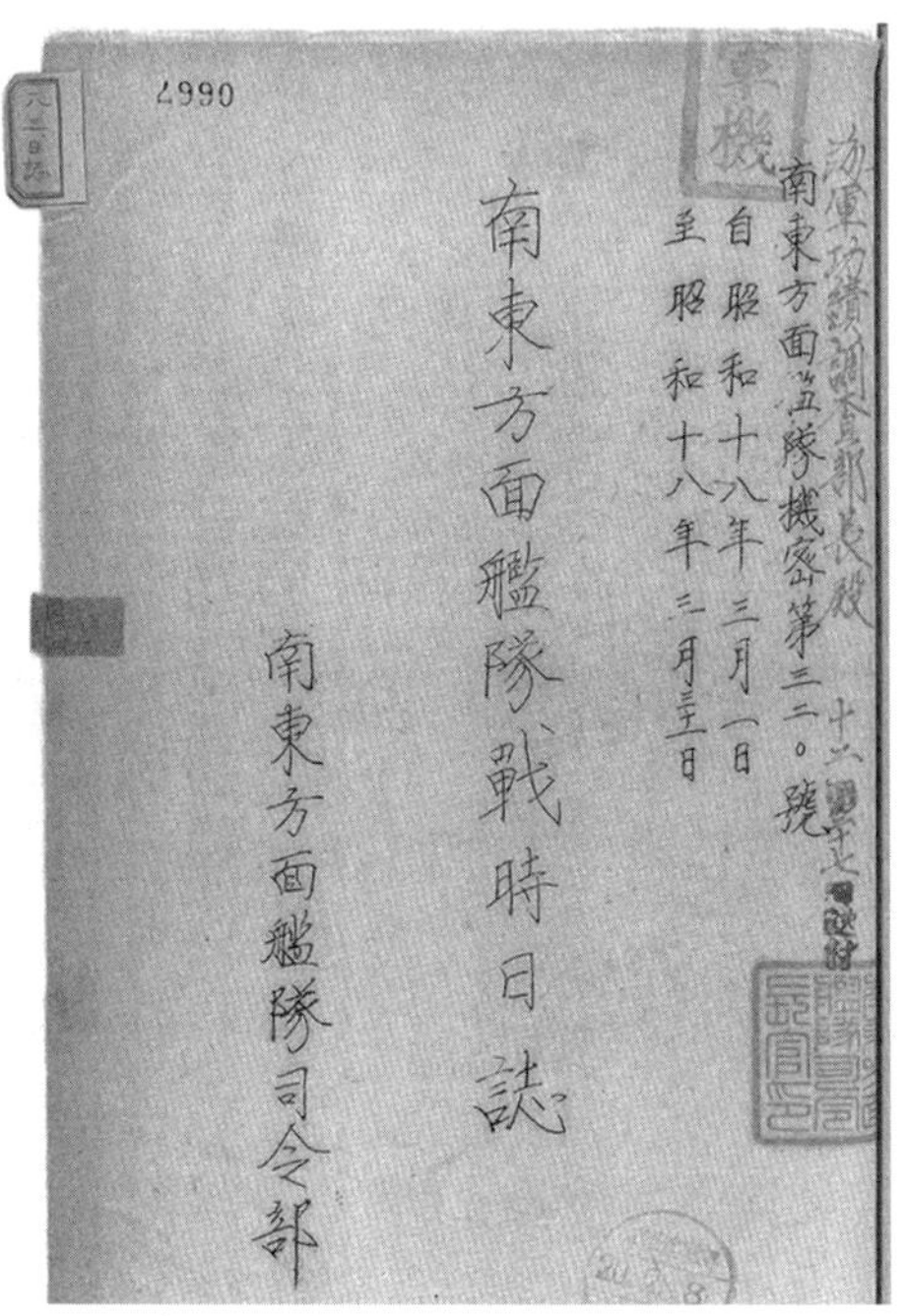

4990

南東方面艦隊戦時日誌

南東方面艦隊司令部

秋風事件の戦争犯罪裁判で、判決の根拠となった軍機密書類の表紙

出所：防衛省防衛研究所

この章では、海軍上層部による3つの集団虐殺事件を綴っていくことにする。

特に太平洋の連合艦隊下の第4艦隊の軍医らによる生体実験と生体解剖については、「えっ？まさか？」との反応が返ってくる。中国での731部隊による生体実験などに詳しい研究者たちも、「知らなかった！」という。

「死人に口なし」、戦後の裁判にあたっても、いずれも巧妙な隠蔽と他者への責任転嫁で、海軍の上層部は責任逃れをしていった。無実で起訴された人々、さらには刑を受けた人々も出た。上層部はどのように裁判を逃れたのか。住民の巻き添えはなかったのか。島々からの目撃者はいなかったのか。

戦後70年以上もたっている現在、その事件の証言者がおられたら、聞きとりをしてから筆をとりたいと願っていた。でもそれは「奇跡」でも起きないかぎり無理なことであった。ところがその「奇跡」は起きた。「語りたい」、「待っているよ」という方々や多様な協力者があらわれた。残されていた貴重な資料にも出会うことができた。これはもしかしたら、神さまが今生きている私たちの背中を押しておられるのかもしれない。残虐な殺され方をしていった無数の生命と、責任を押しつけられた人々の無念の思いを伝えることにもなる。私は背中を押されるような思いで、この暗闇の章を書き始めた。

# 第4艦隊海軍病院での生体実験と生体解剖
## （トラック諸島デュブロン島）

### 生体実験の舞台となったトラック諸島とは

ミクロネシアのトラック諸島（現チューク諸島）のラグーン（礁湖）は、その内側に200以上の環礁島をもつ周囲300キロメートルの世界最大級の礁湖である。太古に噴火した火山島が沈下しながら形成していった島々である。そのはてしなく豊かな海原を、トラック諸島の民は勇壮な舵(かじ)さばきで行き来し、漁労と交易を行い、環礁の魚、カツオ・マグロ、ココナツ、パンノキの実、タロイモを糧とする暮らしを営んできた。

日本は1914年にトラック諸島を含むミクロネシア地域を占領し、1919年からは「南洋群島」として統治下におき、公民化政策、天皇礼拝、日本語教育を強制した。トラック諸島には、海の幸を目当てに南興水産（カツオ漁業、カツオ節製造業、製氷冷蔵業）が進出した。小松や南国寮などの料亭で賑(にぎ)わい、「慰安所」は10ヶ所以上も存在していた[1]。

海軍は南洋方面を作戦区とする第4艦隊の司令部を、戦前からデュブロン島（地元ではトノアス島、日本統治下では夏島と呼ばれた）に置いていたが、規模は小さかった。
1942年に入ってから対米防衛のために、第4艦隊は再編成されて大規模な活動を開始する（7月）。この下で、第4艦隊の海軍病院（第4海軍病院）も再建され（7月）、軍医官10数名と、看護婦100名以上を擁する1000人近くの医療関係者が従事する規模になっていた。第41警備隊は、第4艦隊の下で地域の防衛・警戒・治安の役割を担っていたが、こちらも再編成された（4月）。

そのうえで1942年8月には、連合艦隊が戦艦大和や戦艦武蔵などの主力艦を引き連れてトラック諸島にやってくる。広大な環礁が天然の要塞となり、ラバウル防衛の迎撃基地としても最適であるとの判断からであった。

海軍の大規模基地となったトラック諸島では、飛行場建設と基地整備のための突貫工事が、日本からの囚人や朝鮮人を徴用して進められた。

## 米軍潜水艦を拿捕（だほ）（1943年3月末）

1943年3月末に、第4艦隊司令部はトラック諸島の環礁付近で拿捕（だほ）した潜水艦の米軍捕虜たちをデュブロン島に連行し、第41警備隊の管理下に拘禁させた。以前からの捕虜とあわせて、米軍捕虜はおよそ50人にのぼった。この捕虜たちが以後の生体実験の対象となったのである。

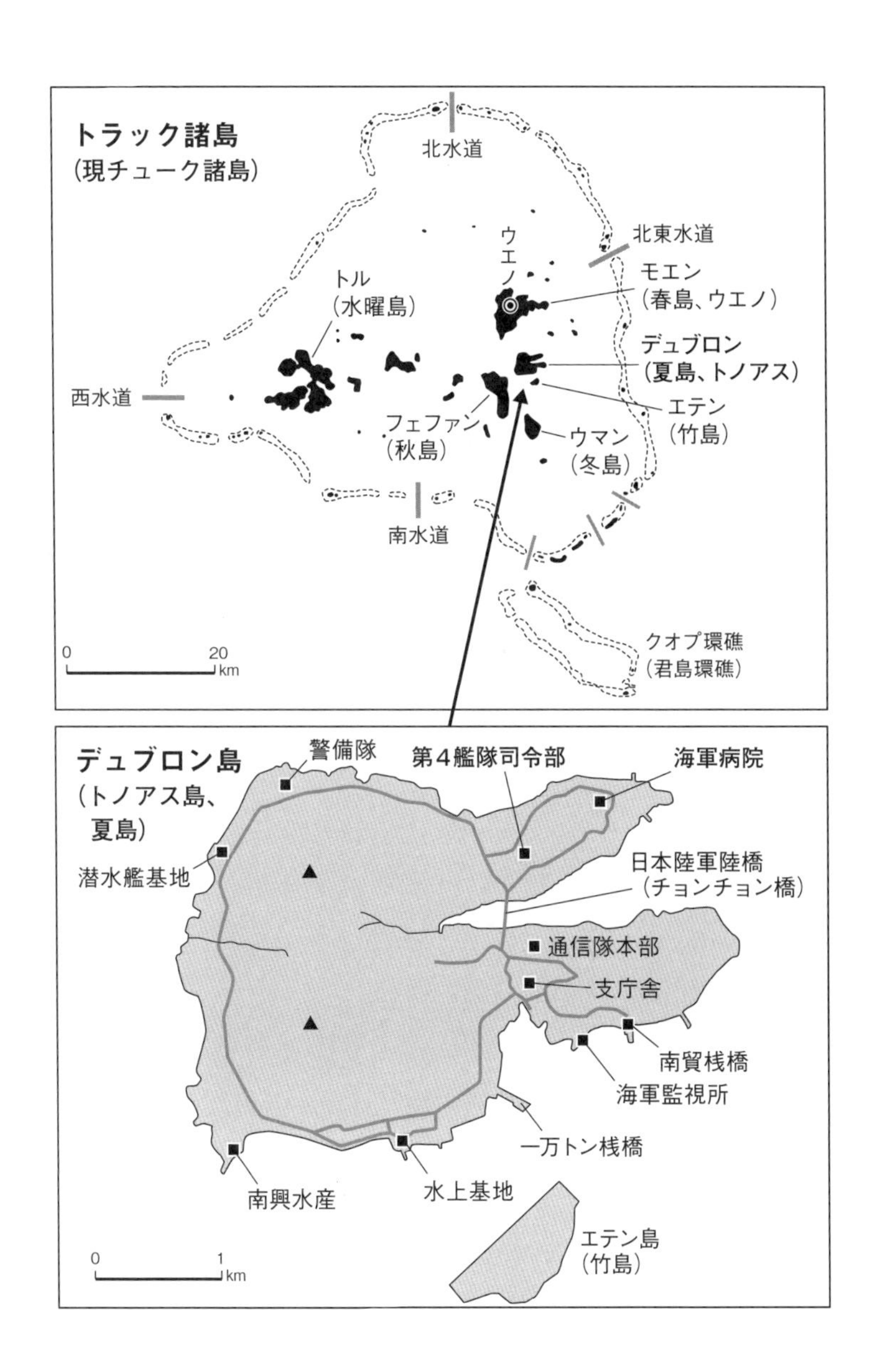
トラック諸島
(現チューク諸島)
北水道
北東水道
ウエノ
モエン
(春島、ウエノ)
トル
(水曜島)
デュブロン
(夏島、トノアス)
西水道
エテン
(竹島)
フェファン
(秋島)
ウマン
(冬島)
南水道
クオプ環礁
(君島環礁)
0
20
km
デュブロン島
(トノアス島、
夏島)
警備隊
第4艦隊司令部
海軍病院
潜水艦基地
日本陸軍陸橋
(チョンチョン橋)
通信隊本部
支庁舎
南貿桟橋
海軍監視所
一万トン桟橋
南興水産
水上基地
エテン島
(竹島)
0
1
km

## 連合艦隊の待避と米軍の大空襲（1944年2月）

米軍の攻撃が迫るなかで2月10日に連合艦隊司令長官の古賀峰一は、態勢を立て直すためとして、連合艦隊の主力艦15隻を引き連れてパラオに待避してしまう。

この主力艦不在となったトラック諸島に米軍が襲いかかった。2月17日から18日にかけての空襲で、トラック諸島の基地能力は壊滅した。

しかし大本営は、「トラック諸島に来襲せる敵機動部隊は、同方面帝国陸海軍部隊の奮戦により之を撃退せり」との、偽りの報道を日本で流したのであった。[2]

## 最初の生体実験と解剖（通称1月事件）

第4海軍病院において、病院長岩波浩軍医大佐が主導する最初の生体実験が行われたのは、微妙な時期で、1944年1月30日～2月1日。米軍による空爆の半月前、連合艦隊も駐留していた時期のことであった。

岩波病院長は、「上層部の第4艦隊司令の許可を得ている」（このときの司令官は原忠一中将、参謀は澄川道男少将）として、第41警備隊から8人の捕虜を譲り受けに出かけ、捕虜を第4海軍病院の死体安置所兼解剖室に連れ込んだ。

1月30日、岩波病院長は3人の軍医官（中佐1人、大尉2人）とともに、まず捕虜4人の腕と足に長時間止血帯を取りつける実験を行った。実験途中で2人の捕虜は死亡。

生き残った2人には、再度止血帯を長時間取りつけた。苦しみ喘ぐ捕虜を、今度は病院の裏山まで歩かせ、2本の杭に足を広げて縛りつけさせ、ダイナマイトの「爆風実験」を行った。まだ生きていたので、最後にはモルヒネと硝酸ストリキニーネ[3]を注射して死亡させた。

岩波は4人の遺体を病院内に戻し、軍医官らとともに解剖を行った。さらに4人の頭部を胴体から切り離し、病院裏でドラム缶に入れて熱湯で煮させた。時間をかけて4つのドクロ標本が作製され、日本の軍医学校に送られた。4つの首なし遺体の方は海に捨てられた。

連れ出された残りの4人の捕虜には、ブドウ球菌を注射して死亡させ、軍医や衛生兵らも参加させて、解剖と詳細な記録メモをとらせた。

## 3月事件　生体解剖

1月事件にかかわった第4海軍病院の軍医らが1944年3月、4名の捕虜を同病院の死体安置所兼解剖室で生体解剖をした。この事件は裁判の途中で判明したため、裁判の対象にはならなかった。このほかにもいくつかの事件があったとされる。

## 6月事件　生体解剖と刺殺事件

第4海軍病院での事件に触発された第41警備隊の軍医官らが1944年6月に行った生体解剖

と刺殺事件。

場所は第41警備隊の隔離病棟（防空壕内）で、主導者は第41警備隊の軍医長上野千里海軍中佐であった。同警備隊司令官の浅野新平海軍少将と他の軍医士官4人も参加した。

最初に捕虜1人を担架で担ぎ出し、防空壕内の台の上に仰向けに寝かせ、クロロフィルムで麻酔をかけた。まず爪を剥ぎとり、腹部や肺を切開し、虫垂、陰嚢（いんのう）、筋肉と肋骨を取り出した。その後、捕虜を診療室の裏手に運び出して斬首し、死亡させた。もう一人の捕虜に対しては、解剖を行わず、診療室裏で杭に縛り、銃剣によって胸を刺して死亡させた。遺体は穴を掘って埋められた。

## 7月事件　刺殺実験と斬首

岩波浩病院長の命令下1944年7月、捕虜2人を第4海軍病院裏に連れだし棒杭に縛りつけた。病院関係者100人の前でスピーチを行った岩波は、2人の大尉に命令し、銃剣と鋼鉄製の槍（やり）で、なんども突き刺す実験を行い、最後に日本刀で斬首させた。ほかの捕虜6名も同じ方法で殺害した。遺体は現場近くに埋められたが、後に岩波の命令で海に捨てられた。(4)

## 生体実験と海軍上層部の対応

一連の生体実験が行われていた1944年、第4艦隊の組織内では、部隊長会議がたびたび開かれていた。この席にはラバウルからの客員軍医や横須賀からの軍医教授も往来し、日本やラバウルでの捕虜を対象にした生体実験の動きも伝わっていた。

8月の部隊長会議には、第4艦隊司令官の原忠一中将、参謀の澄川道男少将、各部隊長、警備隊とその診療所、海軍病院長らが一同に会するなかで、岩波浩病院長が、この間の生体実験などの報告を、「海軍でも人体実験を推進していかないと陸軍に遅れをとる」との主張とともに、熱意を込めて行った。これに対して第4艦隊司令長官原忠一は、「そのようなことは口にしない方がいい」と諌めたとある[5]。

後に米軍によるグアム戦犯裁判の席で上層部は、「自分たちは知らなかった」と言い逃れをしたが、じつはその詳細を知っていたのである。

## 箝口令と証拠隠滅

事件直後の箝口令に加えて、第4艦隊司令部と第4海軍病院と第41警備隊の上層部らは、事実が露呈しないように、さまざまな証拠隠滅工作を進めた。まずは生体実験後に埋めた遺体を掘り起こして、海に捨てるなどの証拠隠滅命令が出され、実行に移された。

そのうえで、万が一事実が露見した場合には、艦隊司令部に追及がおよばないようにすることが重視された。すでに死亡していた第4海軍病院の軍医官らを生体実験の首謀者とすること。院長の岩波浩大佐が責任を取ることなどの打ち合わせがなされていった。

しかし一連の事件は朝鮮人労働者の口から漏れて米軍に知られ、グアム島での戦犯裁判となった。さらに米軍は、生存する米軍捕虜の数が少ないことに不審をいだいていく。

## 米海軍によるグアム戦争犯罪裁判

米海軍による調査と準備期間を経て、１９４７年6月10日から、グアム島での生体実験に関する戦争犯罪裁判は開始された。

**〈1月事件〉**に関連しては、岩波浩とともに生体実験を行った軍医官３人のうち、軍医中佐はサイパン島で戦死しており、軍医大尉の１人は日本の自宅にいたが、グアム島への出頭要請を受けて、１９４６年11月に妻とともに自宅で自殺した。もう１人の軍医大尉は司法取引に応じてグアム島裁判で検察側の証人として詳細な証言を行った。しかし彼は３日間にわたる尋問を受けて退廷後、収容所の独房で割腹自殺をした。

執行者のなかで１人生き残った病院長岩波浩大佐は、どのような弁護をしたのであろうか？「生体実験は死んだ軍医官３人が独断で行った。自分は同行し検査方法について助言した後、その場を離れた」、「私は死体の解剖を手伝い、１人の頭部を、他の３人の頭蓋骨とあわせて、日本の軍医学校へ送ったが、死因は知らなかった」、「(頭部のボイルについては) 私はボイルをしていない」と語った。

岩波は、死んだ部下にすべての責任を押しつけて、「死人に口なし」の自己弁明を行ったのである!! 他の証言者たちも保身の証言に終始した。

米軍は、1月事件に関連しては刑を下せなかった。証拠のドクロの行方を追って日本各地の大学病院へ調査の手を延ばしたが見つけだすことはできなかった。

**〈6月事件〉**に関しては、警備隊司令官浅野新平少佐に対しては、司令官としての立場上、生体解剖を阻止できなかったのかと裁判で問われた。解剖の主導者は第41警備隊軍医長上野千里中佐であったが、2人は互いに責任の擦(なす)りあいを行い、結果として2人に死刑が下された。しかし最終的に終身刑となる。手伝った軍医下士官4人にも終身刑が下された。

**〈7月事件〉**に対しては、岩波に死刑の判決が下された。17名の軍医士官や兵にも刑が科せられた。1949年1月17日にグアム島で岩波に絞首刑が執行された。

## 第4艦隊参謀ら海軍上層部の司法取引

第4艦隊参謀の澄川道男少将には総括的な責任が問われた。しかし澄川は「最初の事件は前任者の下で1月に起きた事件である」として責任逃れを図った。(6)

さらに澄川は、米軍との司法取引に応じて検事側の証人となって同胞を裏切る偽りの証言を行ったのであった!!

海軍病院の外科部長、第4根拠地部隊の軍医長、第41警備隊の軍医らも同様の証言を行った。結果として彼らは起訴を免れた。唯一第4艦隊司令官の原忠一中将のみが自己の責任を認め、グアム島からスガモプリズン（巣鴨拘置所）へと送られ6年の刑を受け、後に釈放された。

米軍側の裁判記録にも、証言者たちの工作に惑わされた様子が記されている。

無実でありながら有罪とされた軍医官らも多数出た。その1人に真垣一郎衛生中尉がいた。彼は一連の事件を日誌風に残し、事件の詳細と収容されていたグアム島での囚人への過酷な対応を記している。一方、米軍への司法取引に応じた澄川らには、「天国のような待遇」（30メートル先に別の収容所が用意された）があったことにも触れている。これらは岩川隆の書[3]のなかに納められている。

デュブロン島事件の残忍さを直視しながら綴っていくことは、筆者の私にとっても耐えがたいことであった。捕虜たちの苦悩と死。解剖を前に捕虜の一人は、ロザリオを最後まで手に持っていたという記録もある。上層部や実行犯たちの裁判への巧妙な自己弁護と偽証。司法取引での同胞への裏切り。良心の呵責（かしゃく）に耐えかねて自殺をはかった軍医官や、無実のまま有罪になり刑に服した軍医官たちも出た。

そうして刑を逃れた海軍上層部の司令官と軍医官は、素知らぬ顔で日本に帰り、戦後の日本の政界と医学界のなかに潜り込んでいったのである。

デュブロン島事件は、すべてが絡みあった侵略戦争とその後始末の暗闇の縮図ともいえる。[7]

島民はその侵略下にあって、何を見たか。何を見なかったか。何を体験したか……。次に小さな旅をとおして聞きとりをしたことを綴っていくことにする。

## 久しぶりのトラック諸島訪問

２０１１年7月に、久しぶりでトラック諸島を訪れた。モエン島（ウエノ島、日本統治下で春島と呼ばれた）の国際空港には、我が修道院の懐かしい仲間と旧友が待っていてくださった。雨後の凸凹(でこぼこ)道のぬかるみに足をとられながら修道院に着く。

荷をといて部屋の窓を開けると、塀の向こう側から美味(おい)しそうな匂いと煙が飛び込んできた。弁当屋が大きなカマドの上で鶏を焼いて弁当づくりをしていたのだった。道路に出てその弁当屋をしばし眺めてみた。なけなしの小銭で、少しでもボリュームのありそうな弁当を、じっくりと選んで買っていく人、見るだけで買わない人など、現金収入のあるなしの現実と、貧富の差が広がっている様子がうかがえた。錆(さ)びたトタン板をつなぎあわせた壊れかけの家々が道に沿って並んでいる。

私たちはデュブロン島行きを7月26日と決めた。

女性指導者リンダ・モリさんと、メルセス会の親友のファウスティナが、準備万端を整えていてくださった。「デュブロン島での生き残り証人のルカス・メチェヌクさんに会うことが一番」と彼女たちは言う。友情のありがたさを身に沁(し)みて感じた。

「さあ出発だ！」私たちはボートをチャーターし、デュブロン島をめざした。しかし、途中で天候が変わり横殴りの雨になってしまった。雨中のボートの旅ほど、しょぼくれたものはない。

濡れ鼠になった姿で私たちは、デュブロン島の埠頭に着いた。

## 漁師小屋の女たちとの出会い

埠頭の漁師の小屋の家族が私たちを迎え、焚き火で服を乾かしてくださった。なんと温かい家族であろう。暖をとりながら、雨があがるまで、女たちのお互いの戦争時の話に耳を傾けた。

「父はこのデュブロン島に残り、家族は別の島に疎開したの。米軍の大空襲では島民の多くが巻き添えで死にました。その後に飢えの苦しみがやってきました。日本兵は私たちの畑を奪って、自分たちの食料にしたのです。私たちが畑のものを食べると処罰されたのですよ」

「食糧事情が悪くなった後は、モエン島の辺鄙な道を歩くのが怖かった、と父が言っていました。飢えた日本兵が島の男を殺して食べた事件があったからです！」

「日本兵はココヤシから砂糖やヤシ酒をつくって、ココナツの花の芯までもとりつくしたのよ！戦争の後で私たちは、ヤップ島（地図31ページ）からココナツの実を貰ってきて、植えなければならないほどだったの……」

「私は7歳でした。子どもながら、夜の畑からイモを掘って持って帰ったことを思い出します。昼間行くと見つかるから……」。「特に連行されてきた特別の服を着た人たち（日本からの囚人部隊であったと思われる）[8]や朝鮮人たちはひどい飢えと労働に苦しんでいました。母たちは見かねて、そっと食べ物をあげたのですよ。母たちも飢えていたのに」と女たちは言う。

やがて雨がやみ、「この凸凹道は戦争のときの爆撃の結果なのよ」と言う彼女たちの後について、ウルス村のルカス・メチェヌクさんの小屋に向かった。剥げかかった板張りの小屋、それが彼の家であった。

## 「ずっとこの日を待っていましたよ」ルカス・メチェヌクさん

「ずっとこの日を待っていましたよ」。ルカス・メチェヌクさんは、大きな目で、私をじっと見つめて言われた。湿気と強い臭気を帯びた床のうえで待っておられた。

「日本は、やりたい放題やって、その後話を聞きにもこない。アメリカ人が来ただけだよ。これでいいのか!!」。

彼は気管支炎のため咳(せき)込みながらも、英語と日本語を駆使して話しはじめられた。すでに90歳になっておられたが、その語学力と記憶力にはなんらの衰えも感じられなかった。戦争当時、彼は23歳の若者であったという。

「第4艦隊司令部の下での海軍の工務部で働かされていました」

「艦船が着くと大発(だいはつ)(日本軍の上陸用舟艇)を用意して戦艦からの食料、大砲などを運び込む、それが私の係でした。いっぱいの戦艦がこの海岸に入ってきましたよ。戦艦大和も武蔵も来ました。戦艦大和からは、米やタマネギなどを運び、積み終えたら、軍艦をあの桟橋に着けて油を入れるのも私の役目でした。夜10時ごろまで働かされ、夜は工務部で寝ました。食事は兵隊と同じ

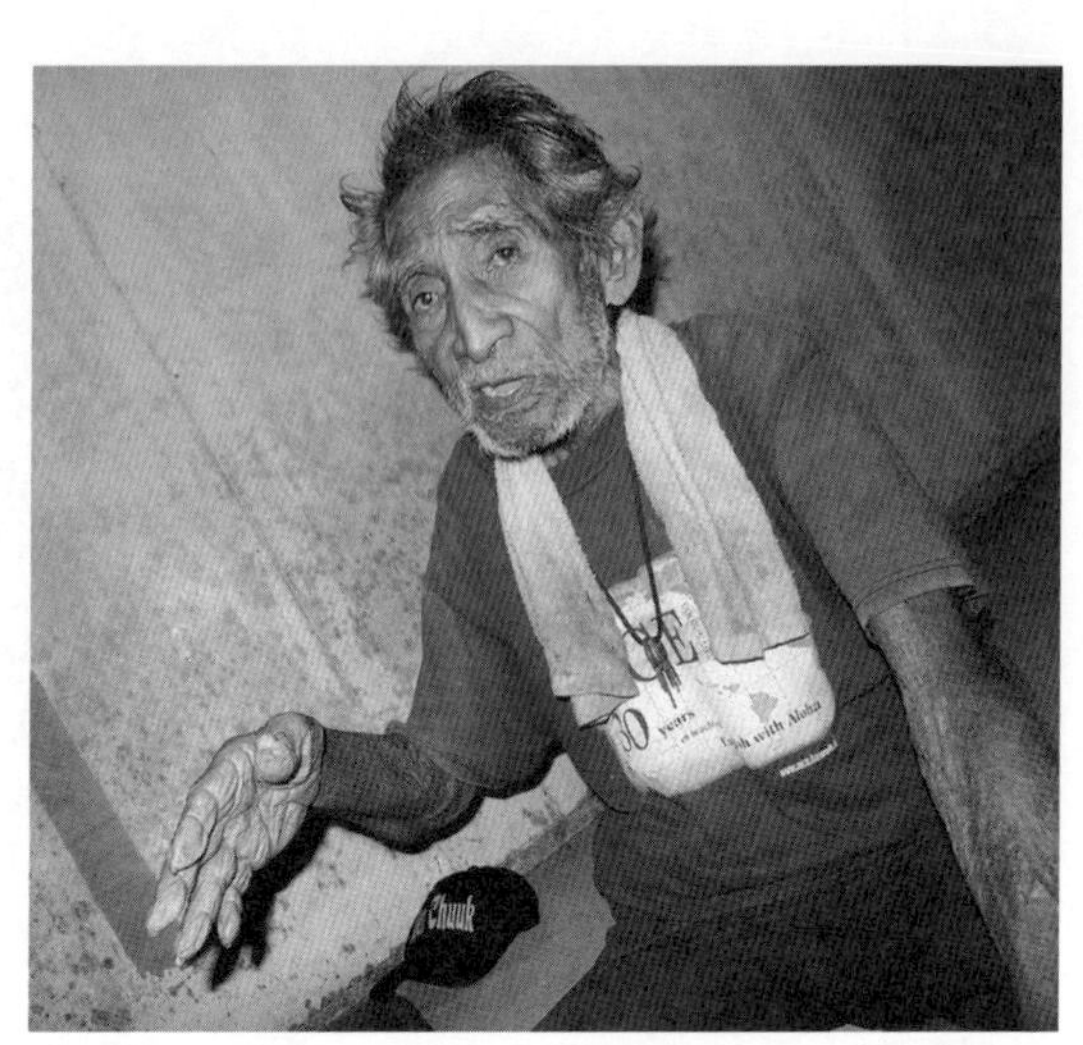

デュブロン島の証人ルカス・メチェヌクさん（2011年）

ご飯、味噌汁、カツオ、いろんなおかずを食べさせてもらっていました。工務部には食料はいっぱいありました。南興水産は釣ってきたカツオや、採れた野菜を各部隊に分配していました。デュブロン島から春島（モエン島、ウエノ島とも）まで、いろんな船が入ってきて並んでいました」

工務部の仕事を任されて、てきぱきと働いてきたルカスさんの姿が浮かんでくる。

## ルカスさんの証言する米軍捕虜の連行と殺害

「私は米軍の捕虜が4人、大型機に乗せられて竹島（エテン島、デュブロン島の向かいの小さな島）の飛行場に降りてきたのを見ました。若い人でした。日本兵がその捕虜の足を互いに縛りつけて、逃げないようにして歩かせていました。この4人のほかに、すでに拘束されていたアメリカ人の捕虜は40人ぐらいいました。ケンペイ隊（第41警備隊のことを島民はこう呼んでいたのかもしれない）が管理していました。

「最後に日本軍は捕虜たちを、海軍病院の方面に連れていきました」

その丘の上に建つ第4艦隊司令部と海軍病院は、島民がとても近寄れない別世界であったという。

「覗(のぞ)き見などしてケンペイ隊に見つかったら、スパイ呼ばわりされるので、危ないので見なかった!! 怖かったです。でも捕虜たちは、この海軍病院で殺されたのです。そのそばに穴を掘って埋めて、その上にコンクリートの蓋(ふた)をしていたのですよ」

「以前にもアメリカ人が私に聞きにきました。コンクリートで埋めたことを聞き、昨年(2010年)また来ましたよ。コンクリートを開けることができるか調べてみる、と言っていました」

## 司令部の食料庫内には豊富な食料があった

「2月17日の米軍機による空襲で、油のタンク(1万トン×4基)は全部爆発し、その燃え方は本当にすごかったのです!! 倉庫の米は舞いあがって燃え続けました。母の弟はその夜の爆撃で死にました。日本の兵隊も島の人々も多く死にました」

「大空襲のとき、米軍機が低空飛行でやってきました。逃げ遅れた私は、飛行機のパイロットと目があったのです。彼は黒人でした。彼は私に向かって手を振った!! 私は怖かったので手なんか振るどころではなかったけど……。彼は私に爆弾を落とさなかったのですよ」

「そうした爆撃のなかで、私は大発を運転して日本兵を乗せて竹島(エテン島)から移動させ

デュブロン島を空爆する米軍　2014年２月17日
出所：ウィキペディア「トラック島空襲」

ました。爆撃があると日本兵は海に潜ったが、私は潜らないで運転を続けたのですよ。本当に怖かったのです。戦争は嫌です‼」

「爆撃によって沈められた海軍の輸送船から、海軍のダイバー船2隻が潜って、船底にある食料を引き上げました。米はゴム袋に入っていたので雨で洗って乾かして工務部の倉庫に運びました。砂糖や塩、缶詰などは洞窟に運び込みました。だから海軍の食料事情はよかったのですよ」

「働いた結果なのか、水曜島（トル島）にいた家族のもとへ１ヶ月間、帰っておいでという許可が出ました。土産に2本のカツオを用意して、まずは水曜島の陸軍本部に挨拶に行きました。その部屋にはパンノキの実が40個もあって、家族のために持っていけと言われました。島民が飢えているなかで陸軍本部には食料がいっぱいあったのですよ！」

「それなのにパンノキの実やココナツの木に、日本軍は『名札』をつけて、島民たちには手をつけさせなかった。名札のついた木の実を島民がとると『どろぼう‼』と言われて鞭打たれ、首を斬られたのですよ。私はこの目で3人も見ましたよ。タロイモもサツマイモも、みんな日本兵のものでした」

「慰安所」の一部の女たちと親方は、空爆以前にトラック諸島を去った。残された朝鮮の女たちは、「爆弾で死んだ」とルカスさんは語る。かぎりなく貴重な証言の数々であった。

## 1万人の日本兵の下での島民の恐怖と飢え

空襲を受けた後、トラック諸島が米軍の基地として利用されることを恐れた大本営は、さらに兵隊を送り込み、約1万人の兵を、外部からの食料調達もないままに終戦まで占領させた。

強制連行されてきた朝鮮人、日本からの囚人労働者、米軍捕虜（40名以上）、島民、すべてが飢え、日本兵からの厳しい監視、食料剝奪、食料生産労働、抵抗する者への恐怖の罰にさらされ、多くの人々が生命を落とした。

デュブロン島の雨のなかで女たちが語ってくれたとおりであった。

特に、囚人労働者の死亡率は50％にもおよんだ。この実態も大本営によって箝口令（かんこうれい）が敷かれ、闇に葬られた。

## 「やりたい放題やって、これでいいのか！」

「日本は、やりたい放題やって、戦後話を聞きにもこない。これでいいのか!!」。これがルカスさんのメッセージであった。その後ルカスさんは帰天された。

島々の生命と過去と未来を崩壊させた侵略行為に対して謝罪も償いもしない私たちへの叫びであった。

## 「秋風」船上での民間人62人の処刑

### 秋風事件とは

秋風事件とは、1943年3月17日に、外国人宣教師など62名（ドイツ人の司教、神父、修道士、修道女、農園経営のオランダ人、中国人、修道女が世話をしていた子ども3人）を、ニューアイルランド島ケビアン沖の駆逐艦「秋風」船上で、集団処刑した事件である。厳しい箝口令が敷かれたが、戦後地元乗組員の口から事件は漏れ、オーストラリア軍が調査に入った。

## 秋風事件の発端と処刑命令

１９４３年１月、ラバウルの南東方面艦隊司令部にとって、今後の東部ニューギニアへの進出の脅威となっていたのは、東部ニューギニアにいた外国人宣教師たちの存在であった。そこで同司令部は、宣教師たちをウエワクのカイリル島（地図１０９ページ）とマヌス島のロレンガウ（地図99ページ）から集め、秋風に乗船させた。

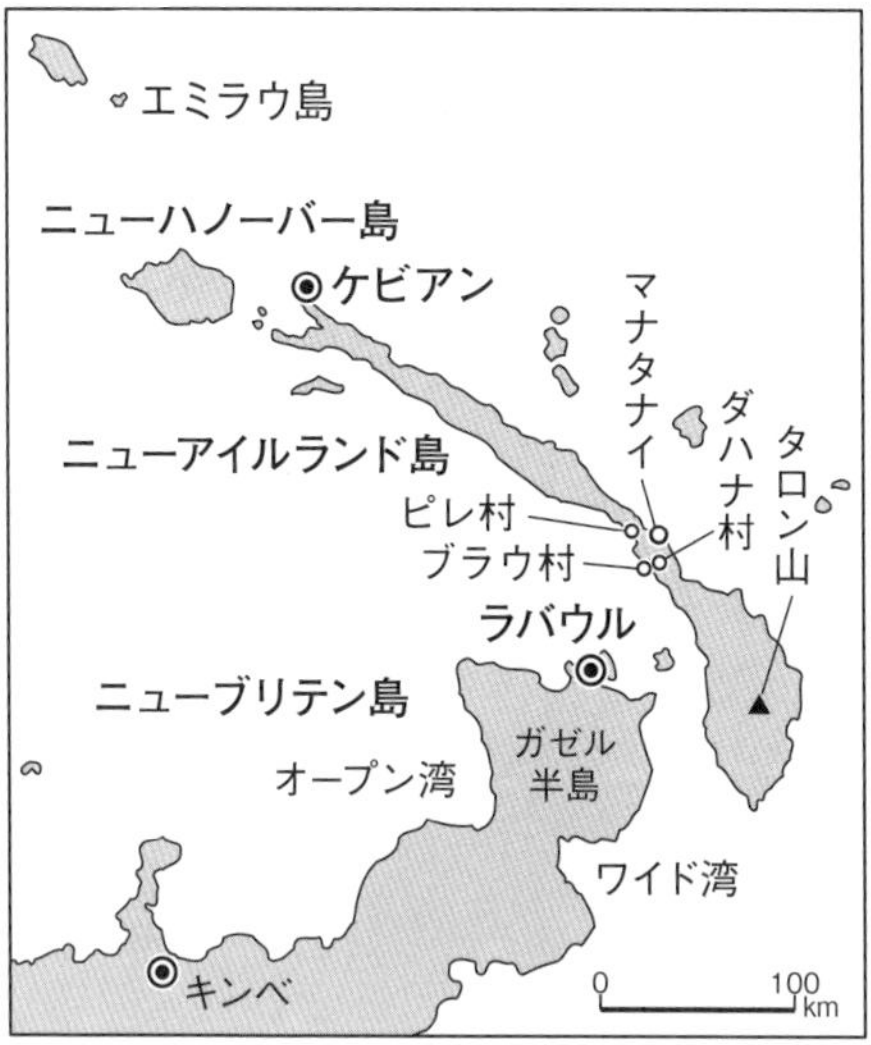

見送りの日に人々は、戦争が激しくなったから安全なところへ移されるのだろうと思っていた。しかし宣教師たちの多くは、殺される予感のなかで、遺言を残す人もいた。

62人を乗せた秋風は、ニューアイルランド島のケビアン港に3月16日に入港した。

そのとき、岸辺から一艘（そう）のボートが近づいてきて、艦長（佐部鶴吉少佐）に小さな手紙が渡された。艦長の顔は真っ青だった。「ラバウルからの命令で抑留者たちの殺害を命じられたが、私は彼らを殺したくない」と艦長は周囲に語っていた。乗務員たちも命令を拒否したかったが、ラバウルからの命令は絶対であった。

3月17日（水曜日）の10時13分、秋風はケビアン港を出航して沖に出た。乗務員は甲板の最後尾に緊急に木の台と、その上に絞首台のような木組みをつくるように命じられた。捕虜たちは1人ずつ呼ばれ、着物を脱がされ、下着だけにさせられた。目隠しをされ手を縛られた。そのままロープで吊り上げられた。4人の機関銃兵と1人のライフル銃兵が銃を発した。血まみれの遺体は海に投げ落とされた。最初に司教が、次に男たち、さらに女たちが続いて銃殺された。子どもたちは生きたまま海に投げ入れられた。艦長は銃殺の音を消すために船の速度をあげさせた。

3時間かかっての処刑の後、秋風は何事もなかったかのようにラバウルに入港した。艦長は入港前に日本兵と乗務員に、「私は軍の上官の命令で行った。誰もこの事件を口外するな」と箝口令を出した。すべての証拠が隠滅された[9]。

## 秋風乗組員岡山政男さんの苦悩の生涯

艦長の佐部鶴丸や幹部も死亡し、秋風事件についての日本軍側の証人も、生存者もいないと思われていた。しかし、秋風の乗組員として、すべてを目撃した後に、日本に転属させられた兵士たちが存在していた。

その一人が岡山政男さんであった。彼は秋風の甲板上で事件を目のあたりにした苦悩を生涯背負って生きてこられたのであった。癌（がん）を患って1985年に63歳で帰天されていた。

その息子の政規さん（61歳）が、私の書いた『森と魚と激戦地』の秋風事件を読まれて、「父の苦悩を語りたい」と名乗ってこられたのであった（２０１９年）。

## 「血染めのデッキを洗わされた」

息子の岡山政規さんは語る。

「処刑の最後に、血染めの甲板をデッキ・ブラシでごしごし洗うのが父の仕事でした。あまりにも残忍な処刑の一部始終に立ち会い、生きて日本に帰ったものの、父は、生涯その苦悩から逃れられることはなかったのです」

「目隠しをされ跪（ひざまず）かされた最初の宣教師２人は、軍刀で斬首されたということです。父の目の前で、血しぶきとともに首がころがり落ちていった。残りの人々は縛られたまま次々に、船上に吊り上げられ、機関銃で撃たれて、海に落とされました。最後に子どもの番になったとき、子どもを抱えたまま捨てられずにいたのが父の戦友でした。すると上官が、軍刀を抜いて『捨てんか‼』と怒鳴ったのだそうです。戦友は従わざるを得なかった。父はその一部始終を間近で見ていたのです」。

「父は、ぐでんぐでんに酔っ払ったとき、何十回となく、事件のことを語るのでした。酒の相手は私の叔父でしたが、幼いときから私はそばで聞いていたのです」

「『嫌なことを思い出すよ』と、何百回となく言い続けて、最後は癌で死にました」。

「秋風」乗組員として虐殺の一部始終を目の前で見て、生涯苦しんだ
岡山政男さん（息子の政規さんが提供）

「父は元々農業をやっていましたが海軍に入り、一介の水雷士として働きました。秋風の魚雷は九三式酸素魚雷で直径60センチぐらい、命中すれば水柱が100メートルぐらい立ったこともあるようですが、めったに当たらなかった。秋風の古さを何回も愚痴っていました。米軍機に対抗するにも、射撃は去ってからという程度だったそうです。船上では、棒でお尻を叩かれている父だったそうです」

「戦後連合国側が、秋風の乗務員の生存者探しをしていたことを父は知っていましたが、父のところには来ませんでしたし、父も名乗りませんでした」

「そうした父の苦悩と恐怖のひとつが、私が3歳ぐらいになったとき、『この子に罰があたるのではないか』と心配していたことです。子どもを海に投げ捨てた場に立ち会ったことからくる苦悩と恐怖を忘れられなかったからです」

「父は私を大切に育ててくれました。船がやはり大好きでした。私を船の旅に連れていってくれたり、神戸の教会の日曜学校に通わせたり、子煩悩でした。また親戚の一人が、『自衛隊に入らないか』と息子の私を誘ったときの父の答えをよく覚えています。『息子を戦争に使わないでくれ‼』と激怒したのですよ」

「父は、生涯にわたって強い戦争反対者でした‼ 秋風事件後の苦悩はあまりにも大きく、軍隊とはこういうものなのだ、と嘆きつづけて死んでいった父でした。その父の苦悩を、いつか投稿したいと思っていました。それで今回、名乗らせていただいたのです」と政規さんは締めくくった。

## 処刑命令は草鹿任一から来た

戦後オーストラリア軍が秋風事件の調査を開始し、南東方面艦隊の司令長官草鹿任一をこの件のＢＣ級戦犯容疑者として、シンガポールの収容所に送った（１９４６年８月）。しかし彼は１９４６年12月に釈放され、翌１９４７年に帰国していた。釈放された理由は不明である。

その後、東京に置かれたオーストラリア戦争犯罪部局が、この件の再調査を開始し、今度は第８艦隊司令長官であった三川軍一と参謀長の大西新蔵を容疑者として、１９４７年１月15日にスガモプリズン（巣鴨拘置所）に収監した。

起訴状は1948年8月7日に渡され、9月29日から米第8軍横浜法廷での審議が開始された。スガモプリズンから、小型バスに乗せられて被告2人は、横浜法廷に出廷した。

2人は、事件当時の秋風は南東方面艦隊の指揮下にあり、第8艦隊指揮下にはなかったとして、無罪を主張しつづけた。

事実はどうなのだろう？　この米第8軍横浜法廷での裁判過程を記録したものを求めて、私は、国会図書館や防衛庁に調べにいった。しかし、日本語での裁判記録の詳細はなかった。最終的に国会図書館の憲政資料室に所蔵されていた英文のマイクロフィルムから、横浜裁判での第8軍が記録した検事側証人の証言と起訴状などの資料の一部を入手した（「米第8軍横浜裁判　大西新蔵・三川軍一の件に関するマイクロフィルム」[10]）。加えて、被告であった大西新蔵自身が綴った裁判記録「戦犯裁判の実態」[11]を見つけたので、その両方を照合して調べることにした。

不思議なことに、検察側の証人にかつての容疑者、草鹿任一も入っていた。マンロウ検事のもとに、18人もの証人が入れかわり証言台に立ち、「秋風は第8艦隊司令部指揮下にあった」との証言を繰り返した。

一方、被告側の弁護人はフェジソン弁護士、近藤倫二弁護士、尾畑義純弁護士など5人だけであった。検事側の証言者になぜ草鹿が加わっていたのであろうか。加えて両者に対して中立であるべき第二復員省が、草鹿任一側に立って、被告の三川と大西側を不利にする工作を行っていた。これはいったい何を意味していたのだろうか。

マイクロフィルムでは、検事側証言者に対しての、フェジソン弁護士による質問が繰り返されている。証言者たちのなかには、あいまいな答えで、次第にしどろもどろになって答えに窮する場面もあった。また通訳が曲げて通訳することへの被告弁護人や被告のいらだちも浮き彫りにされていた。

大西新蔵はその著(11)のなかで記す。

「第二復員省が私たちに対して、少しも面倒を見てくれなかったことである。否むしろ、私たち2名の犠牲において、まだ拘束されていない人たち（筆者注：草鹿側をさす）を助ける方向に動いていたことである。問題の駆逐艦秋風が、どこに所属していたかが決定すれば、その長官たる草鹿中将が責任者と決定する。そして私たちは無罪となり、草鹿長官が代わって拘置されることになる」、「検事側の証人に立った人達は、皆復員局からの差し金で動いており、……秋風は一時、第8艦隊の指揮下に入れられていた様な事実を述べる」と大西新蔵は嘆く。

（補足）第二復員省（後に復員省下の復員局）は、戦後の海軍復員者たちの諸手続を行う機関であった。海軍関係者への極東軍事裁判対策を行っていた組織でもあった。中央への責任問題の追及を避けるために、現地の司令官レベルで責任を完結させる弁護方針をたてて工作をしていた。このことがBC級戦犯裁判において、上部の命令を出した上級将校ではなくて、下部の実行犯にさせられた兵士や軍属への重い判決をもたらす結果にもつながっていた。

裁判の核心は、秋風が事件当時に、南東方面艦隊指揮下にあったか、第8艦隊指揮下にあったかの証拠固めであった。大西新蔵は、自分たちが無罪であることの証明として、第二復員省が所蔵する「南東方面艦隊の戦時日誌」の提出を請願しつづけた。「南東方面艦隊司令部の戦時日誌」を見れば、秋風が南東方面艦隊司令長官の指揮下にあった事実が判明する」と主張しつづけた。

しかし第二復員省は、その日誌の提出に応じなかった。

10月15日にいたって、事態は大きく動いた。第二復員省の土肥一夫が、その「南東方面艦隊戦時日誌[12]」のコピーを提出したからであった（終戦時に山梨県韮崎海軍省分室に置いてあったものを米軍戦略爆撃調査団が押収してマイクロフィルムにしたもの）。

その日誌によって、事件当時の秋風は南東方面艦隊直属で、その司令官草鹿の指揮下にあったことが立証されることになった。結果として処刑命令は南東方面艦隊司令長官の草鹿任一から来たことが判明し、フェジソン弁護士は、動議を出して、三川と大西の無罪を主張し、検事側証人（草鹿任一を含む）の証言が崩壊した事実を述べたのであった。

1948年10月18日、米第8軍横浜法廷は、三川軍一と大西新蔵への起訴却下の判決と無罪の判決を下すにいたった。「弁護士、検事、通訳諸君の握手裡のうちに大団円となった。傍聴者1人もなし」と大西は記す[11]。

横浜法廷は判決文を出していない。この件についてのマイクロフィルムは、起訴状の最後に、「無罪」と記されていただけであった。

その後、なぜか横浜法廷は、草鹿任一を起訴せずに、その法廷を閉じてしまっている。背後に何があったのであろうか？　戦後3年もたっており、米ソ間が冷戦期に入っている時期にあって、米軍の日本への態度が変化していたからと大西は述べているのであるが……。

しかも、第二復員省がなかなか日誌資料を提出しなかったのは、米軍の態度の変化の時期を待っていた可能性もある。そうとするならば、それはかつての海軍の現地最高実力者であった草鹿を起訴させないための、第二復員省側からの工作がものをいったということになる。

この横浜裁判に関して私たちが目をそらしてはならないことは、①艦隊司令長官同士が法廷で検事側と被告側に立って争った件であること。②事件の責任者本人が検事側の証人になっていたこと。③裁判の背後で、第二復員省が検事側の証人たちへ様々な働きかけをして、実際の事件の責任者を支援し、被告を不利にする工作を行っていたことである。

子どもを含めた62名もの生命を奪った残酷な集団虐殺の秋風事件であるにもかかわらず、その処刑命令を発した海軍の司令官を援護する日本側の工作と、冷戦に入った時期の米国の思惑が交差して、処刑命令を発した責任者を起訴せずに裁判を終えた闇の深い事件でもある。

筆者の私は、容疑者を裁判での冤罪（えんざい）から救う証拠となった貴重な軍機密文書「南東方面艦隊戦時日誌[11]」が、現在は防衛省の防衛研究所資料室に所蔵されていることを見つけ、そのコピーを本書に掲載する許可を得た。本章扉に掲載した「軍機密」と記された画像がそれである。

またこの資料以外にも、「駆逐艦行動調書（秋風）[13]」には、南東方面艦隊下の１９４３年3月17

日当時の秋風の行動が綿密に記録されていた。その他、筆者が執筆にあたって参照した膨大な参考資料は省末の注[14]に列挙した。
自分の罪を転嫁した草鹿任一南東方面艦隊司令長官の姿と、戦犯裁判での闇を、この秋風事件とともに歴史から消し去らせるままにしてはならない。筆者はそれをあえて本書で綴って、読者に提供することにした。

（補足）秋風事件の調査は、戦犯問題に詳しい内海愛子さんの助言を受けつつ進めました。

## ソロモン諸島バラライ島での英軍捕虜集団虐殺

### 連行されていった英軍捕虜と島民が帰らぬ人に

ソロモン諸島のバラライ島（バラレ島とも呼ぶ）は、最長2キロのごく小さな島にすぎない。ラバウルの前進基地であったブーゲンビル島近くのショートランド島の北東に浮かぶ「境界」と

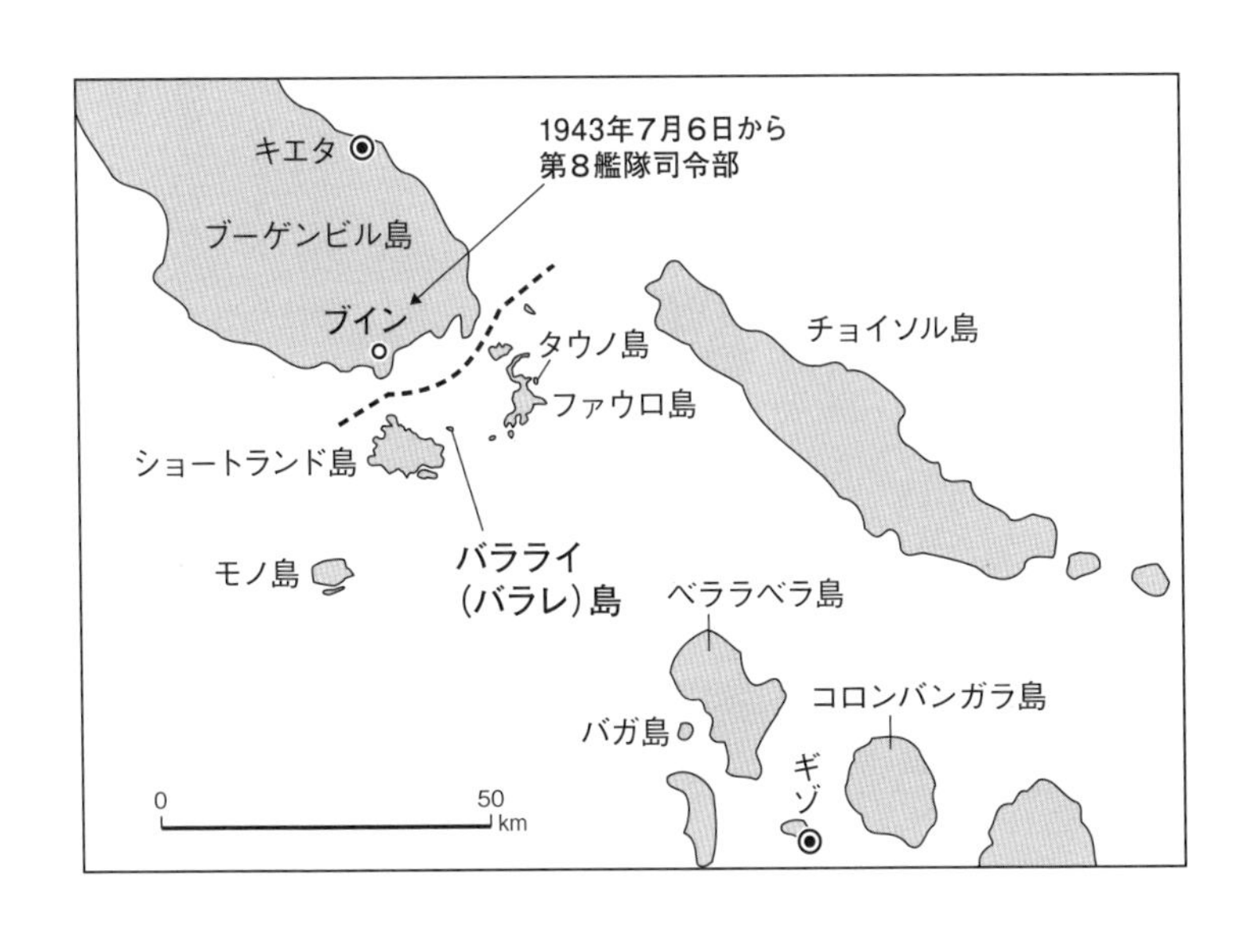


いう意味をもつ島である。英国人がココナツ・プランテーションを経営していたが日本軍の上陸前に撤退していった。1942年11月3日に、このバラライ島に海軍第18設営隊長尾崎憲彦の下に800名、海軍警備隊呉6特600名が上陸し、海軍・陸軍両用の飛行場づくりを開始した。

やがて、そのための労働力として英軍捕虜（シンガポールで捕虜にした）517人と、近くの島々の住民370人ほどが連行されてきた。

住民はどのように集められたのか？　バラライ島の東方に位置するチョイソル島で、マイケル・トゥキナバさんが語ってくださった（2008年8月）。

「波止場に日本軍の大発（日本軍の上陸用舟艇）が待っていました。『ここへ並べ!!』。日本兵は私たちチョイソル島民30人ほどを並ばせました。私はちょうどそのとき、ココナツの木に登っていたので、日本兵はその私に気がつきませんでした。もう私は生命がけで逃げたのです。私は助かりましたが、連行されていった30人の仲間のほとんどが死にました。6人だけしか戻ってこなかったのですよ」

バラライ（バラレ）島　上空から撮影
（Beryl Canwellさん提供、2003年7月）

　飛行場づくりが始まった。ココナツの木の伐り倒しとサンゴ礁の脆い地盤での滑走路づくり。照り返しのなかの過酷な作業ののち1943年1月9日、飛行場は完成し、最初の日本軍の航空機が到着。以後多くの零戦がここから飛びたった。

　2月1日には43機もの零戦が発進していった。ガダルカナル島から撤退させる艦船への空からの応援であった。しかし、制海権も制空権もないなかで、そのほとんどが帰還しなかった。

　米軍の攻撃が繰り返されるなかで、爆撃でできた滑走路の穴を埋める作業が繰り返された。隠れる防空壕もなく、薬もなく、飢え、赤痢にかかり、病気と労働で、捕虜も島民も次々と生命を落としていった。4月18日には、ラバウルを飛び立ってバラライ島視察に向かった山本五十六連合艦隊司令長官が、ブーゲンビル島上空で撃墜される事件も起きる。暗号が米軍に盗まれていたのであった。

## 第8艦隊司令部による436人の銃殺

米軍の上陸を怖れたブーゲンビル島ブインの第8艦隊司令部は1943年10月28日、バラライ島の捕虜を銃殺する司令を発した。司令官は鮫島具重であった。

436人が銃殺され、箝口令(かんこう)が敷かれた。遺骸を燃やすと煙があがり怪しまれることから、大きな穴を掘り遺体を埋める日本軍独自の隠蔽(いんぺい)処理がなされた。しかし米軍は上陸してこなかった。「カエル跳び作戦」でフィリピン方面への攻撃へ転じていたからである。

## 戦後の裁判

戦後、島民の口からバラライ島捕虜集団虐殺事件が漏れ、英国が調査に乗り出し、ラバウルでのオーストラリア軍による戦犯裁判となった。しかし裁判に招集された日本兵たちは沈黙を守りとおした。すでに証拠となる資料は廃棄・隠滅・焼却処分されていた。

結局ラバウル裁判は、「命令はバラライ島現場の海軍第18設営隊長の尾崎憲彦から来た」との判決で手を打っている。こうして第8艦隊司令の上層部は、現場の設営隊長に責任を負わせて判決を逃れた。責任を負わされた設営隊長の尾崎憲彦は、裁判記録によれば1943年11月に日本に帰国しており、その後の消息は不明とされていた。[15]

## 福山孝之さんの著書による証言

日本側でこのバラライ島事件を語る人はいないと思われた。しかし事件を克明に書き残している人がいた。かつて私が聞きとりを重ねた中部ソロモンでの海軍横須賀特別陸戦隊七特隊長の福山孝之さんである。彼は戦火のなかでも日記を残し、それをもとに『ソロモン戦記』を出版し、そのなかにバラライ島事件を記しておられた。[16]

「当時、残っている者（捕虜）も皆やせ細り、息もたえだえのものも多かった。捕虜の中にいた医者出身者が、島にいる日本軍の医務隊を訪れて、拝むようにしてわずかの薬をもらって歩いた。10月に入って米機の空襲が激しくなった。捕虜も防空壕に入るよう命じられたが、中には弾の飛ぶ中につっ立ったまま、日本軍の宿舎が飛び散ったり、飛行場に穴があくのを見て、歓声をあげて喜ぶものもいた。監視兵が銃の台尾で叩いても、米機に手を振るのを止めなかった。10月20日以降、ショートランド島やバラライ島に対する敵の攻撃は、特に激しくなった。敵が上陸してくる可能性は日に日に増して来た」

「ブイン（第8艦隊司令部）からの司令もあったのであろうか、10月28日朝、軍機関銃を持った一隊がひそかに収容所の囲いの中に入って来た。突然けたたましい音をたてて、機関銃がうなり出した。宿舎の壁は穴だらけ。驚いて飛び出した捕虜の上には銃火が降りそそいだ。5分もたたないうちに、捕虜の大部分は死んだ。残ったものも小銃の弾を受けて、死に切っていないものは銃拳で刺し殺された」と福山さんは綴っている。

「バラライ島事件は、戦後ばれずにすんでいたが、英国からの照会と、当時使役で働いていた原住民の証言により、オーストラリア軍の手で正式に（裁判に）取り上げられた。日本側からは20人ほどの関係者が呼び出され、取り調べを受けたが、結局、島にいた設営隊長が、敵上陸が近づいたとき神経をとがらして、射殺命令を下したと判定されてケリがついた。当の設営隊長は1943年末の転勤の際、事故でとっくに死亡していたのである」

「死人に口なし」。この事件でも、海軍上層部は死んだ設営隊長に責任を押しつけて追及を逃れていたのであった。

## 第8艦隊司令部事務室裏での証拠資料焼却処分

戦後1945年9月20日、ブインの第8艦隊司令部の事務室を訪れた福山さんは、あらゆる証拠書類が焼却されている現場を見たのであった。第8艦隊司令部の事務室裏手の広場では、書類を燃やし続けていた。それがもうもうと煙をあげていた。「『離れたところにいる部隊はいい。お膝元は何かとやっかいだ』と司令部の軍医が言った」と福山さんは記す。

（補足）さらには、戦後オーストラリア軍によってタウノ島の収容所生活に送られた福山さんたちであった。

「その収容所で隣に寝ていた士官が急に元気がなくなった。『どうした』とたずねると、『どうも、バラライ島の捕虜虐殺事件の調査が進んでいるらしい。明日私に証人としてオーストラリア軍の本部に出頭するようにいって来た。どの程度相手方にわかっているのか見当もつかないし、へたをすると私にも嫌疑がかかりかねない』とその士官は語った」という。興味深い内容を福山さんは綴っていたことになる。

## 福山さんからのメッセージ

私は東京の学士会館（彼が東大卒であったため）で、幾度となく彼と会い、彼の話をうかがった（1994年）。

「私自身も、重いマラリアを患って帰国し余命幾ばくもないと言われました。特にムンダの激戦地ではタコツボでの抗戦で、私の小隊（50人）もバタバタと殺され、飢えやマラリアで生命を落としていきました。その苦しみのただなかでも戦っていた私たち。生きて帰れたのは私の小隊では5人だけでしたよ。その間、大本営は偽りの報道、『ソロモン戦線の勝利』を流して国民を煽っていたのですよ」と、福山さんは語る。

「そうした戦いで誰が得をしたか。こうした軍艦や戦闘機をつくった三菱なんかが儲けたのですよ。戦艦も、戦闘機も（零式戦闘機の半分も）三菱がつくった。三菱がつくった戦艦武蔵級になれば、国費1年分近くの予算を費やした。今も軍需関係の発注は三菱が1位だよ。だけどこういうのは日本だけじゃない。戦後も欧米は軍需産業で、世界中でドンドンパチパチやっているじゃないですか。それに戦後ブルドーザーが森を伐っているけど、ブルドーザーの上に鉄の塊を乗っけたのが戦車。ブルドーザーも戦車も三菱だよ」。「国民の税金を搾りとって、巨大艦船もつくりつづけ、最後には人間弾丸の特攻隊用の戦闘機もつくりつづけた。それが三菱であった」と、戦争で懐を肥やしつづけた軍需産業への怒りの思いを私に打ち明けられた。

## 捕虜虐殺と隠蔽の歴史から見えてくるもの

①事件を箝口令で葬り、死体を穴埋め、または海中に投下し証拠隠滅を図った。証拠書類の焼却。
②海軍上層部や幹部による配下の兵への責任転嫁と裁判逃れ。
③虐殺にかかわった兵士への大本営による転進命令と玉砕命令（口減らし作戦）。
④現地住民への加害は、戦後裁判ではほとんど問われず、侵略した民への謝罪も補償もなし。
⑤非常事態にあって迫ってくる敵への恐怖心と捕虜虐待。
⑥戦後裁判における賄賂（わいろ）と司法取引。
⑦連合軍による冷戦への対処政策で左右された裁判。虐殺命令を下した上層部責任者への追及を曖昧（あいまい）にして終止符。
⑧生体解剖と生体実験にかかわった司令官や上級軍医が裁判を逃れ、戦後日本の医学界に潜り込んでいった。

⑨戦争命令を立案起草し、戦争を遂行した大本営や参謀本部の幹部たち（一部を除いて）は、ほとんどが裁かれることなく、戦後の政界で日本の行く末を左右していく。
⑩マスコミは国威発揚を煽り、戦争に反対する人物を「非国民」として断罪する側に立ち、民衆の軍への服従を絶対化させる役割の一端を担った。
⑪侵略戦争を行ったことへの反省と加害意識の薄いまま戦後へ。
⑫戦争によって国民の税金と生命を吸いあげた軍需産業が、戦後の産軍複合体へと受け継がれ、再び軍拡と戦争へと日本を動かす巨大な力となっていく。

## 太平洋における日本軍の住民虐殺

本文でとりあげた以外にも日本軍による住民虐殺の事実が伝えられている。

### マーシャル諸島ミリ環礁での反乱と虐殺

マーシャル諸島はミクロネシア（当時は日本統治下で「南洋群島」と呼ばれた）の東端に位置し、日米の開戦（１９４１年12月８日）とともに中部太平洋方面の前進拠点とされた。６つの環礁の8島に飛行場（陸上機・水上機）が建設され、日本からは軍人・軍属３万人近く（１９４４年１月時点で２万７５２１人）が進出した。

米軍は１９４４年２月にクワジェリン環礁に上陸し、激しい地上戦の末に占領。１９４４年４月までには日本軍の主要拠点を制圧し、制空権を握った。

日本軍はひきつづき他の5つの環礁の守備を固めていたが、米軍は海上封鎖し空襲を繰り返したものの、上陸することはなかった。食料補給が絶たれるなかで、大量の日本軍がいた5つの環礁では、飢えが恒常的なものになった。

ミリ（ミレ）環礁は、90あまりの島が首飾りのようにつながり海に浮かんだような姿で、各島の海抜は1～2メートル。山はなく砂でできた平らな島々であった。

そのミリ環礁に、日本からの軍人・軍属5000人以上（1944年1月時点で5327人）がいた。このうち1200人は、飛行場建設に徴用された朝鮮人軍属だった。

たえまない空襲にさらされ、補給路が断絶して食料不足に陥るなかで、日本軍は住民を強制労働にかりたて、彼らの土地や食料を奪い、反抗する住民にリンチを加えたり殺害した。

こうしたなかミリ環礁東南端にあるチェルボン（チルボン）島で、マーシャル人がともに圧迫されていた朝鮮人軍属と連合して日本軍に反乱を起こし全員が殺された、という話がマーシャル諸島では語り継がれている。

1990年代に入って、日本の戦後補償を求める動きが起こるなか、ミリ環礁の人びとだけでなく、逃げ延びることができた朝鮮人軍属からも証言者が出るようになった。

そのひとり朴鐘元（パク・チョヨン）さんによると、食料補給が絶たれるなか各島に分散して自活することになり、チェルボン島には1944年はじめに日本人軍属約20人と朝鮮人軍属約125人が移り住んだ。

1945年2月23日、27日に「クジラの肉」なるものが配られたという。そのとき朝鮮人軍属2人が行方不明になっていたのだが、隣島で太ももの肉が切り取られた死体をみつける。日本人が朝鮮人を殺して食べたのだった。朝鮮人軍属の責任者をしていた朴鐘元さんら7人は話し合い、沖を航行する米艦への逃亡を決意した。

3月1日未明、日本兵が寝静まったところをナイフで一人ひとり刺していくが、途中で気づかれ失敗。その日の午後には日本軍鎮圧隊約60人が派遣されてきて、朝鮮人軍属約60人が殺された（一部は魚とりのハッパで自爆）。部族長のワータックさんらマーシャル人は降伏したが、30～40人全員が銃殺、または斬殺された。女、子ども、老人まで皆殺しであった。

鎮圧隊が帰ったあと、他の島に逃れたり物かげに隠れていた約40人の朝鮮人軍属は、米軍艦艇に逃れて生き延びることができたという。

１９９４年8月、１９９５年2月と来日し戦後補償を求めたミリ環礁選出ケジョ・ビエン上院議員によれば、ミリ環礁全体で１８７人の犠牲者が確認されている。チェルボン島に近いルクノール島では、１９４５年1月に約20人が殺されるなど、ミリ環礁では少なくとも５つの島で日本軍による住民虐殺があったという[17]。

## オーシャン（バナバ）島での住民虐殺

英領だったオーシャン（バナバ）島（現在はキリバスに属す）は、その西方約３００キロに位置するナウル島とともに、英国リン鉱委員会がリン鉱石を採掘している島だった。

日本軍は、日米開戦直後（１９４１年12月10日）に、オーシャン島東方約５００キロに位置する英領ギルバート諸島のマキン、タラワ両環礁を占領していたが、１９４２年8月25日のナウル島につづき、8月26日にはオーシャン島に無血上陸し占領した。

オーシャン島にそれ以前からいたヨーロッパ人や中国人はすでに脱出していて、島には約６００～７００人のバナバ人と、ギルバート諸島とエリス諸島からリン鉱採掘のため出稼ぎにきた約８００人がいたという。

１９４３年に入ると米軍の空襲がはじまり、食料補給が絶たれるなかで、バナバ人は全員、クサイ（コスラエ）、タラワ、ナウルの３島へ分散して移住させられた。１９４３年中には、ギルバート人も、約１６０人を残して他の島へと移住させられた。

米軍の空襲はつづいたが上陸はなく、１９４５年8月15日の終戦を迎えた。ところがその２日後の8月17日、残った１６０人（１４０人との証言もある）全員の殺害が命令され、実行される。いくつかの班に分けられて、両手を背後でしばられ、目隠しをされ、断崖絶壁にしゃがんで並べられ、銃殺されたという。実はこのとき海に落下したものの奇跡的に生き残った人物カブナレがいた。彼は島内の洞窟に潜んで12月に突然姿をあらわし、日本軍の残虐行為の唯一の証言者となった。（海軍陸戦隊指令鈴木直臣少佐らには、ラバウルでの戦犯裁判で死刑判決が出された）

戦後、バナバ人たちはタラワに集められたが、故郷に帰ることは許されず、英国によって無人島だったフィジーのランビ島に強制移住させられた。

キリバス政府が１９９７年にまとめた報告書では、キリバス全体の戦争犠牲者は５３４人、このうちオーシャン島に関しては日本軍の虐待による死者２６２人、餓死が87人、計３４９人が命を奪われたとしている[18]。

また、バラライ（バラレ）島だけでなく、捕虜全員の殺害は米領ウェーク（ウェーキ）島などでも起こっている。日本軍はウェーク島を占領したが、１９４３年10月に米軍の来襲を受けた際に民間人捕虜98人を銃殺した。

（荒川俊児）

（1）トラック諸島での「慰安所」には、将校用に日本人、一般兵士用には朝鮮からの女性が働かされていた。第4海軍病院の雑役の仕事とか、30円くらいの月給で食事も泊まるところもあるとして連れてこられた女たちがいた。（第４海軍施設部の海軍職員の証言 http://19458245.web.fc2.com/18.html）

（2）輸送船31隻、艦艇10隻、航空機２７９機、重油タンク３基、食料庫が爆破・炎上。多くの島民が巻き込まれて死んだが死者数は不明。日本兵の死者は２０００人を超えた。

（3）硝酸ストリキニーネは、全身が弓なりにのぞけるほどの激しい痙攣と苦痛を与えるという残虐な殺し方をする毒薬。

（4）この項は、米軍のグアム戦争犯罪裁判記録であるNavy AGC Case File, Guam War Crimes Trial（米国の研究者から清水に直接送られてきた資料）に加えて以下を参照した。

Japan's Wartime Medical Atrocities: Comparative Inquiries in Science, Jing Bao Nie, Nanyan Guo, Mark Selden, Arthur Kleinman, published in 2010 by Routledge in USA and Canada.

岩川隆「海軍生体解剖事件」『現代』１９８２年２月号、３月号、４月号、講談社

岩川隆『孤島の土となるとも：ＢＣ級戦犯裁判』講談社、１９９５年

このほかの資料として、

林博史『ＢＣ級戦犯裁判』岩波書店、２００５年

東京裁判ハンドブック編集委員会編『東京裁判ハンドブック』青木書店、１９８９年

『ＢＣ級戦争犯罪裁判』17号、１９４７年

巣鴨法務委員会編『戦争裁判の実相』槇書房、１９８１年

Yuki Tanaka, Hidden Horrors, Japanese War Crimes in World War II, Roman & Littlefield, London, 2018

（5）この１９４４年は関東防疫給水部（７３１部隊）が人体実験の研究成果を発表して、多数の博士号取得者も出していた年である。

また１９４４年には、ラバウルの第24野戦防疫給水部の平野英之助軍医大尉らが、米国、オーストラリア、ニュージーランドの捕虜に、繰り返し生体実験を行っていたとの記録も残されている。人里離れた火山地域での実験で、具体的にどのような内容であったかは不明（Yuki Tanaka, Hidden Horrors, Japanese War Crimes in World War II, Roman & Littlefield, London, 2018)。

このラバウルからデュブロン島へ立ち寄った連合艦隊の軍医長がラバウルでの実験の情報を伝えていた。岩波浩もデュブロン島への就任（１９４３年８月）以前に、海軍病院の第２部長の地位にあり、生体実験の動向を知っていた。８月の部隊長会議については、岩川隆の『孤島の土となるとも』などの著作中に詳細が記されている。

（6）澄川参謀が責任逃れの供述をしたときの、連合艦隊

の「前任者」とは、古賀峰一連合艦隊司令長官と小林仁第4艦隊司令長官のことである。古賀峰一司令長官はトラック諸島への米軍の空爆を避けようと、2月10日に主要艦船を引き連れてパラオに移動。後に3月31日にパラオ発の航空機で飛行中に消息を絶つ。

小林仁司令長官は、空爆の責任を問われて更迭されたが、別件のウエーク島の民間人捕虜98名虐殺の上官として責任を問われ、グアム島からスガモプリズン（巣鴨拘置所）に送られ刑に服した。

（7）その他の参考文献
渡辺洋介「南方軍防疫給水部の研究状況について」『ＮＰＯ法人７３１部隊資料センター会報』第34号、２０２０年
常石敬一『医学者たちの組織犯罪』朝日文庫、１９９４年
大田昌克『７３１免責の系譜』日本評論社、１９９９年
加藤哲郎『７３１部隊と戦後日本』花伝社、２０１８年
西山勝夫「７３１部隊問題、克服への道」『ＮＰＯ法人７３１部隊資料センター会報』第28号、２０１９年

（8）日本各地の刑務所から集められた受刑者が、テニアン島、ウォッジェ環礁、トラック諸島に送られ、飛行場建設に従事した。ウォッジェ、テニアンでは「赤誠隊」、トラックでは「図南報国隊」と名づけられた。トラック諸島では青い囚人服に青い戦闘帽だったことから青隊と呼ばれた。

（9）「秋風」は、大正時代に三菱造船所で建造された古い駆逐艦であった。事件後も物資輸送の任をつづけたが、１９４３年8月2日に米軍の攻撃で大破。艦長の佐部鶴丸や幹部はこのとき死亡した。

（10）「米第8軍横浜裁判　大西新蔵・三川軍一の件に関するマイクロフィルム」国会図書館憲政資料室所蔵

（11）大西新蔵（元第8艦隊司令部参謀長・少佐）「戦犯裁判の実態」『海軍生活放談　日記と共に六十五年』原書房、１９７９年

（12）「南東方面艦隊機密第三二〇号　自昭和十八年三月一日　至昭和十八年三月三十一日　南東方面艦隊戦時日誌　戦闘詳報　第2作戦　南東方面艦隊司令部」防衛省防衛研究所所蔵

（13）「駆逐艦行動調書（秋風）」防衛省防衛研究所所蔵

（14）①「秋風」事件全体については、「秋風事件50周年特集」のポスト・クリー紙（パプアニューギニア日刊紙）、１９３３年4月7日号。
②Leo Scharmack, This Crowd Beats Us All, The Catholic Press Newspaper, 1957.
Theo Arts, The Martyrs of Papua New Guinea, University of Papua New Guinea, 1994（第二次世界大戦中に日本軍に殺された宣教師たちの記録）
③岡山政男さんの目撃証言と、岡山政規さんからの聞きとり。

④竹林一浩「父が目撃した『秋風事件』」『週刊金曜日』２０１９年の3月15日号の岡山政規さんの証言。

⑤ドイツの神言会ポール・ステファン司祭との秋風事件についてのメールのやりとり。

⑥横浜弁護士会「ＢＣ級戦犯横浜裁判の記録」『法廷の星条旗』日本評論社、２００４年

（15）Major EC Milliken NX 70429, Report on War Crimes on Balle Island, March10, 1946

（16）福山孝之さんは、海軍横須賀特別陸戦隊の隊長（軽機関銃陣地や砲台陣地の構築、飛行場の見回り責任者）としてソロモン諸島に派遣された。バラライ島事件を知り、部下の6名からも詳細を聞いて『ソロモン戦記』（図書出版社、１９８０年）に記された。

（17）「太平洋と戦争第1回 マーシャル諸島住民の日米戦争」『パシフィカ』１９９４年7月号

ケジョ・ビエン「〈インタビュー〉マーシャル諸島ミリ環礁 いまも残る日本軍の爆弾」『パシフィカ』１９９５年2月号

松井覚進「マーシャル諸島ミリ環礁 反乱と虐殺 生存者らが証言」『朝日新聞』１９９１年10月3日

『アジア太平洋戦争韓国人犠牲者補償請求事件・訴状』日本の戦後責任をハッキリさせる会、１９９２年

「植民地下のマーシャル諸島朝鮮人虐殺が明るみに」『東亜日報』２００６年10月26日（https://www.donga.com/jp/article/all/20061026/295827/1）

（18）「特集 南太平洋・忘れられた人びと」『パシフィカ』１９９６年9月号

ヤコバ（ジェイコブ）・カルターケ「〈インタビュー〉自分たちの足で立って歩かなくては」『パシフィカ』１９９７年9月号

名村晃一「南太平洋の小国キリバスの叫び」『毎日新聞』１９９７年8月29日

西野照太郎「オーシャン島の日本海軍」『太平洋学会誌』１９８６年7月号

山本哲正「最後の指揮官命令は島民の虐殺だった…元日本兵が書き残した敗戦直後のオーシャン島で起きたこと」『東京新聞』２０２２年10月13日（https://www.tokyo-np.co.jp/article/207808）

# 第8章

# 子どもたちから 水源郷を奪った伐採企業

## 日系三大伐採企業の時代〜 マレーシア企業リンブナン・ヒジャウ社の時代

《パプアニューギニア》

裸の大地で泣くマーロンと父。マーロン・クエリナドさんは、
本州製紙に奪われた「森の記憶」を墨一色の絵で描きつづけた

この章では子どもたちから水源郷を奪った伐採企業について、パプアニューギニアにおける実態を綴っていきたい。前半は日系三大伐採企業、後半はマレーシア企業を追った。同時に背後の不正義の構造についても言及した。データーを必要とする内容なので、それらを（補足）か（注）に記した。その部分を読んでいただけると、より深く理解できると思う。

## 段ボールになった「極楽鳥の森」——本州製紙（JANT社）

私が初めてマーロン・クエリナドさんに会ったのは1991年、マーロン31歳のときであった。彼はその星のような瞳で、私に語りつづけた。

「森にはクイラの樹がたくさんありました。極楽鳥がやってきて、高いところに巣をつくっていました。サイチョウ、鷺、コカトゥ、鳩も来て鳴いていました」

「泉には、極楽鳥が舞っていました」

「高い森の樹の蔦にぶらさがっては、誰が一番スイングできるだろうかと兄と競いあって遊びました。森の樹の上で鳥の呼び声のまねをすると、鳥たちが答えてくれていました」

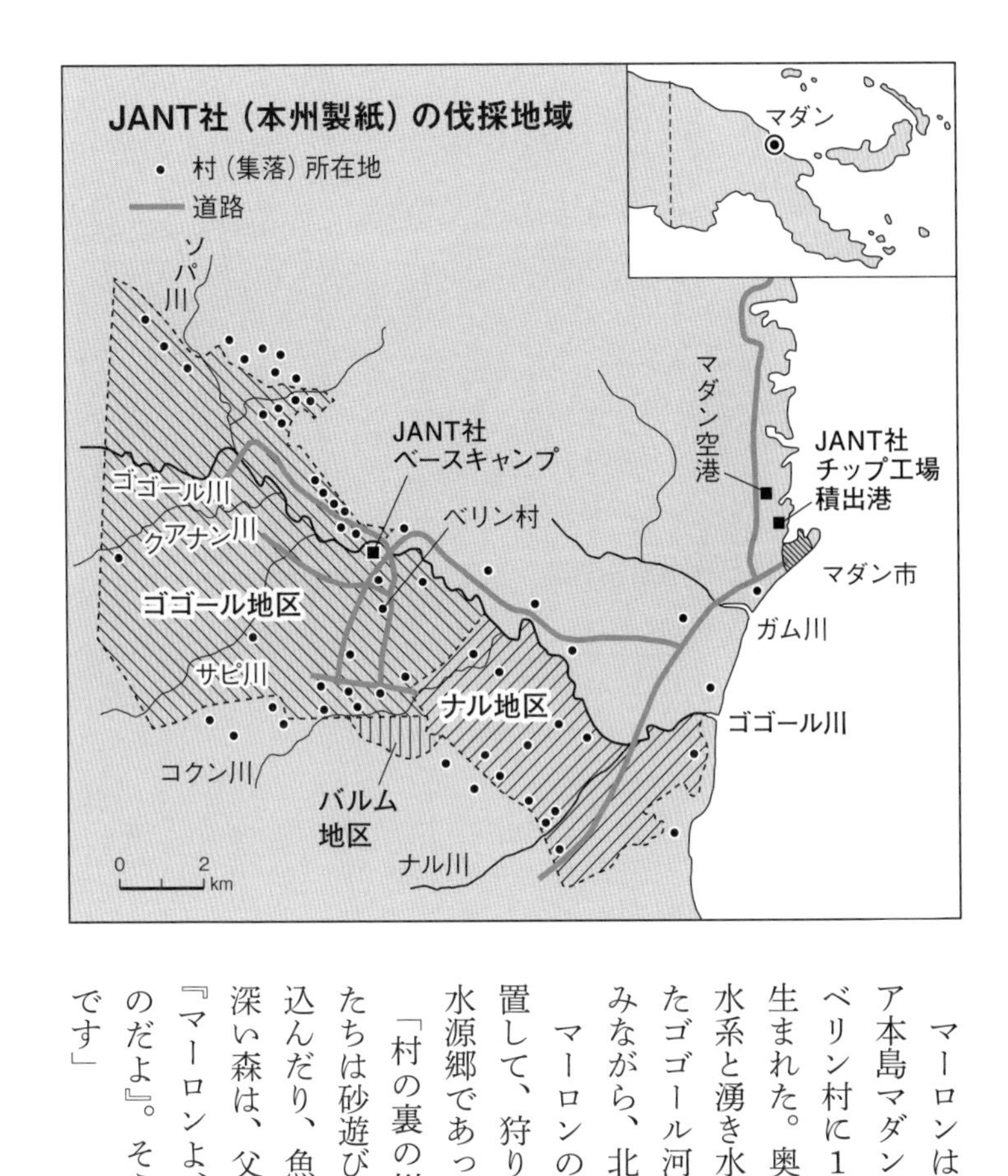


マーロンは、パプアニューギニア本島マダン州のゴゴール渓谷のベリン村に1960年6月25日に生まれた。奥地の森からの豊かな水系と湧き水、無数の流れを集めたゴゴール河は、肥沃な大地を育みながら、北岸に注いでいた。

マーロンの村は、その中央に位置して、狩りの森と川遊びと泉の水源郷であった。

「村の裏の川で母は洗い物、弟たちは砂遊び、兄と私は川に飛込んだり、魚を釣って遊びました。深い森は、父の狩りの場でした。『マーロンよ、狩りの勇者になるのだよ』。そう言われて育ったのです」

母さんの水汲み場「極楽鳥の舞う泉」（絵：マーロン・クエリナド）

「でも私が13歳のとき……、そのすべてが終わりました」

「日本のＪＡＮＴ社（本州製紙）が来て、見渡すかぎりの森を伐っていったのです。森は丸裸になって何マイルも何マイルも、ずっと遠くまで見渡せるようになりました。父と私は裸になった大地に座って泣きました」

ＪＡＮＴ社が以後、皆伐していく面積は、およそ東京都の３分の１に相当していったのである。

「その後の父と母の生涯は、悲惨なものとなりました。タロイモも、ヤムイモも育たない。狩りをする森もない。マラリア蚊だけが村を舞っています」。「弟たちは、伐られる前の森の暮らしのことを知りません」

「私の深い悲しみは、私が死んだら森の記憶が永遠に葬られてしまうことです」

川べりの思い出（絵：マーロン・クエリナド）

マーロンは、永遠に失われていった故郷の記憶を取り戻すかのように、「墨一色の絵」で故郷を描きつづける画家になっていた。

クンドゥ・ドラムの響きは、かつての祭りやシンシン（踊り）の熱狂する音色を奏でない。村から村へ響くのは、いまだかつてない音色。タロイモやヤムイモのない祭りのクンドゥの響き。鳥たちには呼びあって翔ぶ森がない。谷から谷へ響くのは、むなしい羽音。かつて聞いたこともない、草のざわめき……。

マーロンの目に涙が光っていた。

私は言った。「もし私が、あなたの『森の記憶』を本にするとしたら、あなたの絵を描き下ろしていただけますか」。

彼はその星のような瞳をさらに大きくして、うなずいた。

数ヶ月後、マーロンから、描き下ろしたば

原生林の川面に舞う鳥のたちの羽ばたきのような踊り（絵：マーロン・クエリナド）

かりの絵が包装されて送られてきた。包みを開きながら、私の目から涙がほとばしり出た。

「墨一色」での「森の記憶」の絵！　それは、マーロンしか描くことのできない絵であった。その絵からは、風の囁き、月夜の村人の会話、川べりの子どもたちの声、お母さんのつくる美味しいタロイモ料理の匂いが、祭りの踊りのリズムにのって、森を流れて、聞こえてくるようであった。

（補足）マーロン・クエリナドさんは、２０１３年11月にポートモレスビーでお会いしたときは健康そうだったが、２０１６年４月12日、心臓発作を起こして亡くなった。55歳だった。

## マーロンの森を伐った本州製紙

本州製紙（現地子会社ＪＡＮＴ社）は１９７３年から２００３年まで、その森を30年間にわたって皆伐し、年間17万立方メートル相当の膨大な量のチップを日本の釧路港に直送しつづけた。ゴゴール地区でのＪＡＮＴ社による皆伐面積は5万２２００ヘクタールにおよび、その「極楽鳥の森」は、日本の私たちの段ボールになったのである。[1]

本州製紙は当時、板紙分野での日本国内のトップメーカーであった。

## 「段ボールのあんこ（灰色の中芯）にしかならない」

１９９０年、私はＪＡＮＴ社の現地オフィスを訪れ、福士淳二ＪＡＮＴ社社長から話を聞くことにした。かなり長いインタビューであったが、そのなかでの次の言葉が忘れられない。

「この地域の森の木はダメな原料です。段ボールの『あんこ』（灰色の中芯）にしかならない。一刻も早く植え替えたい。『ユーカリ植林』にしたい！」

「段ボールのあんこ」という言葉に驚いた。段ボールの中芯、あのふにゃふにゃの灰色の部分のことをさしていた。しかも、「極楽鳥の森」の樹を「ダメな木」として伐って、一刻も早くユーカリ植林にしたいという。重い気持ちを抱えてオフィスから出てきた私を、地元のリーダーの女性が言った。

「靖子が拉致されるのではないかと思って心配していたわ」
「どうして!?」
「JANT社は、抵抗する村人を脅迫し、暴行したり拘束するからよ……」(2)

翌年の1991年は、JANT社がパプアニューギニア政府と契約を更新する時期にあたっていた。しかし「天然林を皆伐し製紙用チップにしつづけてきた世界に類をみない企業」として、すでに世界各地からの非難と、更新反対の同時デモが世界各地で起きるほどになっていた。

そのデモに呼応して、日本では本州製紙前で、現地からの住民も加わっての賑やかなデモがあった。

多くのメディアも来ていた。その群衆とメディアに対して、本州製紙はプレスリリースを出したのである。「当初は段ボール原紙として使用したが、現在では印刷用紙の原料として一部を配合しているにすぎない」。それを読んで私は愕然とした。

私に「段ボールの『あんこ』にしかならない」と言って、1年もたたないうちに、発言を変えていたからである。私はデモの主催者ではなかったが、本州製紙の私への眼差しをしっかりと感じた。

## 皆伐とユーカリ植林の繰り返しで劣化する大地と地下水

住民の抵抗と、外部からの反対を知りつつも、皆伐とユーカリ植林を繰り返すJANT社。ユーカリが大地の滋養と水分を奪い、その葉は大地の有機成分を殺していった。ブルドーザーによる凸凹(でこぼこ)の大地には、マラリア蚊が増加した。

しかも日本政府は、この本州製紙に対して、1984年以降、1億8000万円ものODA（開発投融資による植林事業）を投入し、その植林への支援を行ったのである。このODAを、本州製紙は契約更新に際しての切り札にしていく。

1995年は、地主たちによる最も激しい抵抗の年であった。労働者のストもあった。「JANT社は警察を使って、抵抗する村人を押さえ、牢(ろう)に入れたの。家に侵入しては家財道具を壊し、家畜を殺したのよ」、「私の家にも来たの」。JANT社に対して抵抗しつづけてきた女性教師が、その暴力沙汰を語るほどであった。[3]

1997年は、パプアニューギニア全土で数ヶ月も雨が降らないという大干ばつの真っただ中であった。私が訪問したなかでも、ここゴゴール渓谷は最も悲惨な大地となっていた。大地は干からび、村から村へ水を求めて彷徨(さまよ)う親子の姿があった。水が出そうな土地を掘っては、濁り水を飲んでいた家族もあった。「美味しいタロイモ料理をつくってくれた」とマーロンが語るあのお母さんは、実らないタロイモを見せては涙ぐんで、「指先の大きさにしかならないの」と私に訴えた。

2004年、さすがのパプアニューギニア政府も、ついにJANT社との契約の更新を拒否し、本州製紙（王子製紙）[4]は撤退した。30年間の凄まじい操業であった。

その後再訪したが、大地は丈の長い草で覆われ、ゴゴール河は濁り、畑の実りは乏しいままであった。あのマーロンの「極楽鳥の森」の泉も、「流れのない汚泥の水たまり」に化していた。「汲んでも腐ってしまうの」と、女たちは嘆く[5]。

## 企業群がユーカリ植林のための土地を探す理由とは

世界各地の企業群（伐採企業、製紙会社、商社）は、蟻が食べ物に群がるように、ユーカリ植林をする土地を求めて地球上を探し回っている。

企業が宣伝するように、「荒れ地にユーカリ植林をする」のでも、環境保全のためでもない。二酸化炭素（$CO_2$）削減のためというのはさらなるウソである。人々が住んでいる土地を囲い込んで、リースさせるか、追い出すかの方法がとられる。目的はあくまで商業利益である。

その目的とは、製紙原料調達が中心であるが、建材用と、昨今では発電用の木質ペレット（木質バイオマス燃料発電用）調達目的もこれに加わる。

しかも世界各地で、ユーカリ植林をさせてもらえる土地は、そんなにあるわけではない!! 世界各地で抵抗と反対が起こってきた。インドやタイ、オーストラリア、アフリカ、中南米での反

対もつづいている。(6)

## 水源郷を伐採し砒(ひ)素(そ)汚染して逃げ去った日商岩井（ステティンベイ・ランバー社）

### 水源郷マタネコ集落と子どもたち

赤道直下5度のニューブリテン島北岸にある日商岩井の丸太積み出し港（ブルマ港）では、その日も日本行きの船が巨大な丸太を積み込んでいた。その傍(かたわ)らの小さなブルマ村マタネコ集落では、マンゴーの木だけが静かな日陰をつくっていた。

丸太の上に腰掛けていると、私の手のなかにそっとマンゴーを置く小さな手があった。「喉(のど)が渇いているだろうから」と、マンゴーの木に登って実を差し出してくれた子どもたちだった。3歳から8歳ぐらいだろうか。つぶらな瞳が微笑(ほほえ)んでいる。

その優しさに感動した私は、この集落がたどってきた出来事を多くの人々に知らせたいという思いに駆られた。それはこの子どもたちから水源郷の暮らしを永遠に奪った巨大伐採企業、日商

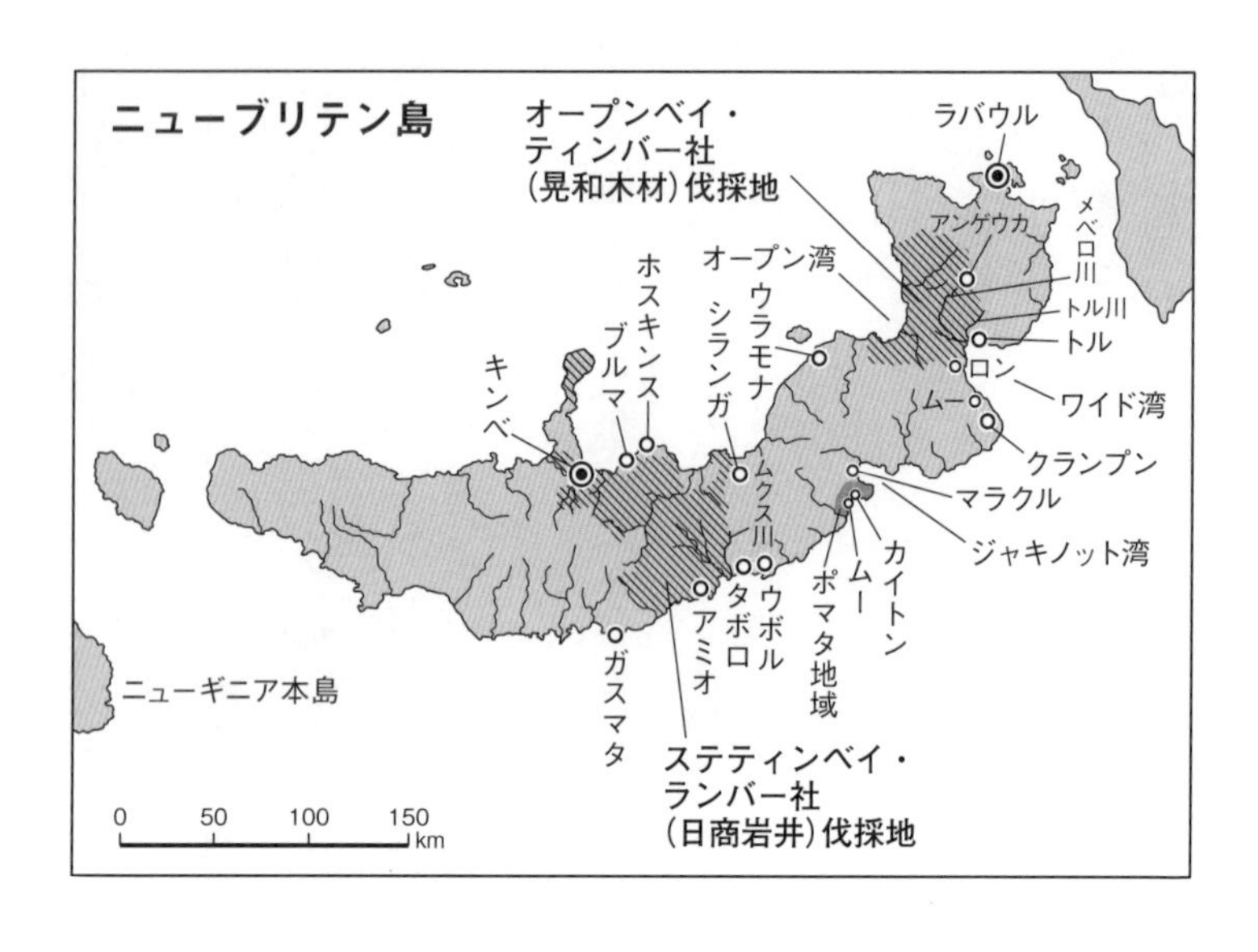


岩井についてであり、その会社がもたらした砒素汚染についてであった。

　マタネコ集落の「マタネコ」とは、「水の湧き出し口」という意味である。それはマタネコ集落が、ナカナイ山系の地下水系がほとばしり出てきた水源郷であったことを語る。「狩りの葦原、幾筋もの川と泉があふれ、海にはあらゆる魚、森を駆け巡る暮らしがあった」と古老たちは言う。

　しかし、1970年に日商岩井がやってきたことによって一変する。日商岩井は、子会社ステティンベイ・ランバー社を設立し、マタネコ集落の傍らを巨大な丸太積み出し港とし（写真8ページ）、塀で囲んだなかに、製材所とオフィスを据えた。以後本文中では日商岩井として綴っていく。

　この日商岩井に対して、日本政府は1979

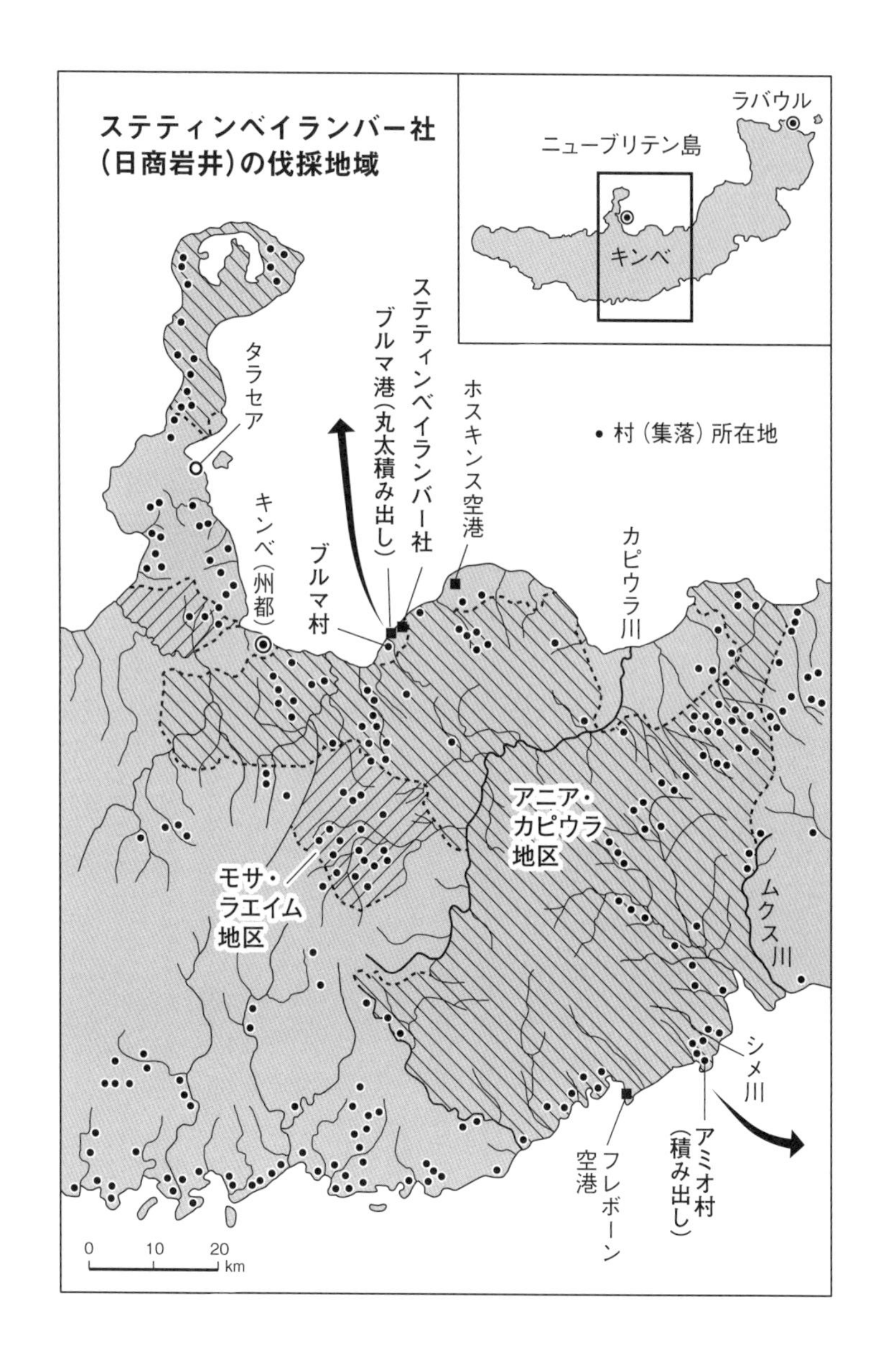
ステティンベイランバー社
(日商岩井)の伐採地域
ラバウル
ニューブリテン島
キンベ
タラセア
ステティンベイランバー社
ブルマ港(丸太積み出し)
ホスキンス空港
● 村(集落)所在地
キンベ(州都)
ブルマ村
カピウラ川
アニア・
カピウラ
地区
モサ・
ラエイム
地区
ムクス川
シメ川
アミオ村
(積み出し)
フレボーン
空港
0 10 20 km

東京湾に着いたパプアニューギニアからの丸太。
湾岸の合板工場に直送される（1994年）

年から1984年にかけて、「開発投融資」という名目で23億5000万円を投入し、道路建設、橋梁（きょうりょう）建設、ユーカリ植林を支援した。この道路と橋を通って、夜となく昼となく伐り出された丸太は港へ運ばれた。

それだけではない。日商岩井はこのODAを政府との交渉の切り札として、1989年に南北40万ヘクタール（山梨県ほどの面積）の原生林の一括伐採権を獲得したのであった（25年間にわたる年間28万立方メートルの伐採権）[7]。すべての交渉が土地所有者の頭越しに行われた。これによって同社の丸太輸出量は急増し、全パプアニューギニアからの丸太輸出量の11%をも占めるようになっていく。

## 南岸の積み出し港アミオ村へ

その山梨県ほどの広大な伐採地域の南岸での

日商岩井に壊されたアウム泉で水浴びするアミオ村の女たち

操業を調査するために、輸出開始後2年目の1991年、私たちはアミオ港にヘリコプターで飛んだ（同行は熱帯林保護法律家協会、ジャーナリストたち）。

眼下にナカナイ山系が展開する。ヘリコプターの音に驚いた真っ白いコカトゥ（写真5ページ）が、朝靄のなかから雪のように舞いあがってきた。それは生涯忘れることのできない溜め息が出るよう美しさであった。

しかしやがてブルドーザーで原生林を剥いだ道が、曲がりくねりながら見えてくる。機材がうごめいているのが見える。最後にシメ川を越えると、その先がアミオ村であった。

アミオ村に着いた日の午後、女たちといっしょに私も「アウム泉」で水浴びと水汲みをした。「深い泉であったのが、伐採道路をつくるときに壊されて、水は足首の深さまでしかなくなってしまった」と女たちは語る。底には、ぬるぬるの土砂が溜まっている。これから女たちの水汲みや水浴びはどうなるのだろう。

夕暮れのアミオ村では、子どもたちがラウラウの花の木の下で花鉄砲をつくって遊んでいた。ヤマブキの茎でつくった水鉄砲のように、ラウラウの細い枝の茎でつくっていた。はなたれ小僧も、ちびっ子もいた。楽しそうな顔が夕焼け色に染まっている。

ラウラウの花鉄砲で遊ぶアミオ村の子どもたち

そのなかに、トマシ君という名前のガキ大将がいた。彼に「アミオ村の歌があるの？」と聞くと、恥ずかしそうにうなずいた。

そして大きく羽を広げて鷲のように舞いながら、「マングローブの木の上に、鷲が巣をつくっているよ」という歌と踊りを披露してくれた。子どもたちもいっしょに舞ってくれた。

やがて満月が姿をあらわし、ラウラウの花は惜しげもなく、そのピンク色の花びらを、少年たちのうえにまき散らしていた。

夕食後、広場の一角に腰をおろしていると、村の長老

積み出されていくカロフィルムの巨大な丸太　日商岩井の埠頭で

とトマシ君が質問をしてきた。驚くほどの鋭い質問であった。「あの積み出し港からの丸太を、いったい日本のどこに積んでおくのか？」

「港に着いたら、すぐに工場に送られて合板になってね、建物のコンクリートを固める材や、家の材になるの」、「合板に都合のよい樹として、タウンやカロフィルムが狙われるのはそのためなの」。

それを聞いて2人は、私にその樹々が村人にとってどんなに大切な樹であるかを教えてくれた。「タウンの樹はね。とろけるような甘い実をならせて、鳥も人も大好きな樹だよ」。その幹は村の家の垂木(たるき)や、カヌーの櫂(かい)にもなる。そのネトネトの樹液は舟の目止めや、火傷(やけど)の手当や、悪霊から守る飲み薬になるという。「カロフィルムはカヌーの材料に使う。夜には小鳥たちのねぐらになる」、「クイラやマラスは、親から子の代まで保つ家の土台柱や橋になる」等々。

「でも、もう……アミオには、そんな樹はないのだよ」。2人は、言いがたい悲しみで私を見つめた。

## アントン・ソポさんの癒やし

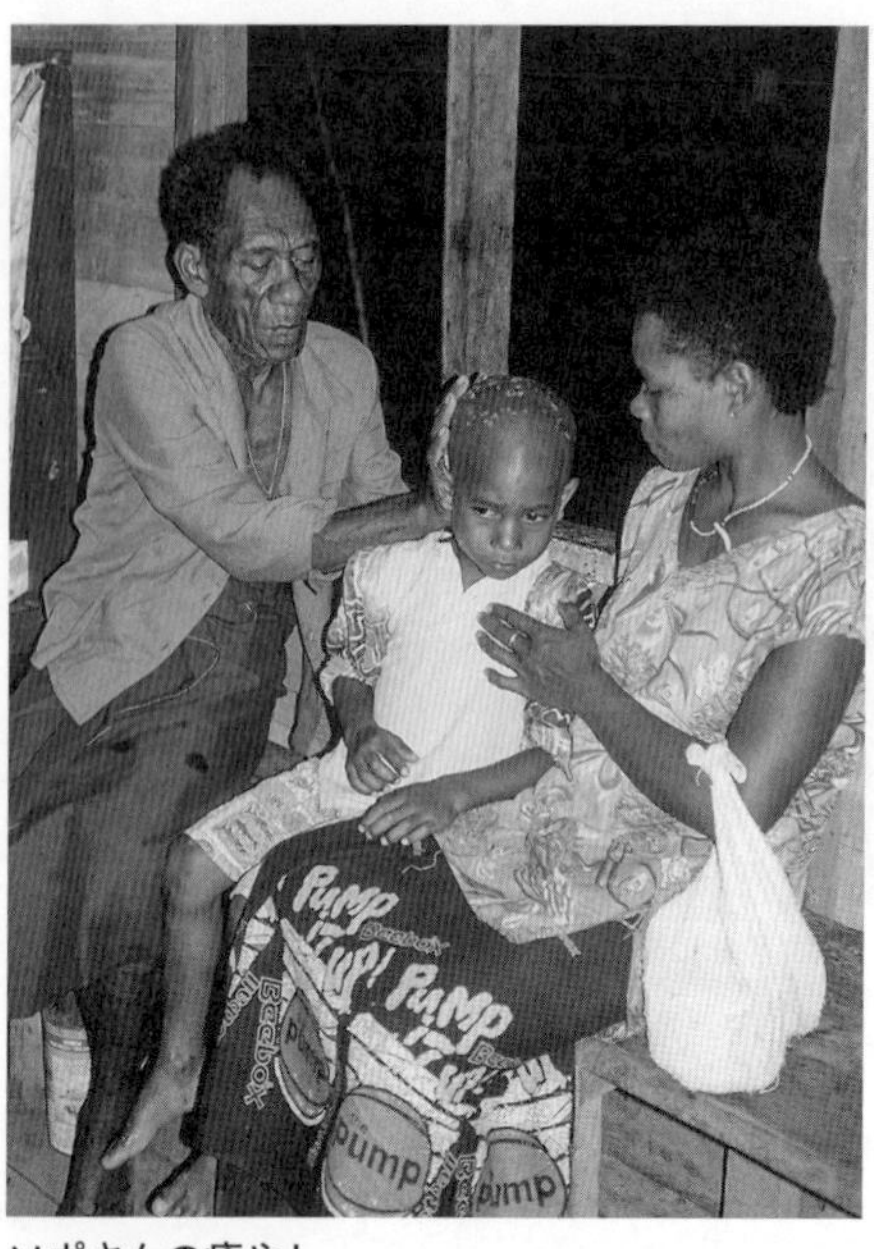

ソポさんの癒やし

長老の名はアントン・ソポさん。皆からパパと呼ばれ、尊敬されていた。ソポさんは人々を癒やすことで、有名な人でもあった。

ペンシルシダーの葉っぱを水に浸して、搾った汁を病人に飲ませたり、傷口に塗って、最後に患部に按手して病人を癒やす。遠くからボートに乗ってやってくる人もいるが、癒やされて、帰っていく。

そのソポさんを眺めながら、ある日、私もそっと願ってみた。「パパ、私も、手が痛いのですが」。

パパは、私の差し出した手を見て、

ソポさんとアミオ村の男たち

ふっと笑って言った。

「あんたタイプの打ち過ぎね！」。私は心底驚いてしまった。だって、村の長老がそんなことを言うなんて、しかもタイプの打ち過ぎだなんて……。どうしてわかったのだろう？

でも、ソポさんのおかげで、私の手は軽くなった。ウソのようなホントの話である。

日商岩井への抗議の中心には、いつも、ソポさんの優しくて静かな存在があった。港の無断使用、アウム泉の破壊、先祖の石の破壊、伐採権料の不払い……。村人は道路封鎖などの抗議をして、やっと伐採権料だけが払われた[8]。

港の無断使用に抗議して裁判に訴えたアミオ村に対して、日商岩井は「港の差し止めは会社にとって何千ドルの損失と国際的な名誉毀損！」として、差し止めを強制的に覆させた。

抗議をつづけるアミオの若者たちに、「反対すると首吊りだ」として日商岩井は警官20名を送り、アミオ港からの丸太の船積みを強行した。

アミオ村をなんどとなく訪れた私たち（法律家、新聞記者、ジャーナリストたち）は、日商岩井と交渉をし、また集会や紙上で日商岩井のやり方を日本の人々に公表した。

## ブルドーザー30台がアミオ村に上陸

1993年8月21日は、コマツのブルドーザー30台が戦車のように突如上陸してくる事件が起きた（写真9ページ）。

村人たちの猛烈な抗議で、最終的に日商岩井はブルドーザーを引き上げたのであったが……。

この事件の背後には、日商岩井と元森林大臣との密約があった。サラワクが丸太輸出禁止政策をとった時期で、バイヤーがパプアニューギニアに殺到し、日商岩井がこれぞ儲けのチャンスとして急遽ブルドーザーをアミオ村に送ったのであった。それにしても30台のブルドーザーが一気に伐採を強行するとなれば、どんな結果になっていたことであろうか。まさに「昔戦車、今ブルドーザー!!」という、侵略のシンボルのような出来事であった。[9] この1994年、パプアニューギニア全土からの丸太輸出は過去最大の量となった（291ページの「パプアニューギニアからの丸太輸出量推移」参照）。

## 日商岩井のユーカリ植林の最前線で見たものは

1992年の夏、灼熱（しゃくねつ）の太陽の下、私は森林省の役人の四輪駆動車で、凸凹の山道を駆け上がり、日商岩井のユーカリ植林の最前線に赴（おもむ）いた。広大なナカナイ山系北嶺（れい）の斜面であった。谷また谷、山という山、斜面という斜面が焼きつくされ、焼けただれ、匂いを放ち、燻（くすぶ）っていた。

原生林を伐った丸太は水分をたっぷり含み、ガソリンをかけないと焼けない。いたるところに焼きただれた丸太が転がり、遠くの谷でも、大きな煙があがっていた。（写真8ページ）

この信じがたいほどの凄（すさ）まじい光景こそが日商岩井のユーカリ植林の最前線であった。この一帯の土壌は軟弱性火山灰土壌で、土壌流出も激しい。

その裸の谷の一角に、請負仕事をしている労働者の寝泊まり小屋があった。彼の真っ赤に充血した目が火入れ現場の激しさを語っていた。小屋の入り口には、彼の妻と子ども2人が立っていた。

「火入れで谷まで干上がって水もない。飲み水など必要な水は、他の谷に汲みにいかないと得られないのです」。「カソワリ、大トカゲ、ワラビなど動物たちは、火入れで皆逃げた。何も残っていない」。「請負制度で分配すると2週間で10キナ（400円）の収入にしかならない」と話してくださった。

１万ヘクタールを焼失させた日商岩井のユーカリ植林地。炎に包まれて舞い上がったユーカリの樹皮や葉が砂漠化させた大地に落ちている（1998年）

後ろを振り返ってみると、これから作業に取りかかるという美しい原生林があった。

あの美しい原生林をわざわざ伐って、ガソリンまでぶっかけて、こんなにしてしまう。

「いったい植林って何なのだろう？」

同行していた環境保護団体の現地人も、ユーカリ植林をいいと思っていたこれまでの考えを改めたと語る。案内の森林省の人も、「僕はこの仕事が嫌だ！」と嘆く。

多くの人々は「植林」と聞くと「ああいいことをしているなあ」と感心し、「植林は地球環境にいいものだ」と思ってしまう。実態はその逆である。

声をかぎりに言いたい。「植林」を「救い主」という人は、まずは現場を見て発言してほしい。国際会議で「植林」をもてはやす人々も、新聞記事に「植林」を説く人々も、「植林」をよいと

いって収入を得ている学者も、人々に真実を伝えていない。その責任は大きい‼

## ユーカリ植林が火元になった

その5年後の1997～1998年に、パプアニューギニアの100万人の人が飢え渇いた大干ばつが起きた。私は1998年、救援もかねて各地を巡った。

ユーカリはその葉の油成分（シネオール）のため土壌の有機成分を殺すだけでなく、山火事を呼びやすい。この干ばつの年にも、日系三大伐採企業のユーカリ植林地は、それぞれ1万ヘクタールをも焼失していた。

ユーカリが火種となって山火事を起こし、二次林をも燃やし、風下への熱風となって村々への被害を広げていたのである。そうした村々には水も食べ物もなかった。

## 山火事をくいとめた原生林

驚くべきことに、このなかで山火事をくいとめ、水も食べ物も守っていたものがあった。それは原生林であった。原生林は燃えにくい。原生林が瑞々（みずみず）しいままに、干ばつに立ち向かい、火の前に立ちはだかり、村々を守っていた。それは奇跡のような風景であった。その村々には食べ物もほとばしる水も豊かにあった。

その調査報告もかねて、私は日商岩井の現地オフィスに行き、松山清社長に面会した。周囲の村では水がなく苦しんでいるなかで、そのオフィスには、深井戸から機械で汲みあげた冷たい水があった。

「日商岩井の伐採地では飲み水がなくて苦しんでいますが、その責任をどう負うのですか」

「干ばつといいますけれどね。これはトヨタなんかの自動車産業の出す$CO_2$（二酸化炭素）の結果ですよ。熱帯林伐採とは関係がありませんよ」。私は言葉を失ってしまった。

## 25年間にわたるマタネコ集落への砒素垂れ流し

この干ばつの1998年に、ブルマ村マタネコ集落でもうひとつの重大問題に出会う。日ごろ淀んで黄色い集落脇のクリーク（水路）が、このときはいっそう濃い黄褐色に染まっているのを見て「これはCCA（砒素・クロム・銅の製材防虫処理液）だ！」と断言した人がいたのである。パプアニューギニアとソロモン諸島の森を守る会（以下パプアの森を守る会）の建築家、辻垣正彦さんであった。

許可を得て製材所の塀のなかに入ってみると、土場に、ドクロマークのCCA入りドラム缶が、蓋が開いたまま放置されていた。土場のあちこちに薬剤漏れの跡が広がっていた。[10]

現場の労働者たちへの聞きとりを開始した。

「処理場からの液のあふれは道路やクリークや地下水を通って集落に流れていく」、「素足か草履、素手で操業している」と言う。彼らはその液が砒素であることを知らされないままに、防護服もなしで働かされていた[11]！

労働者の一人は、「薬剤処理した製材の上に座ると、お尻が焼けつくよう」と語った。彼は砒素の上に座っていたのだった。後に彼は皮膚癌で帰天された。親切な説明をしてくださった人であった。

放置されていたCCA入り（砒素・銅・クロム入り）ドラム缶（1998年）

クリーク出口の砒素汚染現場と子どもたち（2000年）

マタネコ集落の人々はどうだったのだろうか。

「ケミカルは、地下水を通って私たちの集落に浸み込み、汚染された水となって地上にあがってくるの」、「雨の日には工場からケミカルが直接流れてくる」、「手や足がシゲラップになる（痒くなる）」、「皮膚の潰瘍や糜爛状態」で早死にする人、不思議な死に方をする犬や豚が

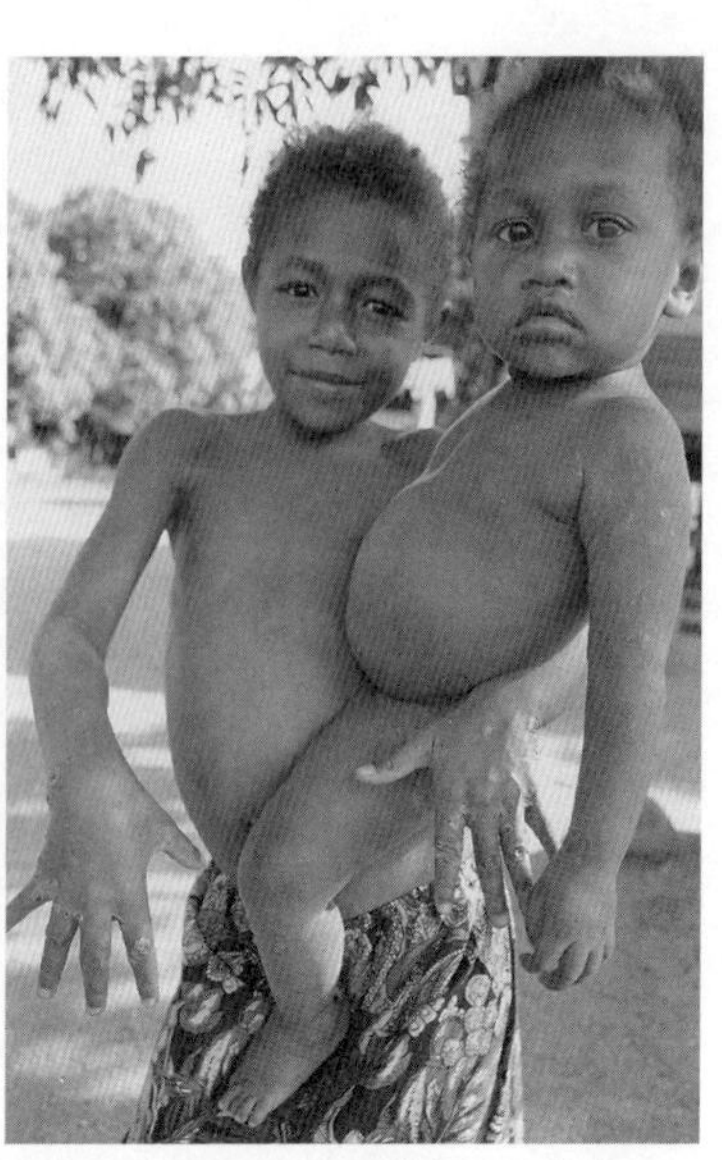
糜爛した手足の少女が病気の赤ちゃんを抱いている（2001年）

マタネコ集落であいついでいた。でも、村人たちもケミカルが砒素であることを知るよしもなかった。

集落の真ん中にある「マタナブブル泉」も砒素汚染されていたが、何も知らない村人は、そこで水浴をし、水汲みをしてきたのであった。

辻垣さんは建築家として、「ＣＣＡの使用も垂れ流しも、日本では許されてはいない。こんなことはあってはならない」と語る。

２０００年２月、私たちは現地ＮＧＯと現地検査機関との連携で水の採取調査を開始した。クリークから飲み水と環境の基準（０・01ｐｐｍ[12]）の１１０倍の高い砒素値１・10ｐｐｍが検出された。

11月に久しぶりに現場に赴いた私は仰天した。日商岩井は汚染物質をクリークの底に残したまま、汚染を見せないように埋め立ててしまっていた！

でも子どもたちが私たちに言った。「こっちに来て！」。

それはクリークが、再び姿を見せる波打ち際であった。その黄色の水を採取すると結果は、

4・84ppm(飲み水と環境の基準の484倍)の高砒素値となっていた。

翌2001年2月に子どもたちの優しい笑顔と再会する。この時期は雨期のため、砒素汚染されたクリークも地下水も地上にあふれて、集落全体が水浸しになっていた。皆が裸足でそのうえを歩いていた。手足の潰瘍と糜爛状態で、痒さと痛みで苦しんでいる子どもたちが多かった。(手足が糜爛状態であった少年の1人はその後に死んだ)

このときの調査で、高濃度の汚染が製材所から集落全域へと広がっている事実が確認された。[13] そのときは大田靖郎社長が案内して製材所を回ったが、製材量の増加で防虫処理量を増加させていて、廃液の流出量も増加していることがわかった。

すでに私たちは日商岩井本社にそれまでの調査結果をふまえた公開質問状を提出していた(2000年6月)。しかし長い間返事はこなかった。

そのあいだに私は、『週刊金曜日』誌上に「日商岩井が汚染したマタネコ・クリーク」と題する文章を投稿したところ、同誌に掲載された(2001年3月30日号、357号)。それを知って朝日新聞(5月18日)が報道し、さらには現地の二大紙がこの問題を報道した。

ついに現地の環境省も重い腰をあげ、抜き打ち検査に入った。現地の環境省の検出結果も、泉の水からの高い砒素値を検出し、日本側の私たちの調査結果を評価するものとなった。[14]

2001年8月、私たちはさらに、本格調査をアジア砒素ネットワークの科学者(横田漠氏、島村雅英氏、細田年晃氏)に依頼した。彼らは3週間にわたって、あらゆるスポットとあらゆる

深さからの水と土の採取を行った。その結果、「汚染源はスティンベイ・ランバー社のディップ・ディフュージョン処理場と加圧処理場である」ことを科学的に証明し、報告書の正式発表を行った。さらには、汚染除去と集落のマタナブブル泉にかわる水補給を企業が行うべきとの勧告を行った。[15]

（補足）日商岩井の25年以上にもわたる砒素・クロムの垂れ流しの結果として、マタネコ集落全域の地下水帯水層への砒素やクロムの蓄積が証明された。マタネコ集落への地下水の経路と、集落下の地下帯水層と軽石層に、砒素が高度に付着していること、地下水位が70センチ前後であるため、雨が降ると砒素が地下から集落にあふれてくること、防虫処理場からの地表を流れ下ってくる汚染も集落に入ることが判明した。

住民は、いわば長年汚染のうえに住み、汚染のうえを歩き、集落内にあるマタナブブル泉の汚染水で水浴し、これを飲料水としてきたのであった。

砒素専門調査島村雅英氏（右）が太田靖郎社長（左）に汚染経路を説明（2001年）

私たちは砒素汚染されたマタネコ集落の水路脇に、ついに松山清社長（本社から転任）を連れていった。彼はクリークに浮かぶ砒素の黄褐色を見て言ったのだ。「えっつ、これウンコではないの？」。あまりの無礼な発言に、村人の怒りは爆発した。

私たちは、すべてのデータを揃(そろ)えて、日商岩井が砒素汚染を認め、汚染除去を行うべきであると迫った。日商岩井側も、巨大コンサルタントに依頼して本格調査を実施するにいたった。その結果は興味深いものとなった。私たちの検査結果よりも、「さらに高い砒素値」を検出したのであった。

## 日商岩井は汚染除去せずに撤退

日商岩井も砒素汚染を認めざるを得なくなった。

調査結果のあらゆるデータを見て、日商岩井は汚染とその除去の必要性を認めた。しかし日商岩井は、汚染除去を約束しながら、当の松山清社長は２００３年に現地から姿を消してしまう。実は日商岩井の取締役会が、ステティンベイ・ランバー社の売却・撤退を決めていたのだった。[16]

日商岩井が撤退を考え始めたのは、砒素問題に加えて、奥地まですでに樹を伐りつくして操業の旨(うま)みもなくなっていた、というのが本音であった。私たちは日商岩井に砒素汚染の責任と汚染除去を要求しつづけた。

## 多国籍企業から多国籍企業へ　責任逃れとトップ・シークレット

日商岩井は、２００３年10月22日にＣＳボス・インターナショナル社（巨大伐採企業リンブナン・ヒジャウ社傘下の企業）にステティンベイ・ランバー社を売却し、日本に逃げ帰った。

初代所長のＬ・Ｋゴー氏が私に語ったのは、驚くべき内容であった。

「トップ・シークレット（極秘の密約）があった」ことである。契約のなかに、日商岩井がステティンベイ・ランバー社を安く売る代わりに、汚染除去はマレーシア企業が負うことを含めていたのだった!!

日商岩井は、密約まで結んで、汚染除去責任を押しつけ、逃げるように撤退していった。いまだかつて見たこともない無責任操業と撤退であった。

（補足）ＣＳボス・インターナショナル社も、巧みにもすぐに所長をかえた。次の所長チャールズ氏は、村人との面会を拒み、高い塀を巡らして、外部からのアプローチを遮断した。以後除染をしないまま今にいたる。

日商岩井の方はニチメンと合併し、双日ホールディングスとなり（２００３年～）、今度は丸太を買うバイヤー側に変身して、そしらぬ顔でパプアニューギニアに登場している。

## 日商岩井の「価格移転操作」

松山清氏がステティンベイ・ランバー社の社長であったときのことである。ある年、彼は私に会計報告書を見せて誇らしげに語ったことがある。

「ねっ、清水さん、この赤字会計報告書を見れば、ステティンベイ・ランバー社が、ずっと赤字経営であったことがわかるでしょう？」

しかし私は、松山氏をまっすぐ見つめて言った。「そんなに赤字なら、なぜ操業を続けてきたのですか？」。彼は答えることができず、笑ってごまかした。

実は、現地のステティンベイ・ランバー社が赤字であるほど、日商岩井の方は儲(もう)かるよう違法操作をつづけていたのだった。それが「価格移転操作」だった。日商岩井はすでに１９８９年に、「バーネット・レポート」によって、その価格移転操作を摘発され、脱税に対する追徴課税も支払わされていた。

## 不滅のバーネット・レポート

日本企業が丸太の50％から70％もの輸出をし、現地の木材産業を牛耳っていた１９８０年代の終わりに、パプアニューギニア政府は「木材産業に関する調査委員会」を発足させた（１９８７年４月）。その長に当時最高裁判所の判事であったトマス・バーネット氏を任命した。日商岩井、

出所：バーネット・リポート所収のパプアニューギニア森林省資料（1988年時点）より作成

晃和木材、住友林業、新旭川、外商、三菱商事ら伐採企業が呼び出され、調査のメスが入り、並みいる日系企業の不正が暴露された。

　1989年に完成した報告書は、日本企業の価格移転操作をはじめ、企業と政界の癒着を暴露するものとなった。世界に類をみない貴重なレポートとして、「不滅のバーネット・レポート」と呼ばれる。

（補足）時のウインティ首相のバックアップを得て開始された調査委員会で、伐採企業の現場にはヘリコプターで乗り込んで現場調査を重ね、森林省、大蔵省、国税局、各省の上級官僚たちの自発的協力も引き出した。日系企業も呼び出され、公聴会も開かれた。政界の大物や木材産業界からの妨害も多々あった。

ある夜、刃物を持った男たちに、バーネットは襲われ滅多斬りにされた。幸いに一命はとりとめたのであったが……。

## 価格移転操作とは

バーネット・レポートに記された価格移転操作とは、パプアニューギニアにおいては丸太の等級や数量などを低く虚偽申請して（つまり木材価格を低く申請して）、輸出税や法人税を低く抑え（つまり脱税）、一方、販売する段階では高く（通常の価格で）売り、その差額を懐に入れる（親会社の利益にしたり、租税回避地に置いて企業グループ共同の利益にしたり裏金として賄賂（わいろ）などに使う）というものだ。

## バーネットの来日

1991年3月に来日したバーネット氏は、各地でこの問題の講演を行った[17]。

「20ほどの会社の調査で、すべての企業が価格移転操作を行っていることが判明しました。パプアニューギニアで丸太の価格を低く申請して、実際には他の国で高く売って、差額で利益を得る方法です。企業は平均して1立方メートルあたり、1ドルから7ドルの価格移転操作を行って

日本の参議院外務委員会の傍聴席に
招かれたトマス・バーネットさん
（1991年３月26日）（中日新聞社提供）

いました。政府と森の地主から、年間平均１０００万米ドル（15億円）相当の利益が不法に騙（だま）し取られていたのです」

「日商岩井のステティンベイ・ランバー社は、丸太輸出にあたって、大規模・組織的・継続的な価格移転操作を行っていました。１９８５年から１９８７年の２年間に、３００万米ドル（４億５０００万円）以上の価格移転操作を行ってきました。それ以前にも大規模な価格移転の疑いがあります。１９８２年から１９８９年まで７年間には、正式な伐採権なしの伐採で年平均28万立方メートルの丸太輸出も行ってきました」

「１９６９年から１９８７年の18年間にステティンベイ・ランバー社が払った税金は、たったの１３３万８０００キナ（５３５２万円）にすぎない」とバーネット・レポート[18]は記している。

その後、ステティンベイ・ランバー社は、22万キナ（８８０万円相当）の追徴課税（１９９１年の時点）を支払ったという。

しかし、この追徴課税の額は、過去の膨大な価格移転に加えて、正式な伐採権なしの操業と丸太輸出という不正と比較するときに、あまりにもわずかな金額といわなければならない[19]。丸太輸出だけでもない。

この価格移転操作は現在もつづいている。パプアニューギニアからだけではない。多国籍企業による貿易の知られざる不正義の最たるものとして……[20]。

シメ川のほとりにて　アミオ村の若きリーダーたち
（右側が筆者、2015年）

**日商岩井撤退後のアミオ村**

2015年、奥地の原生林もアミオ村の「オウム泉」も回復してはいなかった。でもアミオ村の努力で、伐採権地域からは法律的に脱していた。もう伐採は許さないとして、森を守り、オルタナティブで生きる道を歩んでいた。若者たちが逞しく成長し、カカオ（ココア豆）の栽培と発酵で、アミオ村あげての共同作業を行い、共有のトラックに乗せ、北岸に売りに行っていた。北岸の仲間たちも宿を提供し、北と南とが助けあっていた。アミオ村の未来への大きな希望をみる思いがした。

## 晃和木材のオープンベイ・ティンバー社

見渡すかぎりの薄緑色のユーカリ植林地が、海岸沿いに延々とつづく。これが飛行機でオープンベイの上空を通るときに見える風景である。山の裾までも……。

偶然の成り行きで、オープンベイ・ティンバー社の宿舎に宿泊することになった1990年、オープンベイは、すでに見渡すかぎり薄緑色のユーカリ植林地になっていた。JICA（国際協力機構）の支援の道や橋がすでにできていた。隣接する村の女たちはユーカリの苗床づくりに追われていた。「私たちの森はもうなくなったの。動物もいなくなった」と語る。港では原生林の丸太が積まれていた。輸出用であった。

オープンベイ・ティンバー社は、1973年の当初の契約では、ベニヤ工場やチップ工場の建設が義務として含まれていたが、同社は履行していなかった。1981年当時、森林大臣側が契約の更新を渋っていたときに、パプアニューギニア駐在の日本大使が当時のルーカス・ワカ森林大臣と外務大臣にアプローチして、オープンベイ・ティンバー社をやめさせるならば、日本企業の投資もODAもやめにすると脅したという現地法律家の証言もある。

オープンベイ・ティンバー社の丸太積み出し港（1990年）

明らかに裏で何かが行われていた。そして1983年12月、オープンベイ・ティンバー社に伐採暫定許可が与えられ、操業が続けられることになった。1980年来のJICAによる6億7800万円の投融資（植林・道路・橋梁建設の支援ほか）が、伐採権更新の切り札となったのであった。

晃和木材はその後、さらに伐採地を拡大し、オープン湾とワイド湾の両方から丸太を輸出させるにいたった[21]（地図254ページ）。

1997年の大干ばつ時に、オープンベイ・ティンバー社もユーカリ植林を1万ヘクタール焼失した。その熱風は、風下のワイド湾沿いの村々を襲った。その後には、晃和木材の伐採機材の油と土砂が、下流の村々を汚染していた。晃和木材への伐採反対を貫いていたロン村（第1章に登場した村）への被害であった。

2007年、晃和木材は住友林業に吸収され、オープンベイ・ティンバー社は住友林業の傘下に入った（2015年にはその機能を住友林業の海外事業本部に移し晃和木材は解散。[22] バーネット・レポートが指摘した晃知木材の価格移転操作は注19）。

## 「40年間の操業で村にはなんの利益もなかった」

2017年1月14日に私は、かつての晃和木材の伐採地を、ワイド湾側からメベロ河沿いに北上して調査をすることにした。トラックで走る道沿いに森はもはやなく、ユーカリ植林の立ち枯れ（干ばつか火災か）が川沿いに広がっていた。荒涼とした風景が、どこまでもつづいていた。

上流での晃和木材の伐採がロン村の川を汚染した。水量も減った汚れた川で水浴びする母と子（2000年11月3日）

さらに北上すると、メベロ河の最上流の中央の山岳地域の分水嶺近くに出た。

晃和木材の伐採跡地。焼けたユーカリ林が川沿いに林立していた（2017年）

そのアンゲウカ村で、ゆっくりと話を聞いた。語ってくださったのは、チャールス・レスリーさん。15年間オープンベイ・ティンバー社で働いてきた人（サーベイヤー兼セクレタリー）である。村のベンチに座って家族や村人が私たちを取り囲む。

「40年間の操業で村にはなんの利益もなかった。天然林は伐られ、ユーカリ植林にされ、土地は痩せた。1971年から2004年のあいだ、地主の私たちへの伐採権料は、あまりにも少なかった。1人の人が全部族を代表して受けとって皆に分配したら、雀の涙ほどにしかならなかった。ワイド湾からこのアンゲウカ村側まで4部族が土地をもっているが、6ヶ月ごとの伐採権料で私が受けとったのは、多いときで12キナ（480円）。伐採権料を貰えない家族さえあった」と言う。

「ユーカリ植林地では除草剤・化学肥料・落ち葉成分からのオイルのために、土地は痩せてしまっている」と彼は強調する。また、「道路や橋の建設は伐採のためであって、それ以外の橋や道路は壊れても直しもしない。洪水で壊れても補修をしない」と言う。

「今天然林も伐っているのですか」と私。

「現在、天然林も伐っている。それを国内用に売っている。2004年の契約更新時に、オープンベイ・ティンバー社には天然林からの丸太輸出許可は出なかった。輸出は植林木からのみと限定された」

「ただし、現在オープンベイ・ティンバー社は新しい植林ブロックを拓くために、天然林を伐っている。植林木輸出だけといっても、植林地を更新しつつ、また植林のために、天然林を伐りつづけていることに変わりはない！」。これは貴重な証言であった。[23]

## ワニのいる水源郷と子どもたち

インタビューの最後に、村の暮らしを聞いてみた。

そのなかでワニの話が出てきた途端、大人たちの顔はほころび、笑いと賑わいの場と化した。

「この私たちの村の裏の谷底の川には大ワニがいるのですよ。子どもたちなんか呑み込んでしまうようなね。ところがある日、川で遊んでいる子どもたちの前に、そのワニがあらわれたってわけさ。子どもたちの話しによると、猛然とワニに向かって、スピア（魚を突く銛）で目や腹を刺し、石を投げつけ、棒で叩いて殺した。呼ばれて見にいった大人たちは、たまげたね。ワニが

**水源の谷で大ワニを仕留めた子どもたちの笑顔**（2017年）

あんまり大きかったからさ。村のところまで運び上げられないほどの大きさだったよ。そこで皮を剥いで肉を切って、河原でバーベキューをした。それでも余ったので、他の村人にも分けてあげたほどだったよ」

　話を聞いているうちに、子どもたちがそのワニ皮を担いできた。まだ幼さの残っている子どもたちではないか。この子たちが、こんな大きなワニを仕留めたとは……。

「勇敢だったのね!!」。客人たちにも言われて、はにかむかむ姿が、なんとも可愛(かわい)い。

　日本企業が森を奪ってしまった村の、行く末を担っていく子どもたちの勇敢さから希望をもらったようなひとときであった。

　ワニのいる水源郷の子どもたちよ。あなたたちのことは生涯忘れないよ……[24]。

## 日系三大伐採企業への日本政府のODA（政府開発援助）資料が黒塗りされた

実は、私たちの調査のもとになった日系三大伐採企業へのJICA開発協力事業『技術協力国別資料「パプアニューギニア」編』（JICA企画部地域第一課が1989年12月作成）の資料が、それまでは公開されていたのに、私たちが現地調査を行った後の1991年に、JICA（国際協力機構）図書館で黒塗りにされるという事件が起きた（1991年7月）。

いったいなぜ？　どこから来た圧力で黒塗りになったのか。さっそく担当者に問い合わせをすると、「融資額はあくまでも企業秘密に属することですので公表できません。パプアニューギニア編で融資額が発表されているのはミスでした」との答えが返ってきた。

1992年「地球環境凡人会議」で、私がこの「黒塗り事件」を公表したところ、話題になり、新聞にも載った。しかも、さらなる隠蔽がつづく。

1993年に今度は資料そのものが、JICAの図書館から消えてしまっていた!! 問い合わせると、「開発投融資による植林事業への援助が、『問題であることがわかった』ので、今はどこにも出していません」と言う。

JICAが不都合な内容を黒塗りする。ODAの内容を「企業秘密」として公表しない。国民の税金の使途を隠蔽する。

これはまるで戦前の箝口令の現代版ではないか？　その間にも、黒塗りされたODAに支えられた三大伐採企業は、そのODAを切り札として伐採権地域を拡大し、伐採権を更新していったのである[25]!!。

## 2000年代、マレーシア企業リンブナン・ヒジャウ社の時代

リンブナン・ヒジャウ社（略してRH社）は、巨大な財力と政治力、私兵をも駆使して、アジア、太平洋、アフリカ、ロシア、アラスカ、北欧の原生林の伐採をつづける世界最大の伐採企業である。パプアニューギニアでは日刊紙を発行し、不動産を買い占め、首都に高層ビルを建て、政府・省庁に圧倒的な影響力をもっている。日商岩井と並びパプアニューギニアからの最大丸太輸出企業であり、日商岩井撤退後は、丸太輸出量第1位を占める。

### ラーメンを振る舞うリンブナン・ヒジャウ社傘下の伐採企業のボス

2009年12月5日、ラバウルの火山の噴火があり、空の便はキャンセル。原生林のマラクル村からの帰りにラバウルへ向かう途中のジャキノット湾でのことであった。私は同行の飯出佐枝さんと、貨物船兼客船の出発を待っていた。汽笛が鳴るまで少し休もうと、埠頭横の休憩用ロッジに入る。

折しも、マレーシア人の太った大男が、仲間の男性2人に、自分が調理したラーメンを振る舞

**ラバウルの火山（ダブルブル火山）の爆発**
（2009年12月6日撮影）

っている最中であった。

私たちを見ると、「よっ、いっしょに食べるか」と言う。マレーシア流の振る舞いである。

「休むだけでいいのです」と、ぼそぼそと答える私。

「いっしょに食べようよ。遠慮せずに……」と彼。

あっというまに、手慣れた様子で熱々ラーメンを運んできた。

私は直感した。伐採企業のボスに違いない。

「どこかの村の伐採のお仕事だったのですか」と私。

「この湾の向こうの村さ」

「村で何を？」

彼は、意外にするりと答えた。私たちを、「旅疲れで、よれよれの、どこかのおばさん」と見ているようであった。

「伐採の契約さ」、「ムクス・トルの契約さ」。

ムクス・トルとは、ムクス川からトル川の間の土地を示す。（この章では、その一地域である「ポマタ地域」について後述する）。

「ふーん？」いくつかの応答………ラーメンをすすりながらの会話がつづく……。

「どうして契約をしたのですかね～」と私。

「金さ。金ほしささ」と彼。

奇遇であった。やがて汽笛の合図があり、私たちは同じ貨物船での一昼夜の船旅に入った。ラバウルに着くと、火山の爆発の灰が降ってきた。大地の神の怒りのような火山の爆発の轟音と灰が……。ボスたちは灰のなかを、黒塗り窓の車に乗って消えていった。

それは企業と政府が手をとりあって、最後の原生林を裸にする最悪の政策、SABL（スペシャル・アグリカルチャー・ビジネスリース）の幕開けでもあった。（2009年12月6日）。

## 森林大臣室と地球温暖化防止対策オフィスで

それに先立つ1ヶ月前、私は首都のポートモレスビーの森林省に、森林大臣のポール・カナウイ氏を訪問していた（2009年11月）。

さすが原生林大国、貴重なクイラの森の艶々した深い懐を思わせる木造の一室に招き入れられた。

「やあ久しぶりだね。お互いに長いつきあいだなあ。熱帯雨林を伐るなというあなたたちの国際運動のおかげで、パプアニューギニアも丸太輸出量が減ってきているよ。ストレートに森林伐採と言えなくなってきたのだよ!!」（1990年からのつきあいだから気楽だ）。

「えっ、そうなのですか」。嬉しいニュースではないか！と私は大いに微笑む。

パプアニューギニアの森林大臣ポール・カナウイ氏
(2009年９月１日)

「今年は前の年よりも40％も輸出量が減った。政府収入も減って困っているよ」と彼も笑う。（２９１ページのグラフからも２００９年の落ち込みがわかる）

お互いの立場の違いを知りつくしての私たち……ユーモアに満ちた会話の2時間であった。

彼は、地球温暖化防止キャンペーンを利用して「政府収入を増やしたい。ＣＯＰ（気候変動枠組み条約締約国会議）のもとで温室効果ガス削減方式として承認された途上国での森林減少・森林劣化の防止（ＲＥＤＤ[26]）と、その後加わった森林保全、森林の持続可能な経営などの活動（ＲＥＤＤプラス）の受け皿をつくればいい。それによって政府収入を増やし、森林伐採も植林もオイルパーム・プランテーションも可能にしていく」と熱心に語る。

すでに２００５年以来、ＣＯＰ会議の場でパプアニューギニア首相のマイケル・ソマレ氏が、ＲＥＤＤを削減方式として認めるよう発言を行っており、同首相の肝いりで、受け皿のＯＣＣ＆ＥＳ（気候変動と環境持続のためのオフィス）もできあがっていた。カナウイ氏は私にそのオフィスを訪問することを勧めてくださった。

カナウイ氏はつづける。

「今や、伐採というだけでは通用しないのだよ……。だから農業ビジネス（アグリカルチャー・ビジネス）とあわせての政策が必要となる」という。

それがSABL（スペシャル・アグリカルチャー・ビジネスリース）政策で、広大な原生林地域を企業にリースして、原生林を伐採して丸太輸出し、皆伐後の土地を農業化（オイルパーム・プランテーション化）していくという政策であった。

カナウイ氏が熱心に語る姿には、かつて彼が森林省の末端の職員であったころの人なつっこさとユーモアが残されていたが、大臣の椅子に座るものとして大きな変貌をとげていた。

森林大臣室の階段下の会議室には、その日もリンブナン・ヒジャウ社が出入りしていた。同社と政府が手に手をとってのSABL政策の準備の場であった。

森林省を出て、ソマレ首相によって鳴り物入りで設立されたオフィスOCC&ESを、その足で訪れた。

首都の目抜き通りにあり、入り口の警備も厳重な別世界。ピカピカのホテルのような、冷房完備のオフィスであった。これで温暖化防止？と思ってしまう。折しも停電でエアコンは切れていた。役人たちは、そそくさと退去していたが、アポイント相手は、そのうだるような暑さのなかで私を待っていてくださった。農業省からの出向だという。その役人は嘆く。

「このオフィスには巨額の金が流れ込んでいて、腐敗を生じている。こんな巨大な建物は意味がない。せめて私は小さい村々での農業が大切にされていく道を助けたい」

すでに初代所長のテオドール・ヤサウエ博士も、そもそもの推進者ソマレ首相も、流れ込んできた金の流用で職を追われていた。翌年には、このオフィスそのものも閉鎖された。REDDプロジェクトのパイロット国でもあるパプアニューギニアが、早々に腐敗まみれになってしまったことは興味深い。

## SABLという最悪の政策

SABL政策は2010年から始まった。では、どのように実行されていったのか。

伐採企業は、「仲介人」を通して極秘のうちに土地台帳を偽造させ、一握りの「自称地主代表」にアプローチして台帳と契約書にサインをさせる。その偽造書類を政府の土地省、環境保全省、森林省に提出する。役人たちは、さっと目を通すだけで、伐採権と皆伐権と土地リース権を伐採企業に発行する。この過程が秘密裡に行われるため、他の慣習的土地所有者たちは、蚊帳の外に置かれたまま知ることもない。一般の地主たちが気づくころには、伐採機材を満載した箱船が村に横づけされ、森を貫く道路がつくられ、丸太が伐り出される。そして皆伐された大地は、オイルパーム・プランテーションへと変えられていった。

この政策によって、残された最後の原生林の520万ヘクタール（九州より一回り広い面積）、国土の11％が囲い込まれ、土地は99年間、一方的にリースされることになった。そしてその伐採

## パプアニューギニアからの丸太輸出量推移

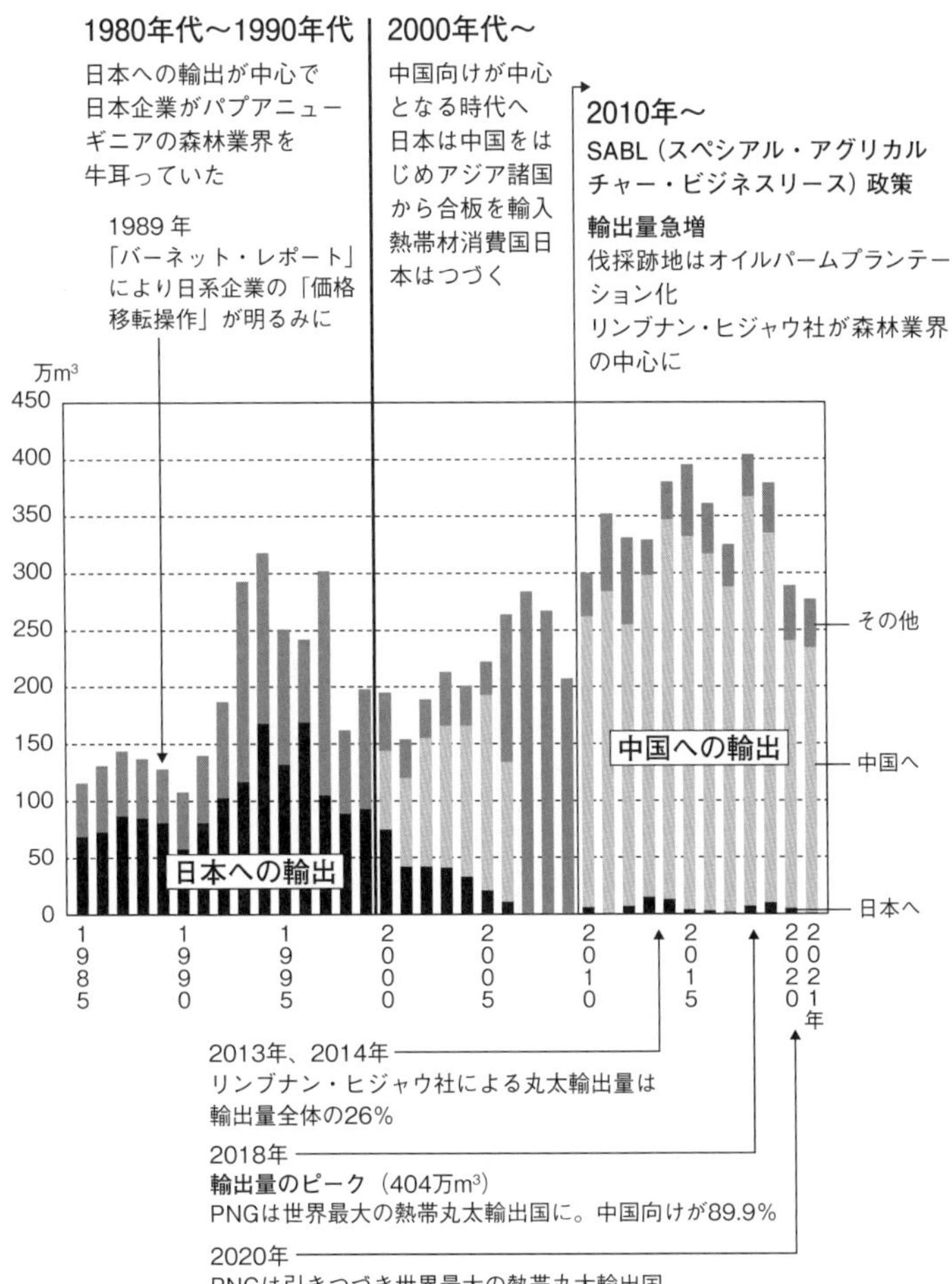


輸出量（数値）の出所：パプアニューギニア森林省の統計『Timber Digest』
2007〜2009年は国別の輸出量の記載なし
1999年までの中国への輸出量は不明

権・皆伐権・土地リース権をほぼ独占的に手中にしていったのが、リンブナン・ヒジャウ社（RH社）とその下請け子会社群であった。

ＳＡＢＬ政策は、パプアニューギニア史上最悪の政策となり、丸太輸出量は過去最高となっていった（前ページのグラフ参照）。

## ナカナイ山系南岸「ポマタ地域」への箱船機材上陸

その一端が、ジャキノット湾西方の岬を越えた「ポマタ地域」で起こった。

２０１０年11月４日、ラバウルからジャキノット湾行きの飛行機内でのことであった。機内はすでに満席。私たちパプアの森を守る会の面々は助手席に座らされた。機内を見渡すと、伐採企業、役人、企業の手先となっている著名な仲介人のポール・パロスエロ（第９章でも登場）、並みいる「伐採マフィア」たちでいっぱいであった。機内は不思議な沈黙と緊張。誰も一言も発しない。私たちが同乗しているから気をつけるようにとの、「指令」があったのか？　ジャキノット湾に到着すると、彼らはそそくさと、お決まりの黒塗りの車に乗って消えた。私たちはマラクル村へ。11月10日の帰りの便も同様の一行といっしょであった。同じ沈黙。

ラバウルにはリンブナン・ヒジャウ社の現地社長までもが送迎に来ていたことを後で聞く。この極秘行こそは、パプアの森を守る会の私たちに知られてはならない壮絶な伐採執行の旅であったのだ。

伐採機材を満載した「海に浮かぶ工場」ともいえる箱船
(ポマタ地域に移動する前の2010年11月13日にコリンウッド湾で)

バイラマン川沿いの原生林から伐採ブルドーザーを素手で追い出した子どもたちと若者。拘束されてラバウルに移送される途中(2013年11月8日)

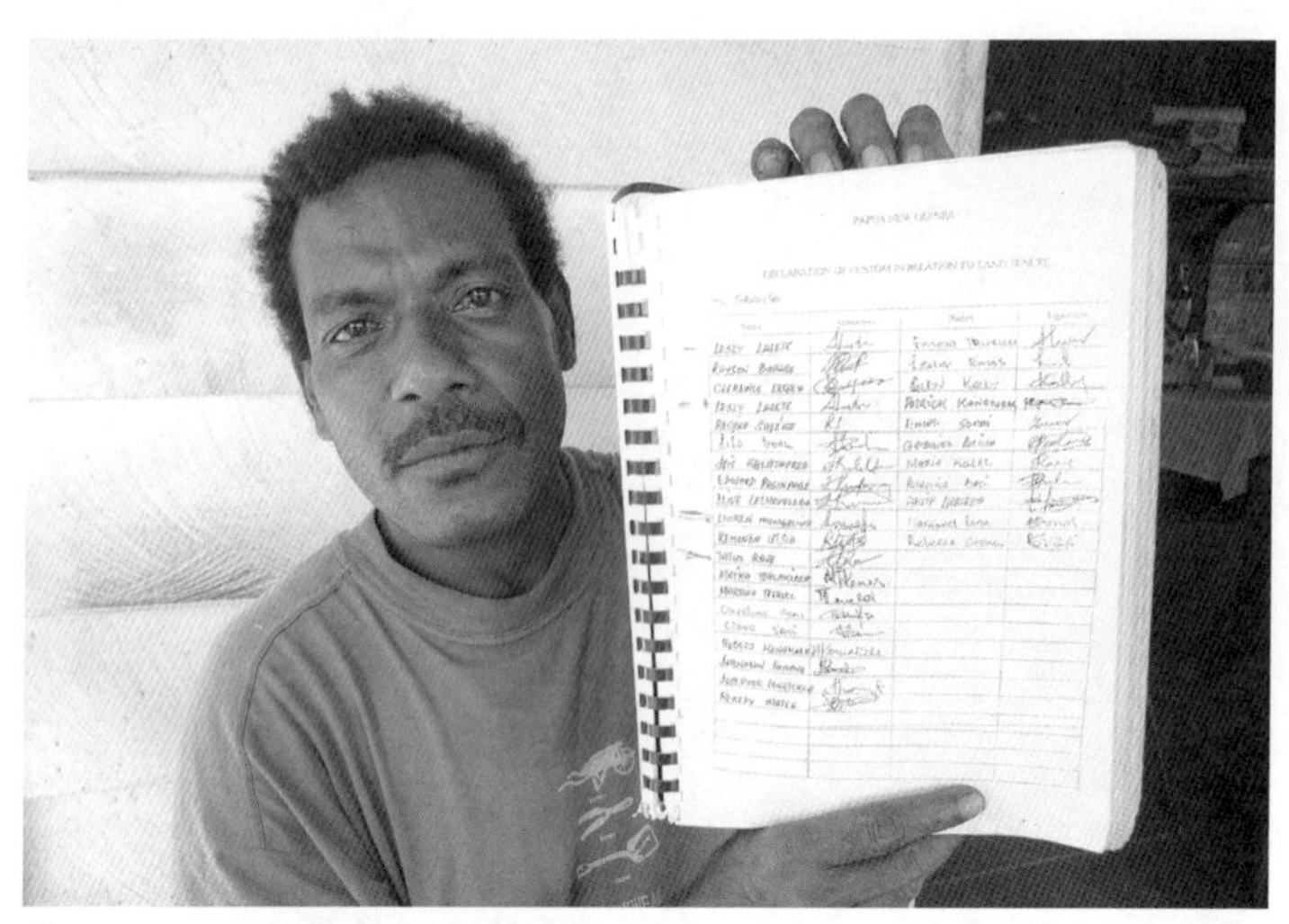

偽造された土地台帳を見せるポール・パボロさん。「生まれる前の子どもの名前や、死んだ人の名前までが誰かによって書き込まれていた」と語る（2012年10月26日）

11月15日、リンブナン・ヒジャウ社傘下のギルフォード社は、伐採機材を満載した箱船をジャキノット湾西岸の岬を越えたポマタ地域の岸辺に侵入させた。驚いたムー村、カイトン村、その他の村人たちは、小舟とカヌーを繰り出し抵抗をしたが、ギルフォード社は、抵抗する者へ暴力を振るいながら、機材を上陸させ、ブルドーザーを進めた。その後も、抵抗する村人への暴力は激しさを増していった。

ナカナイ山系南岸の美しかった水源郷、ポマタ地域の4万5000ヘクタール（450平方キロメートル）は、こうして伐られ、ギルフォード社は過去最大の丸太輸出を強行していった。[27]

2013年にちょうど私が居合わせた

ときにも、ギルフォード社はブルドーザーを素手でとめようとした子どもたちを拘束、彼らがラバウルの裁判所に連行される現場に出会うことになった。

こうした老人から子どもにいたるまでの非暴力の抵抗の中心に、ムー村のポール・パボロさん（1972年生まれ）がいた。彼の弟はラバウルまで後ろ手に縛られて連行され、63日間とめ置かれたほど、彼の家族に対するギルフォード社からの仕打ちは激しかった。「誰も私たちを助けてくれなかった」と彼は私の面前で泣いた。

あらゆる圧力にもめげずに、ポールさんは、伐採契約の不正を訴え、その裁判をキンベ裁判所で起こした（2011年から）。そしてその裁判を通して、偽造された土地台帳と契約書類があることを初めて知った。その土地台帳には生まれる前の子どもの名前や、死んだ人の名前さえ書かれていたのであった。(28)

## 契約をした自称地主代表2人へのインタビュー

いったいどのような人物が契約にサインをしたのか？　村人たちは私を、その「自称地主代表者」のいる村へ連れていった。伐採地独特の砂漠化の暑さのなかを歩いた。一人は海沿いの人物で、もう一人は、伐採道路沿いの村の人であった（2012年10月）。

2人ともそれぞれ、踏ん反り返って村人を侍（はべ）らせながら語った。彼らは、「契約が何をもたらすのか、わからなかった」、「契約書の内容も見ていなかった」のだった。伐採のもたらす悲惨な結果を想像すらしていなかった。じゃあなぜ契約をしたのか。

「伐採権料がほしかった」、「道路とトタン屋根のパーマネントハウスと、雨水を溜めるタンクと、診療所と学校の教室などがほしかった」と語る。

「受けとった伐採権料は？」と聞くと、ジェームズさんは得意げに、「伐採後7000立方メートルの積み出しでは、5万キナ（20万円相当）を貰った。金は企業が私の口座に入れてくれる」と得意げに語った。気の毒ではあったが、私は本当のことを言う必要があると思った。企業のあまりにも不正なやり方を村人たちにも知らせるために……。

契約をした「自称地主代表」のジェームズ・ルトゥカウさん（2012年10月25日）

「この2年間だけでも、あなたたちの森から15万本相当（47万立方メートル）の樹が伐られて運び出していったのよ。でも伐採企業は、価格移転操作というやり方で、あなたたちには雀の涙の伐採権料か、あるいはほとんど払わないのよ」。皆がショックを受けていた。

むなしかった。自称「地主代表者」の、何が何やらわからない契約だけで、子どもたちの未来を支えるほどの水源郷と原生林が永遠に消えたのだから……[29]。

このSABL政策に対して慣習的土地所有者による各地での抵抗と裁判がただちに起き、今にいたっている。2017年には、ポマタ地域からポール・パボロさんが来日し、この問題を訴えた。

日本は1980年代から20年以上にわたって、パプアニューギニアの原生林からの丸太を輸入しつづけ、その森を消してきた最大の国である。その後、2000年代に入ると、パプアニューギニアからの丸太輸出は中国向けが中心になっていくが、日本の熱帯材消費は変わっていない。丸太輸入に代わり、中国やベトナムやマレーシアで製造された合板や構造材を輸入し、大量消費をつづけてきたからである。

戦後から2021年に至るまで、日本は熱帯材（丸太であるか合板や構造材であるかを問わず）輸入世界1位の国でありつづけてきた。その輸入の陰で、バーネット・レポートにあるような不正と虚偽が日本の企

朝日新聞　2017年7月8日　朝刊　2ページ　東京本社

ひと

熱帯林の保護を建材消費国で訴える

ポール・パボロ（Paul Pavol）さん（44）

東京五輪を控えた都心で相次ぐ高層ビル建設が、母国パプアニューギニアでの熱帯原生林の伐採につながって見えた。切り出された原木は主に合板に加工され、ビルの建設現場で使われるからだ。

「快適さの追求のために、熱帯の森が奪われる実態を知って」。民間団体の招きで初来日し、大学などを回った。

ニューギニア本島で自動車部品の配送をしていたが、病で故郷の島に戻った。そこに現れたのがマレーシア系の伐採企業だった。

企業側は地元の有力者と組み、99年間の土地の賃貸契約を地主と結んだことになっていた。ところが台帳を調べて偽造がわかった。「99%の地主名が虚偽で、生後1カ月の乳児の署名もあった」

先頭に立って抵抗した。3年前に裁判で「一時操業停止」を勝ち取ったが、実際に伐採が止まったのは昨年秋のこと。すでに6年で約40万本が切り出されていた。

故郷の森を守っても、国全体の原木の輸出は減らない。主な輸出先は日本から中国に代わったが、加工品の大消費地は日本だ。

1男6女の父。5月に生まれた超未熟児の双子の画像を、携帯電話に保存して持ち歩く。

違法伐採は後を絶たず、温暖化を防ぐ国際社会の取り組みも鈍い。「森は命の源。消費地の次世代が環境を考えて暮らすことが、私らの希望になる」

文・山浦正敬　写真・相場郁朗

熱帯林の保護を訴えに来日したポール・パボロさん
（『朝日新聞』2017年7月8日）

業によって行われてきた。

相手国の森を消しながら自国を潤すという私たちの日本の暮らしを、コロナ禍にある今こそ、自国の材による建築に転換する絶好のチャンスではないだろうか。その転換によって、地元の杉や檜（ヒノキ）などの材と伝統工芸を大切にする地産地消の暮らしを取り戻し、さらには地元経済の回復へとつなげることができる。

（1）伐採権獲得地域は、ほかにナル地区1万5800ヘクタール、バルム地区9500ヘクタールであった。
（2）JANT社の契約は、植民地政府時代に結ばれたTRP方式という契約で、慣習的土地所有者の頭越しに政府と企業間で結んだ一方的な契約であった。しかも、伐採権料も植林のための土地リース代も安かった。村人が抗議の声をあげつづけるのは当然であった。
例をあげると、マーロンの父の土地への皆伐料は、3年間でたったの1500キナ（1キナを40円とすると6万円）。植林のための土地リース代は、20年間で300キナ（1万2000円）にすぎなかった。
（3）1995年、JANT社に伐採権の一時延長許可を与えるかの採決（国家森林評議会）において、NGO代表のブライヤン・ブラントン弁護士が反対票を投じた。他の政府省庁代表と木材産業協会代表は賛成票を投じ、一応契約は更新される。この審議後の席で「JANT社の社長がブライヤン弁護士に罵倒をあびせた」ことをブライヤンさんは私に証言する。
JANT社が国家森林評議会の法律家に対してさえ、反対するものに対しいかに威嚇的であったかを語る事例である。
（4）本州製紙は1996年10月に新王子製紙と合併し、王子製紙（現王子ホールディングス）となった。
（5）以下にも詳細を記した。
清水靖子『日本が消したパプアニューギニアの森』明石書店、1998年
マーロン・クエリナド・清水靖子共著『森の暮らしの記憶』自由国民社、1994年（マーロンの英語詩と日本語）。
宮内泰介・清水靖子「開発協力という名の熱帯雨林

伐採」『検証ニッポンのODA』コモンズ社、1992年、ODA調査研究会共著

（6）清水靖子「環境援助という収奪――タイとパプアニューギニアからの現地報告」『技術と人間』1992年6月号

（7）慣習的土地所有者の頭越しに政府と日商岩井が結んだ契約（TRP方式）であったので、JANT社の場合と同じく、村々からの抵抗を押さえながらの伐採となった。しかも当初は政府からの正式な伐採権を得ない不法伐採を1989年まで続けたのであった。

（8）「伐採権料は1年後にたった9400キナ（1キナを40円とすると、37万6000円相当）」であったとソポさんは言う。アミオ村全員で分けあったら、子どもたちの腰巻き代にしかならなかった。泉の破壊などへの補償はなかった。

ソポさんは、そもそも自分が日商岩井の南岸伐採権獲得をとめることができなかったことを長老として嘆きつづけ、その数年後に帰天した。

（9）その後も、現地での警官派遣や、ブルドーザー問題、破壊の補償等で、私たちは日商岩井本社に行き、話し合いのときをもった。当時の木材本部長は、後日ステティンベイ・ランバー社の社長となる松山清氏であったが、警察官への飛行機代や手配などを認めた。しかし「警察官は自分で判断して行動した」と言い訳を並べたてた。そう答える松山清氏の声が震えていたのが印象的であった。現地本社の敷地の角に警察の駐在所を設け、ことあるごとに使っていたのであった。

（10）銅は青緑色、クロムは黄色、砒素は無色だが土壌の鉄分などと結合すると黄褐色を呈する。

（11）日商岩井は1976年から25年間、製材の防虫処理を行っていた。加圧釜で製材を「加圧防虫処理」をする方法と、コンクリートのプールに製材を浸して処理する「ディップ・ディフュージョン処理」の両方が行われていた。そのうちの「加圧防虫処理」釜は壊れて廃液が、大泉と呼ばれる場所を経由して直接集落に流れていた。

（12）日本とWHO（世界保健機関）の飲み水・環境基準は0・01ppm。

（13）アジア砒素ネットワークのベテラン、濱部和宏氏が豪雨のなかで採取にあたり、高濃度の汚染が広範囲に広がっている事実が確認された。特に集落の真ん中にある「マタナブブル泉」の泥からは、262ppm（泉に溶け出すと飲み水基準の100倍）が検出された。泉の水からは2・18ppm（飲み水基準の218倍）が検出された。集落の人々にとって唯一の水汲み場、水浴び場であった。

（14）2001年7月、日商岩井は、やっと防虫処理場の操業を一時停止した。長年ステティンベイ・ランバー社の社長であった太田靖郎氏は、「伐採と丸太輸出に集中していて、防虫処理に注意を払う余地はありませんでした」と言い訳を述べた。

（15）「ディップ・ディフュージョン処理場と加圧処理場

から漏洩した砒素・クロム・銅などの汚染物質は地下に浸透し、一部は土壌に吸着され、一部は地下水に溶出し、その流れに乗ってマタネコ集落全域を汚染した」と報告書は記す。（横田漠、島村雅英、細田年晃「パプアニューギニア―ニューブリテン島におけるステティンベイ・ランバー社製材所周辺およびマタネコ集落の砒素・銅・クロム汚染調査報告書」２００２年４月26日）。

(16) 松山氏が姿を消した後の、日商岩井の砒素問題取り扱い窓口の伊藤孝利氏の私たちへの言葉は以下であった（２００３年８月22日）

「ステティンベイ・ランバー社は今たたき売りの状態。朝日新聞の記事以来、ステティンベイ・ランバー社の価値が下げられた。ニチメンとの合併にあたり、日商岩井の取締役会からステティンベイ・ランバー社を売却する方針がすでに１９９９年に出ている。４年間かけてまだ売れない。現地のＣＳボス・インターナショナル社との交渉途中にある」と。

(17) トマス・バーネットは日本各地で講演したほか、

１９９１年３月26日、この問題を審議した堂本暁子議員に招かれ、参議院外務委員会を傍聴した。

(18) バーネット・レポートの原文名称は、Commission of Inquiry into Aspect of the Forest Industry, Final Report, Vol. 1, 1989

(19) バーネット・レポートが明らかにしたその他伐採企業の調査結果を抜き出すと、

・オープンベイ・ティンバー社（晃和木材）：丸太は親会社の晃和木材に独占的に安く販売され、晃和木材はこれらを再販売して利益を得ていた。大規模・計画的な丸太の等級引き下げを行って価格移転操作を行っていた事実を明らかに示していた。

・新旭川：20～10％の上積み価格移転。

・三菱商事とユナイテッド・ティンバー社：ユナイテッド・ティンバー社は１９８６年に30万米ドルもの不正な丸太価格の引き下げを香港経由で大規模・計画的に行っていた。２年間に１５０万米ドルの価格移転操作を認め、追徴課税１１０万キナ（４４００万円）を支払った。三菱商事からの資金援助が過少申告の見返りであった。

・外商ニューギニア（外商の子会社）：長年の大規模価格移転操作（後に問題を起こして撤退させられた）。

・住友林業：取引先の積み荷の丸太価格をごまかし操作。特に高品質の木材の等級引き下げを行っていて、本社がそれを指示した指令メモもレポートで公表された。

(20) 日商岩井については、以下の著に詳細を書いた。

清水靖子「日商岩井が汚染したマタネコ・クリーク熱帯雨林破壊と砒素汚染」『週刊金曜日』３６３号、２００１年

清水靖子「不滅の記録　バーネット・レポート」『日本が消したパプアニューギニアの森』明石書店、１９９４年

清水靖子「熱帯雨林と砒素汚染」『ODAをどう変えればいいのか』コモンズ社、2002年、ODA調査研究会共著

宮内泰介・清水靖子「開発協力という名の熱帯雨林伐採」『検証ニッポンのODA』コモンズ社、1992年、ODA調査研究会共著

(21) オープンベイ・ティンバー社は、晃和木材株式会社が1971年に設立。1973年に慣習的土地所有者を頭越しにした政府との交渉(TRP方式)で、約18万ヘクタールの土地から12万立方メートルを伐採する契約を結ぶ。原生林を伐採しての丸太輸出。皆伐後のユーカリ植林とユーカリの輸出。その後、新たな伐採地を加えて操業を拡大。ワイド湾側への伐採地と植林地拡大も行った。

(22) 2007年以降、ユーカリ植林木は、ベトナムにある子会社(パーティクルボードの製造工場)へ送られるようになった。

現在、住友林業は日本での熱帯材を含む輸入材での住宅建設を中心に、オリンピック会場の熱帯材を使用しての建築にも、熱帯材使用の「輸入木質バイオマス燃料発電」にも手を染めている。住友林業こそは、熱帯材貿易と熱帯材使用と熱帯林破壊の最大手といっても過言ではない。

(23) オープンベイ・ティンバー社は、2016年には4万3145立方メートルの丸太輸出をしている。2017年にはなぜか統計がない。2018年には2万5787立方メートル、2019年には3万3067立方メートルの輸出であった。(森林省の統計『Timber Digest』)。

(24) オープンベイ・ティンバー社について、かつて書いたものは以下である。

宮内泰介・清水靖子「開発協力という名の熱帯雨林伐採」『検証ニッポンのODA』コモンズ社、1992年、ODA調査研究会共著

清水靖子『日本が消したパプアニューギニアの森』明石書店、1994年

(25) ODA調査研究会共著『検証ニッポンのODA』コモンズ社、1992年

清水靖子『日本が消したパプアニューギニアの森』明石書店、1994年

(26) REDDとは、直訳すると「森林減少・森林劣化からの排出削減」。森林減少・森林劣化を防止することによって、排出されるはずだった二酸化炭素を削減するというとりくみ。さらに森林保全、森林の持続可能な経営なども活動対象に加えたREDDプラスが、削減方式として認められた(2007年、バリ行動計画)。REDDプラスの要件として、天然林および生物多様性の保全や先住民および地域コミュニティーの完全かつ効果的な参加などがあげられている。

(27) ポマタ地域侵略以前に、巨大箱船は本島のコリンウッド湾に出没していた。しかしコリンウッド湾では、村々の迅速な結束で、村々から大勢がはせ参じて、「出

ていけ」合唱のデモを繰り返した。ちょうど私はそのただなかにコリンウッド湾にいたので、箱船の写真(293ページ)を撮った。

このコリンウッド湾の結束で、進出が無理だとわかった同社のスポークスマンは、公衆の面前で仲介人に放言した。「我々は200万キナをお前(仲介人)に渡したが、なんら役にたっていないではないか」。極秘であるはずの「賄賂配り」を、企業側が公衆にさらしたことは興味深い。しかも200万キナ(8000万円相当)もが仲介人に渡されていたのだ。諦めた巨大箱船は、ポマタ地域に移動したということであった。

ポマタ地域では、ギルフォード社による伐採開始(2010年)以来、反対する村人への私兵を使っての脅し、鞭打ち、拘束、コンテナへの閉じ込めなどの暴力が繰り返され、奥地からの丸太は2011年に入ると、8隻もの丸太積み出し船で中国などに向けて強行輸出されていった。その後も、抵抗する者へのレモンの棘の枝での鞭打ち、太陽の下での長時間正座、教会での祈祷中に襲撃し、抵抗した老人の胸を刃物で刺す事件さえも起こした。

(28)2014年11月14日に、ポールさんたちは、ギルフォード社への操業一時差し止め命令を、キンベ裁判所で勝ちとった。しかし企業側は密かに森林省と提携して、首都で別途の裁判を起こし、丸太輸出を再開した。「森林省が伐採権・皆伐権を我々に与えているのだから不法ではない」との申し渡しを発表した。その後最高裁へ訴えるために、キンベ裁判所に書類を探しに行ったが、すでに裁判資料は紛失していた。森林省・土地省でも見あたらなかった。こうした裁判資料紛失事件は伐採問題のような重要裁判では頻繁に起きていた。リンブナン・ヒジャウ社を訴えた裁判では、担当する弁護士の事務所が荒らされ、コンピューターが破壊される事件も起きた。ポールさんは、自力で資料を復元させ、最高裁に持ち込んでいる。

(29)ポマタ地域の4万2000ヘクタールの原生林からの丸太輸出は、2011年37万立方メートル、2012年10万立方メートル、2013年22万立方メートル、2014年34万立方メートル(森林省の統計『Timber Digest』)。

一本の丸太を3立方メートルと想定して換算したものを村人に説明した。

彼らがほしかった「水タンク」は、森がなくなって砂漠化した大地では降水量も減り、「無用の長物」となった。学校とクリニックは建設されてもいなかった。道路だけが丸太積み出し用に建設されていた。

第9章

# 地球最後の原生林の村からの癒やしのメッセージ

## 新型コロナウイルスに席巻されていく地球への示唆

ナカナイ山系が育んだ伏流水が湧き出るスシ泉の湧き出し口で水を汲む子どもたち（マラクル村）

世界最後の熱帯雨林の原生林、ニューブリテン島南岸の小さな村々の暮らしは、新型コロナウイルスや、化学物質漬けになって、「壊れたセンサー」のようになっている私たちへの癒やしと、今後の地球のありかたを、示唆しているように思える。

何を大切にして生きるのか。何を失ってはならないのか。何を奪ってはならないのかを……。

ナカナイ山系南嶺(れい)に、果てしなくつづく樹海に降りそそいだ雨は、石灰岩の大地に浸(し)み込み、無数の洞窟群の地下を縫う激流となり、南岸の村々にあふれ出る。南半球最大の洞窟群である。洞窟の陥没穴の深さは、1キロメートルにおよぶところもあるという。

悠久のときを経て、そこからの伏流水は、村々に噴出してくる。あるところでは大河となり、滝となり、せせらぎと泉となり、その甘く透明な水は、また世界に類をみない。海底にも噴出し、淡水と海水が混じった絶妙な生態系には、多様で独自の魚介類を棲息させてきた。

深海にはオウム貝が潜み、夜になると、餌を求めて垂直上昇してくる。絶滅が危惧されているオウム貝であるが、ここには、多様な文様のオウム貝が棲息している。

## ナカナイ山系最大の洞窟群と激流のクランプン村

ナカナイ山系東端の南岸、荒波の激突する村のひとつにクランプン村がある。

ある年にクランプン村あげての饗宴に招かれた。

激流と滝を横切り、崖をよじ登り、奥地の洞窟にたどり着く。儀式は洞窟から始まった。「巫(み)

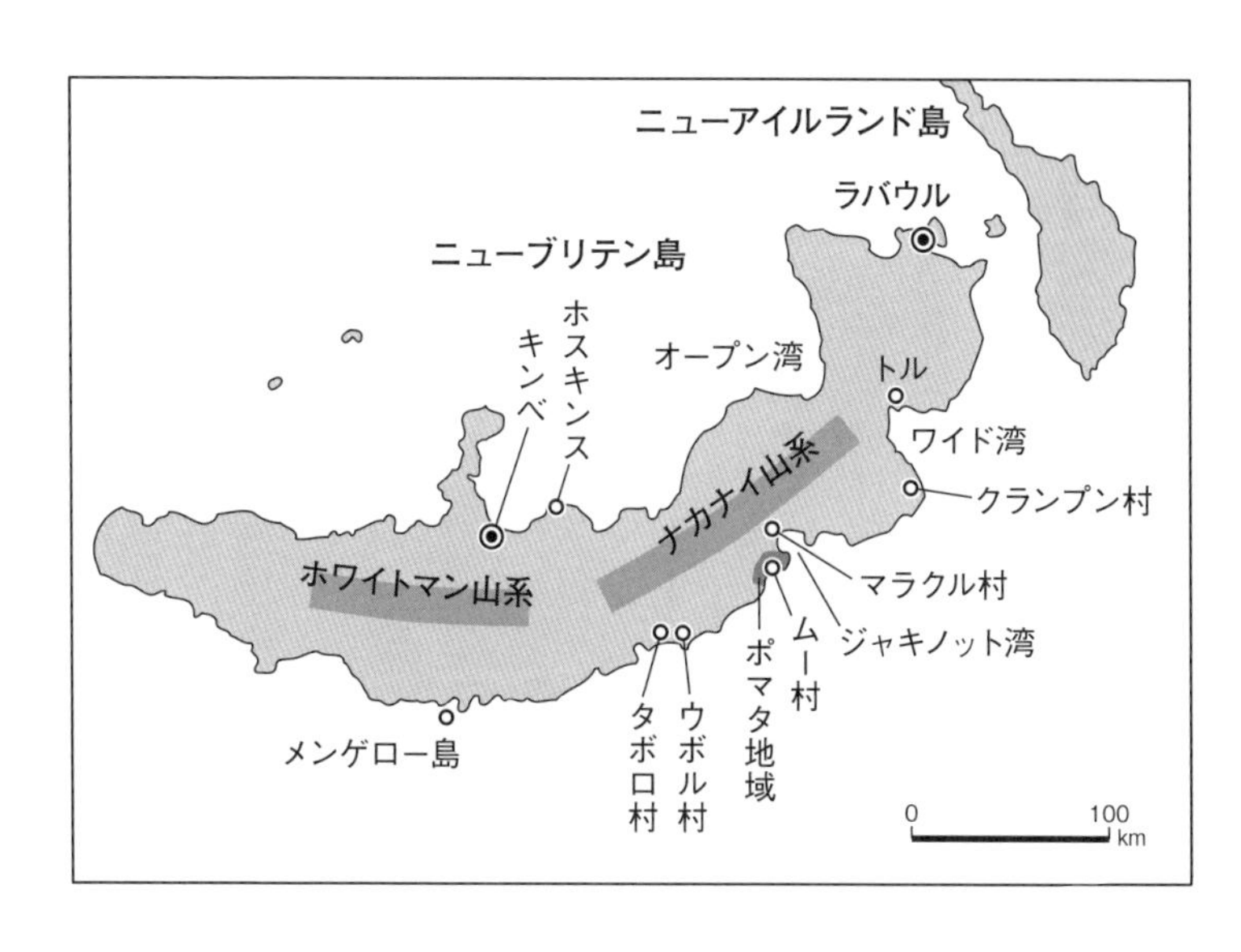


女」と呼ばれる女性が洞窟に入って、「精霊」を呼んで話をする。その精霊の許可を得てから、私たちを招き入れる。

私は惹きつけられるように彼女を見つめた。なんと静かな楚々とした佇まいの人なのであろうか。

この儀式はメンゲン・スルカ語族の洞窟への崇敬と、母系制土地所有の村々での女たちの高い地位をあらわしていた。

帰路は男たちの出番であった。その夜のための野豚を仕留めて、意気揚々と崖道を下る。

私たち（同行の友人と私）には、若者のリーダーが付き添ってくださった。

「これは大切な秘密の薬草だよ」、「これは光るキノコ。暗い夜道に身につけて歩くといい」。

そして、「これは、女たちが産後の滋養を養うために食べる土団子だよ」。それは自然界から

洞窟から溢れ出す清冽な流れ（クランプン村）

の贈りもの、土が根とからまってできた団子状の、「とっておきの食べもの」なのであった。

野豚の料理の匂いが村に立ち込めるころ、広場での饗宴となった。

狩りの踊り、子どもたちの「トカゲ・ダンス」、クンドゥ・ドラムの太鼓づくり、太鼓の皮のためのトカゲの皮剥がし、薬草づくり、木片からの火起こしなどを見せてくださった。

「こうした饗宴は、子どもたちへの教育のためにも、繰り返してつづけている」と、すべてを準備してきたリーダーのバレンタインさんは言う。

谷から谷へ響きわたるドラムの音が、急流の音色とあいまって、メンゲン語族の心意気と躍動感を奏でていた。2000年11月4日の夜のことであった。

かつてこの村々に侵入した日本軍は、この村

でも虐殺を行った。古老のリーダーの父親は銃剣で殺され、もう一人のリーダーの叔母は、近くのムー村集団虐殺で殺されていた。

私たちは饗宴の席で、皆に心から謝罪の言葉を述べたが、その言葉もむなしく感じられた。でも人々はそんなことは忘れたように優しかった。

最後に、「お土産だよ」と言って、手づくりの横笛が手渡された。東京の夜、ときどきその横笛で村の饗宴を思い出している。

クランプン村はその後、原生林保存地域として認定され、森と洞窟を守り続けている。

ナカナイ山系の洞窟群からは近年、新種のフライング・フォックスなど200種類以上の新種の生物の発見があいついでいる。

滋養豊富な土団子

## 最後の原生林最大の「水の秘境」マラクル村

マラクル村との出会いは、思いがけないことから始まった。

ジャキノット湾を横断していた私たちのボートが、ガソリン切れとなって漂流し、補給のために立ち寄った浜辺がマラクル村であった。ナカナイ山系の中央部、ジャキノット湾の最奥にそっと存在しているため、出会うこともないまま、２００４年８月まで過ごしていたのであった。

「こんな泉、見たことがない」、「この世に、こんな秘境があるのだろうか？」。

先に着いた仲間たちは、声をあげて私を呼んだ！

私たちを見て、驚いて出てきた大人も子どもも、目が澄み切って輝いているのが印象的であった。

崖下の湧き出し口からほとばしり出ている水量と、泉の広大さ。石灰岩で濾過されてきた水の美味しさ。その透明さがすごい。飛沫をあげて目の前の海に躍り出ていた。泉の名を「スシ泉」という。（章扉に写真）

子どもたちは、湧き出し口で水を汲み、泉の真ん中では水浴びをし、走り回っている。

水浴びの後に、女たちは洗濯をし、色とりどりのラプラプ（腰巻きが）を浜辺に並べて干している。

「スシ泉に、朝来て、昼来て、夕方も、なんども来るの。崖を降りて行き来するのはなんでもない」。女たちは口々に言う。

夕暮れになると、ナカナイ山系の美しいシルエットが、スシ泉に浸っている人々を包み、静かな夜の帳へと誘っていく。入れ替わりのように、満天の星と、蛍が湧き出す。

マラクル村ワラ・カラップの滝

以後、私たちは多くの仲間たちと、この秘境を訪れさせていただいた。

都会で疲れ果てた身体を、このスシ泉の透明な流れに沈めると、身体の芯まで水が沁み入り、身も心も解き放たれ癒やされていく。肌も身体も艶々になる。

スシ泉だけではない。少し先の海辺には、「ワラ・カラップ」という滝が爆落ちしている。（3ページにはカラー写真）

その量は毎秒何十トンあるのか計り知れない。石灰岩の地底を長旅してきた伏流水が一気に落下している。水質は、スシ泉よりさらに透明で、甘く冷たい。村人もカヌーを漕いで、ここまで水汲みにくるほどの美味しさという。

その滝壺からの流れに任せて、空を見上げて浮きながら、海にまで運ばれると、ここは夢の世界ではないかと思ってしまう。

母なる地球がつくり出した、この小さな一画。この秘境を誰にも知らせず、いつまでも、そっとしておきたいと泳ぎながら思ってしまう。

大河の入り江もあり、その淡水と海水の混じりあう場所は、魚も、カニも、エビも、貝も、多様な海の生きものが棲息するところとなっている。カヌーの親子の釣り姿は夕方までつづく。少し先には、イルカの故郷ともいえる一角があって、イルカの親子連れの群れが、日がな一日ジャンプを繰り返している。

カヌーの親子のシルエットが薄炭色の空に溶けていくころ、陸では蛍の点滅が始まる。

山襞（やまひだ）のガーデン（畑のこと）には、タロイモ、ヤムイモ、サツマイモが豊かに育つ。「マラクル村の魚もイモも、ナンバーワン!!」と女たちが輝く顔で語る。

森は海の恋人。森の滋養が海に届き、海はその滋養の揺りかごとなっていた。

## この「水の秘境」を子孫に渡したい

子どもたちは、山の上と海沿いの7つの集落から、スシ泉の傍（かたわ）らの学校に通ってくる。イモの弁当と水汲みボトルを持って、スシ泉の湧き出し口から、水を汲んでから教室に入る。

雨の日は「樹皮傘」（特定のヤシの樹皮を剥がした盾のような形のもの）を傘代わりにして、「樹皮傘」行列のように教室に入っていく。帰りは自分の樹皮傘を間違えずに持って帰る。よく躾（しつ）けられ、細い身体に逞（たくま）しい筋肉を宿して惜しみなく手伝い、思いきり野山を駆け巡る。

ボートがこの村に着くと、真っ先に走ってくるのも子どもたちである‼　3歳ぐらいの子どもまでも、お尻をぷりぷり振りながらやってきて、ボートを押し上げる仲間に加わる。そうして陸揚げされた荷物は、小さな手から手へ、パスボールのように渡され、あっというまに、宿舎まで運ばれてしまう。

最初の出会いから2年後の8月に、乏しい薬の補給がほしいというクリニックのための薬を携えて、私は改めての訪問をした。

奥地に棲息するカソワリ（飛べない大きな鳥）の卵を見せてくれた少女

マラクル村の魚　お父さんが銛で突いてきた

雨期のただなかで、村の小川はあふれ、そのなかを腰まで浸かりながら、バチャバチャと歩いた。腰も胸も、ずぶ濡れになって7つの集落を訪問し、小屋のなかの焚き火でいっしょに暖をとった。

「パプアニューギニア人以外で私たちのところまで登ってきてくれたのは、あなたが初めてですよ」と言われて、やっぱり来てよかったと思った。

「この、最後の原生林を伐採企業の手に渡してはならない」との村人の強い思いを感じた。その中心にいたのは、慣習的土地所有の母系社会の女地主と長老たち、学校の先生、女たちと教会のリーダーたちであった。

公用語は英語、共通の社交上・商業上の言語はピジン語（英語+現地語）、それに加えて、パプアニューギニアには800を超える古来の言語があった。マラクル村でも、メンゲン民族古来の言葉を小学校入学以前の寺子屋風プレスクールで教えていた。伝統の言語は、とても繊細で美しいのだそうだ。

メンゲン民族は、古来奥地の山の民であったが、次第に海岸近くに集落をつくり、今では7つの集落の半分が海辺に移動してきている。人口約2000人とのことではあるが、毎年増えつづけているから、正確なところはわからない。

出稼ぎにいく子どもたちも多いが、Uターン組も多い。

主な現金収入は、イモ類や野菜の販売や、カカオ（豆がチョコレートの原料となる）の栽培や、出稼ぎの子どもたちからの仕送りなどであった。教育費、舟のガソリン代、クリニックへの支払いなどの支出にあてる。

Uターン組の若者や中高年の男たちは、聞きかじりの伐採利益や一獲千金の儲け話を村に持ち帰ることが多い。しかし、老人の首長や女地主たちは頑として首を縦に振らない。

母系社会の浜辺の井戸端会議が、巧みにそれに歯止めをかけている。「あなた、そんなこと言っても」と、男たちを突っぱねている。学校では先生たちが「伐採企業を入れるな」と繰り返し教えている。私も幾たびとなく、学校や、教会や、女たちの集まりに招かれて話をした。

マラクル村に伐採企業を入れないでと署名集めをしていた校長先生

ある日、マリアさんという小学校の校長が、浜辺にデンと座ってこう言っていた。「さあ皆さん、いらっしゃい」(まるで寅さんの叩き売りのよう)。「我がマラクル村に伐採が入ったら駄目になりますよ。マラクル村への伐採を許すなという署名をしてくださ〜〜い」。

署名を集めて政府に提出するのだという。

すごいなあ！と、思わず拍手を送ってしまった。

## オルタナティブは何がいいのか

オルタナティブの収入には、「地道なカカオ豆の栽培」が最有力候補である。木陰に育つカカオの木は森のある村では育てやすい。なによりも原生林の村のカカオ豆は、虫喰いではないので需要が大きい。豆を収穫し、並べて発酵させ、次にドライヤー（手づくり）で乾燥させて売る。地道な作業であるが、かなりの収入になる。一方伐採地の村々では、砂漠のような暑さにまいった虫たちがカカオ豆に入って棲み処とし、カカオ豆は壊滅状態となる。

パプアの森を守る会としても、原生林を守ることと重なるこのオルタナティブへの支援は意味があると考えている。

## 大ワニとヘビの話

私たち訪問者のためには、大工好きの地元の神父（日ごろラバウル滞在）が自力で建てた小屋が提供される。泉に近いので窓からは蛍が見える。がっしりした小屋で居心地がいい。

しかし、夜になると梁と天井の間の隙間から何かが、忍び込んでくることもある。

ある夜のことであった。

「ドスン」。寝ている私の上に、その何かが、落ちてきた!!　妙な感覚がする。

「キャー〜〜〜〜〜〜〜〜〜〜〜！」ヘビだった〜〜!!

「ネズミを追ってきたので大丈夫」と、隣で寝ていたマリアさんが言うが、震えがとまらない。

私の声に驚いたヘビは、天井を駆け上がって壁を越え、隣に寝ている仲間の男たちの部屋へ侵入する。

暗闇のなかの男たちの、「ギャーッ、何これ……？」という声があがる。

女性陣は、思わずクスクスと笑う。

その後も、「あの部屋だけは次回寝たくない」と思っても、また同じ部屋の割り当てになってしまう。それだけが、いまだに怖い。

こうして私たちと、マラクル村との交流は17年以上もつづいた。

## 伐採企業の手先の「スネーク」

人には危害をおよぼさないとはいえ、ヘビ（スネーク）はやっぱり怖い。

だが、本当に怖いのは、伐採企業の手先になって村々に忍び込む人間の「スネーク」ともいえる。原生林の村々にとって、最も危険な生きものである。

森を奪う巨大伐採企業「クロコダイル」（ワニ）が、仲介人「スネーク」に大金を与えて、村々に忍び込ませ、村人に金をばらまき、甘い汁で勧誘し、伐採契約をさせてしまう。

実は、このマラクル村にも、その仲介人がいた。近隣に名を轟かすポール・パロスエロさんという人であった。日ごろはラバウルなどに住み、伐採企業と密な関係を保ち、南岸の村々に出入りしては「自称地主代表」に、秘密の「地主会社」を立ち上げさせている。

## スネーク劇でお腹を抱えて笑う

ある年のことである。学校に招かれたときに、私は「クロコダイル」と「スネーク」の寸劇をしてみようかと思い立った。校長先生に提案してみると乗り気で、「いいですよ。僕も演じますよ」と言う。

さっそく浜辺に並ぶ子どもや、先生、見物人から、寸劇希望者を募った。舞台は白砂の浜辺。ストーリーは単純。「スネーク」が村に入り、一部の人に金をまき、契約をさせてしまう。多くの村人は何も知らない。ある日突然村にブルドーザーが入ってくる。反対する村人に対して警官が送られるというものだ。

結果はどうであったか？　それはメチャメチャ面白い寸劇となった。校長先生と、村のリーダーの演技力は真に迫り、子どもたちは可愛く可笑しく、演じる者も観客も、皆がお腹を抱えて笑い、浜辺を転げ回った。皆が胸にたまっていたことを、寸劇で吐き出してしまったように見えた。

そして逆に私は目覚めさせられた。迫り来る「クロコダイル」の裏事情を、子どもたちまでが知っていたのだ‼　先生が教えたのか、井戸端会議で知ったのか。

浜辺劇の最後に、子どもたちは、マラクル村の「猫とトカゲとサイチョウの昔話」を披露して

子どもたちも井戸端会議でニュースを仕入れる。「ヤスコがね。暗闇の崖からころげ落ちてね。通りかかった私が助けたのよ」。マリアさんの話しに、興味と心配の顔で聞き入る子どもたち。

くれた。

私たちも、お礼に「カエルの歌」を歌った。音感のいい子どもたちはすぐに覚え、輪唱に加わった。皆で身振り手振りも加えて「カエルの歌」を、繰り返し歌いまくった。

その夜、宿舎の窓から無数の蛍を眺めながら私は、なかなか寝つかれなかった。「マラクル村は、きっと大丈夫！」、「森を守りつづけていくに違いない」。そう確信した。２０１０年11月5日の思い出であった。

## ピーター・バヴォグさんの話

マラクル村の奥地の集落の首長はピーター・バヴォグさんという若手であった。

このピーターさんは、寡黙な働き者で、

皆から一目置かれていた。しかし彼は、伐採問題については皆の前で議論をしなかった。同じ集落出身の仲介人ポール・パロスエロさんの脅威もあり、黙していくことが賢明であると考えていたのかもしれない。

でも、彼には明らかに迷っている気配があった。何かに、もがいている様子がうかがえた。もし、彼が仲介人の言うなりに、伐採契約をしてしまえば、それだけでマラクル村は終わりと思えるような要の人物であった。

ピーターさんは、さりげなく私たちの宿舎に来ては、私と2人きりのときには、ぽつりぽつり話をしていく。「カカオ豆を育てているんだけれど、山から運んで降りるのが重いんだよ」とか、「平地での栽培にあう新しい苗の購入を考えている」とか。

私はその話に耳を傾け、また伐採問題についてはしっかりと伝えた。丸太輸出の価格移転操作や、伐採権料のインチキなどの不正義や、日本で熱帯材が合板に使われているのだということなど。

そういうとき彼はいつも真剣に耳を傾け、質問をいっぱいして帰っていく。

私は約束した。「あなたのために祈っているわ」と。

## 久しぶりにマラクル村へ

9年後の2019年に訪れたマラクル村、スシ泉もワラ・カラップ滝も、美しい秘境もそのままであった。その間、私たちは西方のポマタ地域での伐採問題に抵抗する村人たちとの連携に年月を費やしていた。

その悲惨な出来事をマラクル村は、どのように見てきたのだろうか。

2019年のある日、雨降る村の一角で、ピーター・バヴォグさんと2人きりになることがあった。彼はそっと私に話しかけてきた。あたりには、誰もいなかった。しょぼしょぼと雨が私の肩にかかっていた。「僕の傘を使って……」。「えっ」と振り向く私に、彼は恥ずかしそうに傘をかざしながら言った。

「ずっと前に靖子が、あなたのために祈っています、って言ってくれたことがあるよね」

「あります。そしてずっと祈っていました」

「僕はそれを忘れなかった。そして『伐採契約をしろ』と迫られたとき、そのことを思い出した。僕はサインを拒否して、ノーと言ったのだよ。そのことを今日、靖子に言おうと思って……」

彼にとって多分、それをわざわざ私に言いにくるのは、男として勇気のいる告白ではあったに違いない。私は胸がふさがる思いで、彼の顔を見上げた。涙が出た。

彼は、「マラクル村はそうして断固として伐採を拒否しつづけてきた」ことを語った。

マラクル村は、南岸の地球最後の原生林の村々の中心として、その「秘境同士」の連携を強めて、裁判も辞さず、今も原生林を守りつづけている。

## 原生林のシンボルのカエル

２０１５年のラバウル発のニューギニア航空内での出来事であった。泥だらけで破れかぶれの靴を履いて私の隣席に座った人がいた。窓際の私が窓の外の原生林を撮影しようとすると、彼も隣席から手を延ばして同じくパチリ。伐採地を撮影すると、彼もパチリ。珍しい人もいるなあと笑いたくなった。

「森に興味がおありのようで登山ですか？」と聞くと彼は答えた。「いや生物学者です」。「何の生物の研究ですか」。「カエルです」。

「えっ、あのカエル？」。「Ｙｅｓ!!」。

彼はよくぞ聞いてくれたと言わんばかりに……、そして、まるで恋人のことを語るようにカエルについて語りつづけた。「ソロモン諸島とパプアニューギニアの原生林の湿地には、世界に類をみない多様でユニークな、不思議なカエルがたくさんいるのです」。「ブーゲンビル島のブカにいるカエルは、こんなにユニークで（メモに、その絵を描きながら）、体長30センチだが、尻尾が長くて全長70センチにもなる。木に棲(す)んでEpiprmnun Piratuin（学術用語）という葉っぱを食べる。舌はピンク。類を守るために家族が交代で養育するのです」。彼はそのダラッ～とした長～い姿をリアルに描いてくれる。

「こちらのカエルは世界一小さなカエル、このカエルは……」

彼の名はピーター・テイラーさん。出身は米国のコネティカット。著名なカエル博士であることを後で知った。

「カエルは宇宙の大切な生きもの。原生林が破壊されるとカエルの多様性も数も激減する。カエルたちは、その土地と森がどのような森であるかを物語る大切なシンボルなのです」

「でも伐採やオイル・パーム・プランテーションで寸断されると、カエルたちも、他の生きものも、その道路を越えて隣に移動できなくなり、絶滅するのです」

彼は語りつづけ、絵を描き、気がついたら飛行機は、首都ポートモレスビーへの着陸態勢に入っていた。

私はさっそくマラクル村で、子どもたちにこの話をした。驚きと喜びの目で聞き入る子どもたち。

いっしょに訪問していた平良愛香さんが、「カエルの歌」をメンゲン語に訳してくださった。

「ぺぺ、パウワ〜〜♪ぺぺ、パウワ〜〜♪〜〜、ゲッ、ゲッ、ゲッ、ゲッ♪、グヮ、グヮ、グヮ」。このぺぺ、パウワの「カエルの歌」は、大人たちにも人気となって、村を越え、国を越え、行く先々で広まってしまった。輪唱と身振りつきで、その音感も素晴らしい。

## 6000キロの直行便シギ・チドリ

人間が直行便を発明するより前に、太古からパプアニューギニアと日本間6000キロの旅を、

「ノンストップ」で往復している鳥がいる。わずか22センチほどの体長のシギ・チドリ類である。

故郷のシベリアで夏に繁殖し、子連れで日本の湿地にやってくる。そして充分体力を身につけると、パプアニューギニアの湿地への、ノンストップ6000キロの大飛行に飛び立つのだ。

シギ・チドリ

そうして目的地の原生林の湿地には、極上の美味しい小魚やゴカイやカニ類がいる。それらをたっぷり食べて過ごして、また日本経由でシベリアに帰る。

この奇跡のような往復のことを教えてくださったのは、アイアン・バーロスさん(英国人)。著名な鳥博士であった。彼がパプアニューギニアの現場を案内してくださったときに、このことを学んだ。

「パプアニューギニアの原生林からの湿地は、そうした渡り鳥の生命!なのだよ」と彼は言う。「だから伐採業者なんぞは、『噴火した火山』に、投げ込まれてしまえばいい!」。「かつて僕の国はその森を伐って英国に運んでいってしまった」。思いもかけないその激しい怒りに、私は彼の優しい顔を、思わず見上げてしまった[1]。

## シギ・チドリの浜辺

いつの日か、そのシギ・チドリにパプアニューギニアで会いたいと願っていた私であったが、ついにニューブリテン島南岸の多島海の島のひとつ、メレンゲロー島で出会ったのだった!!(２００６年)

村人は言った。「来るよ、来るよ、歌も踊りもあるよ!」。

それはヤティ・ソングという。「Sit down and dance! Repeat one more! Another one more! ティック、トック、ティック、トック～～♪♪(鳴き声入り)」という歌と踊りであった。

その海に集うのは、シギ・チドリだけではない。ジュゴンも、真珠貝(貝貨キナ・シェルとなる真珠のように輝く平貝)も棲息している。マグロも海流に乗って卵を産みにくるという。

６０００キロの直行便をしてまで、子連れでやってきたシギ・チドリが、こうした海の仲間たちに再会できる。その喜びはいかばかりであろうか。

原生林の海の、「青い月夜の浜辺に、波の国から生まれ出(い)でるシギ・チドリ」を、海の仲間たちも、村人たちも、踊りながら迎えてくれるのだ。

## 満天の星と波間の光　宇宙遊泳の輝き

２０１５年、マラクル村に向けての夕方の小舟に乗った。

すでに夕焼けの茜色が始まっていた。一番星、二番星と数えるうちに、満天の星月夜に囲まれることになった。天空いっぱいに銀河が瞬く。空の無数の涙か？

私たちのボートは、サンゴ礁にぶつからないように、ゆっくり進んでいた。

ふと波間に目をとめると、ボートの舳先に沿って、流れて光る無数のきらめきがあった。数知れぬ魚たちであった!!

海流に沿ってか、ボートに沿ってか、小魚たちが揺れながら、光りながら、伴走していた。

光る魚たちの群れ、また群れ。それは息を呑む美しさであった。

上には満天の星、海にも一面の光。

まるで宇宙遊泳をするように、私たちはそのただなかにいた。

原生林の秘境が育てた海は、なんという不思議を秘めているのだろうか。

夜な夜な、この不思議を見ている村々がある。海の生きものたちがいる。

私たちが、この豊饒さを奪うことは、決してあってはならない！

森は空の恋人、海の恋人。

なんとしても守りつづけたい。宇宙最後の原生林の世界であった。

（1）パプアニューギニアの鳥研究で名を知られる英国人。Brian J. Ciates, Birds of Papua New Guinea, Dove Publications, Vol.I 1985, Vol.II 1990の発行に多大な貢献をした。

# 第10章

# 女たちの受難と抵抗

## 知恵と勇気と優しさと<br>「ココナツ・ワイヤレス」のネットワーク

マリア・アグオン・ペレス、通称マリキータ
（息子のクリス・ペレス・ハワード氏提供）

侵略された島々で、女たちは何を経験したのか。どのように受難に立ち向かったのか。そしてどのように助けあったのか。島々の女たちの知られざる受難と抵抗、知恵と勇気の生きざま、秘められた話の数々を日本の読者に伝えたい。そして彼女たちの「ココナツ・ワイヤレス」も。

## 「タイチョウ」へのマリキータの死の抵抗（グアム島）

マリキータの物語は、グアム島ではあまりにも有名である。

日本軍は、真珠湾攻撃の2日後、1941年12月10日に米領のグアム島に上陸した。1944年6月までに投入された日本軍の数は2万人という膨大な数となった。恐怖の軍政下、日本軍はチャモロ人（グアムや北マリアナ諸島の先住民）を強制的に食料生産と飛行場建設、その他の仕事にあたらせ、タイに開墾隊本部を置いた。このタイに1944年6月末には高級将校たちが到着、チャモロ人の少女たち12人を強制的に兵舎に連れ込んで、召し抱え、炊事、掃除、洗濯、入浴、マッサージ、爪切りなどの奉仕をさせた。12人のうちの誰かの不始末や不従順は、全員へのビンタであった。女たちは泣く泣く奉仕せざるを得なかった。

その一人にマリア・アグオン・ペレス（マリキータ）がいた。小柄で可愛らしいマリキータは、将校中の「タイチョウ」から目をつけられ、狙われるようになった。他の将校も彼女が「タイチョウ用」であることを知るようになった。

しかし彼女は、決してタイチョウになびかなかった。それがタイチョウをいっそう怒らせた。

ある日タイチョウはついに彼女に襲いかかった。マリキータは激しく抵抗してタイチョウを撥ね退けた。怒ったタイチョウは部下に命じてマリキータを樹に縛り、棒で殴り、水も食べ物も与えず放置した。

他の少女たちが水を与えようとしたが、「私のことは心配しないで」と頼んだ。

米軍が艦砲砲撃を開始してきた1944年7月4日、すでにサイパンも米軍の手に落ちていた。この最後の日々、彼女は母に会いにいって「お母さん、私は死をかけてタイチョウを拒みつづけるつもりです」と語った。母はマリキータに「幼い2児のためにも生きるように」と懇願したのだが、マリキータの決意は変わらなかった。

タイチョウは彼女が死をもって抵抗することを悟り、部下たちへの自分の立場を低くしないためにも、彼女や少女たちにいっそうの暴力を振るい、マリキータをみじめな状態にさらした。7月18日の朝、点呼のときにタイチョウはマリキータを激しく殴った。刀の峰で彼女を叩いた。血だらけになった彼女はタイチョウの宿舎に連れていかれ、夜までとめ置かれた。

その夜9時ごろ、タイチョウの宿舎から、タイチョウの部下が彼女を森の方に連れ去ったのを目撃した人がいる。それ以後、誰も彼女を見ていない。米軍の上陸3日前の出来事であった。(1)

## 米軍上陸寸前の日本軍の女たちへの強姦

マリキータに対してだけではなかった。米軍の艦砲射撃(7月4日)が始まり、米軍の上陸が迫るなかで、日本兵たちはパニック状態のように女たちに飛びかかり、また住民への集団虐殺を次から次へと行ったのである。各地の洞窟がその現場となった。

フェナ地区の「タケベナ」というタイチョウは、16歳から19歳の少女たち50人を洞窟に入れて奉仕させていたが、米軍が上陸してきた7月21日、タケベナと部下は、サケ缶と米を食べて酒を飲み干し、女たちに銃を突きつけ、たどたどしい英語で命令した。

「日本兵は戦争のために生命を与える覚悟で戦っている。あなたたちも日本の兵隊に自分たちを与えるべきである」。そう叫んで、少女たちに飛びかかり、その衣を剥ぎ、拒んだ少女たちを殴り、夜を徹して次から次へと襲った。他の洞窟でも18人の少女が同様に襲われた。ひとつのグループが終わると次の日本兵のグループが来た。翌朝米軍が近くに来る音がした。日本兵は逃げ、少女たちは森に飛び込んで助かった。

各地で集団虐殺が行われた（人数は男女あわせての数）。

メリッソ村では46人を洞穴に閉じ込め手榴弾で虐殺した（7月15日〜16日）。

フェナ地区では30人を洞穴で銃殺。

アガニャの湿地洞窟では、11人を2日間洞窟に閉じ込めた後、爆弾でできた穴の前に跪かせ、銃剣で後ろから刺して殺害した。そのうち2人は奇跡的に生き残って事件を報告した。

ジゴ地域では手足が切断された51体の死体が発見された。

チャキナ地域からは、首を斬られて頭のない30体の死体が発見された。[2]

## 抵抗の死をたどったドユエナス神父

こうした日本軍侵略下のグアム島に、日本のカトリック教会から深堀仙右衛門権司教と小松茂神父が、日本軍に協力する宣撫活動のために派遣されていた（1942年11月～1943年5月）。そうして「大東亜共栄圏の繁栄と平和のために日本軍に協力せよ」と説教した[3]。

当時教区の責任を担っていた若きドユエナス神父教区長代理（当時28歳）は、深堀司教のところに行き、「司祭が他国に行って自国の偉大さを説教することは相応しくない」と述べ、日本軍への協力を拒否した。開墾隊本部から出された食料生産命令に対しても、「住民への扱いを変えるよう」抗議をした。

公然と日本軍に抗議をするドユエナス神父は、日本軍にとって最も危険な人物となった[4]。

7月8日、ついに日本軍はドユエナス神父と甥らを逮捕し、村の路上で激しい拷問を加えた。

女たちは我を忘れてドユエナス神父を助けようとして、「神さまどうぞやめさせてください」と大声で叫んだが、憲兵はその女たちを棍棒でめった打ちにした。

その後、神父たちは地下壕に入れられた。3日間の拷問の後、日本兵はドユエナス神父の口をタオルで塞いだままホースで水を鼻から入れ、その膨れた腹を棍棒で叩いた。その後ドユエナス神父は炎天下に放置され、彼の甥と、もう一人の若者も同様にされた。ハエと蟻が彼らの身体に群がっていた。

女たちは黙っていることができなかった。警官の阻止にもかかわらず、水を彼らに与えた。最後にドユエナス神父らは、憲兵隊本部に引き渡され、7月12日、穴の前に跪(ひざまず)かされ首を刎(は)ねられた。

米軍の方は、1万6000発の艦砲射撃と139機の爆撃機(戦艦6隻、巡洋艦9隻、駆逐艦57隻)でグアム島を攻撃した。爆弾の数は一日平均400トンを超えた。これは必要の域を超えた無差別攻撃であった。多くの住民が道連れになって死んだ。

森も焼けただれ、焼け野原になったグアム島に、米軍は約5万人もの兵を進駐させてきた。焼け野原に飛行機でタガンタガンというマメ科の灌木の種をまいて、タガンタガンの疎林が覆う島にした。そのうえで、米軍はグアム島を太平洋の最前線基地としていった。

チャモロ人の一人で、自分の広大な土地を米軍の基地に没収されてしまったトニー・アルテロさんは私にこう語った。「私たちチャモロ人の土地は大泥棒に奪われた。私たちは徹底的に弱い民族、貧民にさせられてしまった」。抵抗したアルテロさんに対して、今度は米軍が「危険分子」として扱っていく。彼はその一部始終を本にも書いている。(5)

マリキータの残された息子クリス・ペレス・ハワードも私に語る。「私にとって耐えがたかったのは、私たちの大地で戦いすべてを奪った日本と米国が手を結んだことだった。日米安保の結果として、日本の自衛隊の艦船が再びグアムにやってきたことであった。しかも戦後補償もなしのまま知らん顔で……」。

かつての敵同士は手を結び、グアムと沖縄と日本の基地は一体となった。米軍はそれらの基地から、朝鮮戦争やベトナム戦争に出かけ、中近東に出陣し、米軍に協力した日本は、ともにその軍需景気で潤った。(6)

## ニューアイルランド島での占領支配と女たちへの強姦

ニューアイルランド島は、ラバウルの北に位置する全長350キロの、タロイモを転がしたような島である（地図219ページ）。最高峰2379メートルのタロン山を含む中央山脈からの数々の川と泉が島を潤し、豊かなサンゴ礁と海を育ててきた。1943年、南海支隊宮田嘉信指揮下の1000名と、巡洋艦鹿島陸戦隊85名が、ニューアイルランド島の中心港ケビアンを侵略。各地にそれぞれの拠点をつくり、恐怖の占領支配をした。(7)

戦後は1970年代から、日本企業群が森を乱伐。大塚家具は、「幻のペンシル・シダー」（桜の艶（つや）やかさをもつ樹で家具用やバイオリン用になる樹）や、合板用の樹木を乱伐し、契約を守らずに9年後に撤退させられた。外商も乱伐をつくして撤退させられた。丸太の積み出しに群がったのは、山陽国策パルプや住友林業などであった。現在のニューアイルランド島は、荒廃地と、オイルパーム・プランテーションが延々と島を覆ってしまっている。

「私たちが語ったのは、あなたが始めてです。私たちはもう年老いてきていますし……」

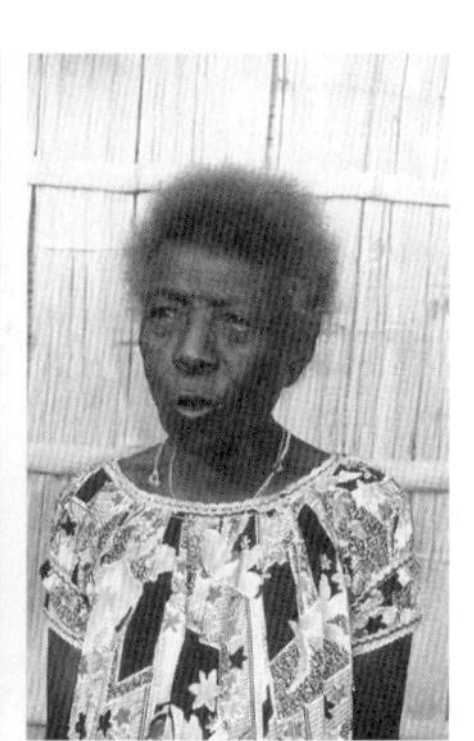

ブラウ村での証言者たち

1994年ブラウ村で、アナ・バレンさん（戦争当時16歳）、マリア・ゲスモンさん（当時12歳）、レジナ・バレンさん（当時14歳）が語り始めたのは、自身の身に起きたことと、村々全体に起こったという惨事であった。

「女たちはタロイモ畑や、その途中で日本兵に襲われました。また男たちが外に出ている間に家のなかに入ってきて、女たちに好き放題なことをしました」

「それだけじゃなかったんです。2人の上官が指揮して、私たちを兵舎に強制的に連れ込みました。まず上官が襲い、次に代わる代わる兵隊たちを招いたのです。何ヶ月ものあいだです。私たちの両親は怒りました。でも抵抗したら処刑されました。両親にできることは、沈黙を守ることしかなかったのです」（記憶されているタイチョウの名はサシゲ）。

息子のネポン・バレンさん（当時17歳）が通訳をかねてさらに加わった。

「反対する人はもちろん、畑で出会って敬礼しなかったものも拷問を受けるか処刑されました。樹の上に吊るして首を斬って、下に掘らせた穴に落とし、生きていたら穴のなかでさらに首を斬っていったのです。こうしたことについて互いにしゃべっただけでも、またその人が処刑されたのですよ。住民にできることは沈黙を守ることだけでした」

「戦争が終わっても、こんな悲しい出来事について語りあわなかったのです。あなたが初めてです」

私は彼女たちを抱きしめ、ともに泣いた。どんな謝罪の言葉も軽く感じられた。

その後、２０１８年11月にピレ村を訪れたときに、ベロニカさんから、ダハナ村でも同様なことが起こったことを聞いた。戦後70年もたっていたけれど、その記憶力で、連れ去られた女たちの名前まで、メモしてくださった。さらに、「私の父はタイチョウに大量のココナツ・オイルをつくって持っていく係でした。１２０個ものココナツを削って絞って煮詰める作業はとても大変でした。でも父にとって最もつらかったのは、日本軍に反抗した村人を処刑する手伝いをさせられたことでした」と言う。

ピレ村のベロニカさん

通訳をかねていたベロニカさんの甥は私を、近くの川べりに連れてゆき、こんなことを語ってくださった。「この川の上流のダハナ村にタイチョウの『ヤマダ』の司令部があって、そこに女たちは連行され、囲われ、強姦されたのです。住民は抵抗するすべをもたなかった。でも密かな抵抗を試みたこともあったそうです」

「何だったのですか」。「底に毒が積もっているという泉(鉱毒か?)に、日本兵を連れていって飲ませたと聞いています。住民の密かな抵抗です」とのことであった。(8)

## 飢えて彷徨う日本兵に女たちは優しかった

島々を戦禍に巻き込んで、かつて自分たちを苦しめた日本兵が、負け戦の結果、よろよろと逃げていく道々で、女たちは優しかった。兵士たちを見捨てることができなかった。私に直接語ってくださった秘められた話がいくつもある。

## ミクロネシアのパラオ(ベラウ)で

ミクロネシアのパラオ(ベラウ)でお会いしたバジリア・キンタロウさん(62歳)とアントニナ・アントニオさん(62歳)は語る(1992年7月)。

「『海ゆかば』の歌を、私たちに教えていたときには元気だった兵隊さんも、最後のころは飢えてネズミまで食べていた。私たちも飢えていたけれど、兵隊さんがよろよろ歩いている姿を見て食べ物をあげたのよ。私もお母さんも食べなくてその分をあげたの。でも兵隊さんたちは、いきなり食べるから腹を下したわ。食べ物を渡すと、『何も持ちませんが』と言って布の一片をくれた人もいたの」とバジリアさん。

「ある日、骨と皮だけの一人の兵隊さんが木の下に座っていた。お父さんとお母さんの写真を前にしてじっとしていた。死にそうだった。私が水とバナナを持っていったら、彼は首を振って『あなたたちが食べなさい』と言って食べなかった。『我らは戦争をしたくなかった。隊長の命令だからしかたがない』と彼は言った。その兵隊さん、そのまま死んだのよ」とアントニナさん。

彼女の兄はニューギニアへ「パラオ挺身隊[9]」の一員として連行され、戻ってくることはなかった。母は嘆き悲しんで死んだ。アントニナさんのような家族がパラオにはいくつもある。

## 日本兵を匿(かくま)った女たち（パプアニューギニア、ソロモン諸島）

ニューブリテン島ジャキノット湾のマンギヌナ村（地図39ページ）で、マリア・ノナウロウさん（70歳）は語る（2008年）。「オーストラリア軍によって沈没させられた船の日本兵が陸(おか)にあがってきたので、助けてあげたのよ。各家が、一人ずつ日本兵を匿(かくま)ったの」。

ガダルカナル島の対岸のサボ島（地図123ページ）では、火の海となったソロモン海戦下で、傷ついた日本兵を、女たちが介抱し米兵から匿った。

中西部のベララベラ島では、米軍機に撃たれて落ちてきた日本の特攻隊員の若者を介護し、死んだ後も墓をつくって、今も皆で祈っているという（第6章）。

## 日本兵のために命乞い（ご）をした女たち（トラック諸島）

トラック諸島のリウエナ・ルドルフさんが当時のことを語っている。

「日本兵は自分たちの兵隊にも残酷でしたよ。ある日のことでした。日本兵たちが、一人の日本兵を生きたまま埋めようとしていました。日本軍のコックだった私の夫は、『どうぞ助けてあげてください。私はこの人を兄弟として面倒をみますから』と嘆願しました。でも日本兵はその嘆願を無視して、仲間の日本兵を生き埋めにしてしまったのですよ」[10]

労働に駆り出され、作物生産に駆り出されて、自分たちが生きるか死ぬかの状況のなかでも、生き埋めにされていく日本兵を見捨てることができなかった島の人々！　その優しさをなんと表現したらいいのだろうか。

## 少年のために命乞いをした女たち（パプアニューギニア）

ニューブリテン島北岸でのことである。日本兵が、現地の少年を盗みの罪で殺害しようとした。女たちは自分たちも殺される覚悟で日本兵の前に平伏した。「どうぞ幼い彼を救ってください」。女たちの嘆願に心を動かされた日本兵は、その少年を鞭（むち）打つだけで縄を解いた。日本兵が処刑をやめたということは非常にまれであった。女たちの優しさに動かされたのに違いない。（1994年の聞きとり）

## 「伐らないで」と懇願した女性（トラック諸島）

「今でも忘れることができません」と、当時トラック諸島に進出していた南洋拓殖の2人が私に打ち明ける（1995年）。

「住民も日本軍も飢えていました。私たち南洋拓殖は、その畑を開墾するために、パンノキの茂る森を、どんどん伐っていったのですよ」

「そのときのことです。一人のおばあさんが、私たちの行く手をさえぎって、百年もたったと思われる大きなパンノキに抱きついて言ったのです。『この樹は伐らないでおいて！』」

「そうして泣きくずれて懇願しました。樹に抱きついたまま、一週間そうしていました。もちろん夜は帰ったでしょうけれど。伐る方もせつなくてね、どうしても伐れなかった。でも最後には上からの命令で伐らざるを得なかった。今でも悪いことをしたなって思いますよ」

## ブルドーザーの前での女たち（パプアニューギニア）

東セピック州のウオム村（地図109ページ）に住む11人の孫をもつキャッシー・ツバクさんが、孫の手をとって、自分の森に入ってくる伐採企業のブルドーザーの前進を阻止した。ブルドーザーは前に進むことができなかった。自分の森を守った年老いた女性の話は、多くの感動を呼び、新聞にも伝えられた。[11]

原生林の村々でこの話をすると、女たちは泣いて抱きあう。

「いざというとき、私たちもそれを実行しましょう」。ベラベラ島で、ウイアク村で、彼女たちは、それを本当に実行したのであった。伐採企業を追い出して、歴史に残る出来事を刻んだ（第6章に詳細を記した）。

## 女弁護士を育てあげたキャロル・ブラントンさん（パプアニューギニア）

過去幾年月、温かく宿泊させてくださり、苦楽をともにしてきた友人にキャロル・ブラントンさんと、夫のブライヤン・ブラントンさんがいる。ブライヤンさんは森を守る弁護士の中心人物である。トマス・バーネットの仲間で、伐採問題の裏も表も知りつくしていた。彼はその多くを私に伝授し、実地指南までしてくださった。

「靖子、あそこの一角で、親密に話をしているのは、森林省の次官と、○○企業のボスだよ。よく見ておくがいい」。政治家と企業がこっそり通うレストランの夜のことだった。目からうろこの指南であった。

キャロルさんの方は、地元の女性弁護士を育てあげることに生命をかけた。そしてついにその弁護士が、巨大伐採企業リンブナン・ヒジャウ社を訴えた裁判で勝訴した。民衆の裁判史上に輝く大きな勝利であった。

「やった！　キャロルさん」、「おめでとう！」。私は飛び跳ねながらキャロルさんの事務所に行

**キャロル・ブラントンさん**
（2000年３月13日帰天）

った。２００3年のことであった。

しかし、戸口に立っていたキャロルさんの姿は、すでに痩せて、骨と皮だけであった。それでも働いていたキャロルさん。食事の最中になんらかの毒？を食べたのか、原因不明の急速な体調崩れに陥っていた。

帰国した私の後を追うように、「キャロル帰天」の報が届いた。涙が出そうで、出なかった。２００3年3月の突然の報であった。壮絶なキャロルさんの生きざまと、死への日々を思い、私は困難なときに彼女に祈ることにしている。「キャロル助けて！　どの道を選んだらいいのか教えて……」と。

すると、千の風に乗って……、キャロルさんが答えてくださるような気がする。「私のお墓の前で泣かないでください。夜は星になってあなたを見守るから……」と。

（本書を執筆中の２０２２年10月14日、ブライアンさんも帰天された）

## 女たちの「ココナツ・ワイヤレス」（パプアニューギニア）

女たちが、伝統の樹皮布（タパ）づくりをしてきたパプアニューギニア本島コリンウッド湾の

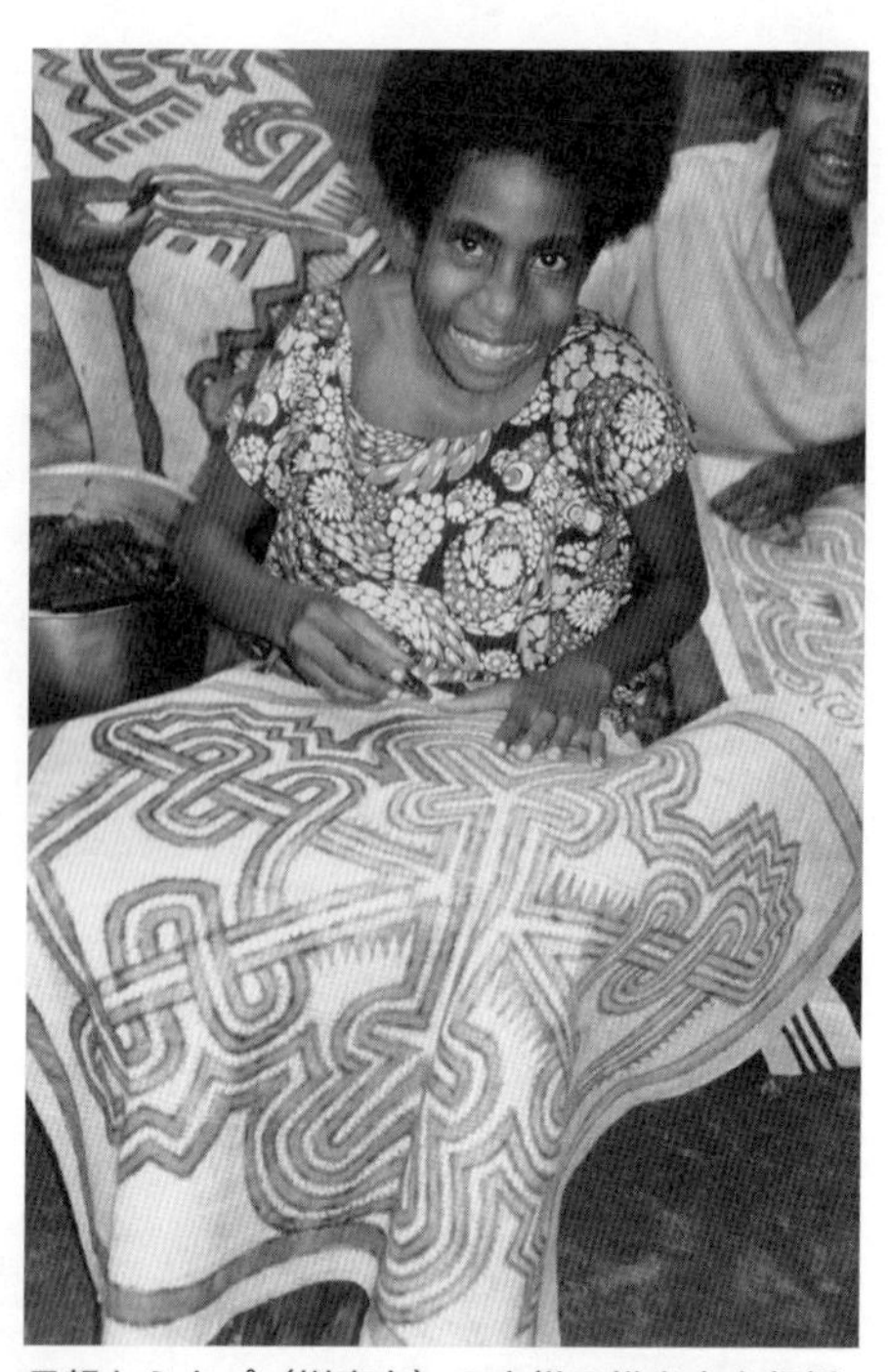

母親からタパ（樹皮布）の文様の描き方を伝授される娘（コリンウッド湾ウイアク村）

ウイアク村やシナパ村は、エリマラ山の裾野に広がる原生林をもつ（地図35ページ）。女たちが中心となって、その自力のパワーと、女会議の知恵で、伐採を迫る企業と、それを訴える裁判に、幾度も勝ち抜いてきた（写真10ページ）。

伝統のタパづくりは、桑科のタパの木の皮を叩いてなめして、伝統の染料で文様を描く。手触りの優しいなめらかな樹皮布で、敷物にも腰巻きにも、踊りの飾りにもなる。このタパの需要はパプアニューギニア各地から絶えない。そのつながりと、収入の力で、都市の要職にも村出身の仲間を送り出し、何事かあれば、首都に伝令を飛ばす。「クロコダイル」や「スネーク」の侵入を防ぎ、裁判に迅速に訴える。

「私たちは『ココナッツ・ワイヤレス』でがんばっているの」、「ココナッツの実のように小さいけれど、しっかりしているということと、ココナッツの木の下の女会議が情報を村から村へ伝えて団結してしまうことなの」(昔からの森から森への伝令という意味のブッシュ・フォーンをもじったものらしい)。

ココナツ・ワイヤレスか!!　いい言葉だなあ！　私は感激した。

女たちのココナツ・ワイヤレスが、草の根から何かを変えていく。逞(たくま)しさ、優しさ、内に秘めたしたたかさをもって、宇宙の唯一の星を、草の根からの発信で守っていく。

私たちも、そのココナツ・ワイヤレスを心から応援したい。なによりも日本のありかたを変えることによって、ココナツ・ワイヤレスへの連帯を生きていきたい。

(1) Chris Perz Haward, Mariquita revisted, TAIGUNI Books, 2020. 初版の日本語版は『マリキータ』として１９８４年にほるぷ出版から出版。著者のクリス・ペレス・ハワードは、マリキータの遺児で当時４歳であった。この本はマリキータと日本軍による被害の詳細を調査しまとめたもので、２０２０年版は改訂版にあたる。

(2) Paul Carano and Pedro Sanchez, A Complete History of Guam, Charles Tuttle Company, 1980.
Pedro Sanchez, GUAM, The History of our Island, Sanchez Publishing Home.

(3)『カトリック新聞』１９４２年９月６日、１９４３年5月16日号

(4) Tony Palomo, Island in Agony, Library of Congress, 1984, Chamorro Studies Association and Micronesian Area Research Center, University of Guam, Chamorro Self Determination: The Right of a People, 1987.
Don A. Farrell, The Pictorial History of Guam: Liberation-1944, Micronesian Production, 1984.

(5) Tony Artero, A Chamorro Family Tragedy, Chamorro Self Determination, Chamorro Studies Association and Micronesia Area Research Center, University of Guam, 1987.
膨大な土地を基地として没収されてしまったアルテ

ロ一家は、浜辺の自分たちの土地に入るにも、許可がないと入れない。ある年、アルテロさんは、その海辺に招待してくださった。ウルアノビーチと呼ばれる、人が入らないからウミガメが卵を産みにくるという何キロにもわたってつづく白い砂浜であった。こんなに美しい白砂海岸を私はかつて見たことがなかった。薬草の樹々も鬱蒼と茂っている。私たちは薬草採りや、キャンプをして皆で語りあって過ごした。

(6)その他の資料
　横田正平『玉砕しなかった兵士の手記』草思社、1988年
　Don A. Farrell, The Pictorial History of Guam: Liberation-1944, Micronesian Production, 1984.
　グアムで発行される新聞『パシフィック・デイリー・ニュース』、防衛庁資料

(7)防衛庁防衛研究所『戦史叢書　南太平洋陸軍作戦(1)』朝雲新聞社、1968年

(8)住民側の確固たる抵抗もあった。ケビアンのフィロメナさんの父は、日本軍の動向を知らせるコースト・ウオッチャーであった。「私の父はカヌーで畑の作物の荷運びをする係として、ランボ島に停泊していた日本の艦船に出入りしていました。あるときスパイ活動を疑われ、乗っていたカヌーごと、クレーンで船のうえに吊り上げられ、『お前のスパイ活動の自白をしろ』と責められたのです。実際はコースト・ウオッチャーの一人だったのですが、自白しませんでした」とフィロメナさん。

(9)太平洋戦争のさなか、ミクロネシアの人々を南方の戦場に連れ出すということが行われた。パラオからは「南太平洋に第2のパラオを建設する」として、1943年2月3日から6月7日まで「パラオ調査隊」と呼ばれる62人が、ニューギニア（現在の西パプア）のマノクワリなどに派遣された。ニューギニアでの戦闘が激しくなる前で、2名が病死したが、残る人は帰島した。次いで1943年9月12日に「パラオ挺身隊」と呼ばれる29人がニューギニアへ。そこは戦場のまっただなかだった。終戦までに7人が死亡、3人が行方不明。生き残った人はいくつかに分かれ、戦後2年たって帰島することができた。このほかにもインドネシアのセレベス（スラウェシ）島マカッサルの海員養成所に送られた23人や個別に派遣された人がいる。
　荒川俊児「ベラウ（パラオ）の戦時賠償要求」『ハンドブック戦後補償』梨の木舎、1992年
　ヤノ・ケベコル・マリウル「ニューギニアに派遣された『パラオ挺身隊』」月報『パシフィカ』1991年8月号
　荒川俊児「『日本人』として戦ったあるベラウ人――太平洋の島からの賠償要求」『国境（くにざかい）の人びと』古今書院、1994年

(10)『ジャパン・タイムズ』1995年11月1日

(11)『ザ・タイムス・オブ・パプアニューギニア』1993年3月4日

# 第11章

# 放射性廃棄物の海洋投棄計画を中止させた！――ミクロネシアの人々

放射能に汚染されたドラム缶の食べ物を食べるお母さんのお腹の中で「助けてと泣く胎児」のポスターを描いた少女
（サイパンの核問題週間1984年11月）

戦後太平洋に再登場した日本について森と魚を中心に綴ってきたが、ここでもうひとつ触れておきたいことがある。それは、原子力発電所から出る放射性廃棄物のうち「低レベル」のものをドラム缶につめて太平洋に投棄しようと日本政府が計画したことである。

この計画が具体化しはじめたのが1980年はじめ。2月9日に太平洋で初報道[1]されると、グアム、北マリアナ諸島、パラオ（ベラウ）、ハワイ州……と、次々に日本の海洋投棄に反対する議会決議があがり、太平洋各地で反対運動がまき起こった。

そのただなかの5月に、何も知らぬ私は日本からグアム島に派遣された。教えることになった高校は、あの日本軍に虐殺されたドュエナス神父（第10章に詳細を記述）を記念して建てられた男子校であった。

イランイランの香る深い谷の上の修道院から、車を運転しては、そのタイという丘の上の学校に通った。私は教え子たちの瞳に、死をもって日本軍に抵抗したチャモロ魂を見る思いがした。驚くほど熱心に、すべてを吸収していく生徒たちであった。

8月に入ると、ついに日本の科学技術庁中川一郎長官の代理たちが、続々と説得にやってきた。住民とともに、私の修道院の高齢者たちも、空港で日本語を使って反対を表明する大きな自作ポスターを掲げて説得団を待った。イパオビーチでのデモも繰りひろげられた。

説得団は、議会ホールや「太平洋首脳会議」の席上で、日本の計画の安全性をあの手この手で繰り返し語った。大人たちといっしょに、私の高校の生徒たちも出かけていって抗議のポスター

「もし安全なら東京の皇居の堀に捨てなさい」とのポスターを掲げたチャモロ人
（日本人観光客が集まるグアムのイパオビーチでのデモ、1980年8月9日）

を掲げた。

こうして集まったチャモロ人の前で、日本からの説得団は、予想もできないような、矛盾に満ちた説得と詭弁（きべん）を弄（ろう）した。それはチャモロ人を馬鹿にした発言の数々であった。

## 「核のゴミのドラム缶に抱きついて寝ても安全」

「日本は、高い人口密度と地震・火山活動のため、日本内に放射性廃棄物の貯蔵はできません」、「高レベル廃棄物は陸地に、低レベル廃棄物は陸地と海洋に処分します」（第１次説得団、１９８０年８月、太平洋首脳会議席上で原子力安全局後藤宏氏）。

「国会の選挙でこの計画を支持した

「核のゴミを入れたドラム缶に抱きついても安全」という中川科学技術庁長官を描いた風刺画
（絵：相馬正男、月報『公害を逃すな！』1981年９月号）

自民党が選挙に勝った。国民の支持を得られていると理解する」。「私も息子もマグロが好きです。その私が海洋投棄は安全ですと言っているのですから安全です」（第２次説得団、１９８０年11月、議会ホールでの原子力安全局辻栄一氏）

「核のゴミのドラム缶に抱きついて寝ても安全」、「中川科学技術庁長官は日ごろ次のように言っておられます。『放射性廃棄物のドラム缶にキスしても、抱きついても、その脇にベッドを置いても大丈夫なほど安全に処理されています』」、「魚を好み、海に愛着をもつ国民を有する日本政府が、海を汚染するようなことをするでしょうか」（第３次説得団、１９８２年７月、太平洋首脳会議席上での原子力安全局後藤宏氏）

どれもこれも太平洋の人々を馬鹿にしきった発言であった。人々は心底怒り、「太平洋は核のゴミ捨て場ではない」、「安全ならどうして東京湾に捨てないのか」、「放射性廃棄物は危険と言いながら、なによりも危険な原発建設はよしとするのはなぜか」等々、鋭い質問をあびせかけた。

太平洋諸国首脳会議は「無条件禁止」の決議を日本につきつけた。グアム島知事は、日本からの招待（原発見学）も蹴った。島々からのあらゆる反対決議と反対声明、反対署名運動が大きなうねりとなって広がっていった。

反対をしずめるために説得団は、さらに太平洋各地を歴訪した。

中曽根首相は、パプアニューギニアにまで出かけていって、「日本のODAで支援しますから、海洋投棄計画を受け入れてください」と道路建設への援助をほのめかした。

私も黙っているわけにはいかなくなった。修道院の許可を得て日本のメディアに連絡をとった。こんな大それた行動をとったのは初めてであった。各社メディアがやってきた。意を決して私は、朝日新聞の「論壇」にも説得団の様子を投稿した（1982年3月7日に掲載）。

## 岸信介一行が反対決議をつぶす

大物の到来は、1983年1月の岸信介率いる私的政治団体アジア太平洋国会議員連盟（APPU）のグループであった。公的な超党派の日本議員代表ではない。しかしグアム島では日本代表であるかのように振る舞い、APPUのもとで行われるこの会議は「世界中の注目の的になっている」など、大上段の発言をしたのである。

傍聴していた日本からの新聞記者は呟（つぶや）いた。「こんなことを日本で言ったら笑われますよ」。

太平洋諸国の議員代表たちは、放射性廃棄物海洋投棄計画反対決議案を提出。しかし岸氏一行は強硬に反対して保留・延期を主張。総会に提出させず、廃案にしてしまった。

# Japan stalls nuke dumping vote

PACIFIC DAILY NEWS, Thursday, January 20, 1983

By SUSAN KREIFELS
Daily News Staff

Despite Guam's fight to have the Asian-Pacific Parliamentarians' Union pass a resolution banning nuclear dumping in the Pacific, Japan yesterday succeeded in stalling a general assembly vote on the measure until this summer.

But Guam delegates at the conference believe they made progress by forcing Tuesday's committee vote which showed a majority of committee members in favor of the resolution.

"This is the first time it was actually voted on during committee," said Speaker Carl Gutierrez, host president.

"Japan won't take us for granted now. We've come of age. We know now which countries will take a stand no matter what."

Gualberto B. Lumauig, chief delegate for the Republic of the Philippines, agreed that the move to ban nuclear dumping in the Pacific Ocean was strengthened by the vote in the conference's economic committee.

"The demonstration of oneness will sort of awaken Japan to realize they have to be more accommodating," Lumauig said.

Although committee meetings don't need a unanimous vote to report out a resolution, passing one during the general assembly does.

Daily News photo by Mark Skinner

Members of the Japanese delegation to the Asian-Pacific Parliamentarians' Union pose for a picture before signing a joint communique at the closing of yesterday's session at the Guam Hilton Hotel. Signing the communique is former Japanese Prime Minister H. E. Nobusake Kishi, president of the Japan National Group.

太平洋側議員による海洋投棄反対決議を葬った岸信介一行
（『パシフィック・デイリー・ニュース』1983年１月20日）

私たちは傍聴席でその言動の一部始終を見ていた。ところが岸一派は、審議中に傍聴団を閉め出す挙に出たのである。メルセス会の姉妹たちと私も閉め出された。

後に、傍聴の閉め出しの理由は、日本の新聞に記事を書いた私の存在であったことを、同席の新聞記者が私に語った。凄（すさ）まじい圧力であり、一介の修道女の動向にまで目を光らす岸信介のしたたかな腹黒さを、自分の体験から知ることになった日であった。

翌日の現地の新聞は岸信介一行の写真とともに次の記事を発表した。「日本は海洋投棄反対決議をごまかして言い抜ける」という怒りの記事であった。岸氏が真ん中に座っている。（『パシフィック・デイリー・ニュース』１９８３年１月20日）

その写真は、２度にわたる侵略（戦争と放射性廃棄物海洋投棄計画）の闇の力のシンボルのようであった。

米国は日本の放射性廃棄物海洋投棄計画に反対を表明しなかった。米国もまた太平洋の島に使用済み核燃料の貯蔵所建設を狙っていたからであった。

日本での反対の声と、連帯集会や署名活動も広がっていった。しかし、日本政府は強硬な態度を崩さなかった。

## サイパンの日本領事「革命を起こさないでください」

１８８３年に私はサイパンに転任した。サイパンはグアムの北に位置する北マリアナ諸島の首都である。

赴任して数日後の土曜日のことであった。スーパーマーケットの前で、小柄な日本人のおじさんから、声をかけられた。

「どこかで、あなたをお見かけしたことがあるのですが……」。彼はおもむろに言った。「私は最近サイパンに赴任した日本領事です。あなたをどこかでお見受けしたことがあるのですが……」。

「………」

「もしかして、新聞で私をごらんになったとか？」と先手を打って私が言うと、「そうかもしれませんね、一度オフィスにいらしてください。お話ししましょう」という。彼は私がサイパンに赴任したのを知っていて、偶然のチャンスを利用して、私に声をかけてきたのであった。

そこでさっそく次の週にうかがった。彼は宣うた。

「私は前に中近東の湾岸の国に赴任していたのですがね、いろいろ危険な目にも会いました。ここサイパンでは赴任して間もないし、もう危険なことを経験したくないのです」

「……？」

「そこでお願いがあるのですが。サイパンで『革命』を起こさないでください」

「！」

私は目を丸くして苦笑した。そして可笑しさをこらえながら、オフィスからお暇した。

そうなのか？　彼にとっての最大の悩みは海洋投棄計画への反対の声であったのか？　彼の赴任地域のここ北マリアナ諸島は、海洋投棄計画海域に最も近い地域でもある。それにしても日本政府が太平洋の島々の反対に、そこまで神経質になっていたとは……。知らなかったなあ。「これは見込みがある！」と逆に嬉しくなった。

「革命？」の火は、もう燎原の火のように燃えていたし、サイパンの肝っ玉母さんや、おばあさんたちが孫を連れて、よれよれの署名用紙をかき集めて回っている姿は、生命がけの何かであった。日本がもたらした戦争中の苦しみが、彼女たちの反対活動への思いをいっそう燃やしていたのかもしれない。

私はサイパンのモン・カルメル高校で日本語と倫理を教え始めた。高校生たちは、習ったばかりの日本語を使って、日本人観光客からの署名集めを嬉々として行っていた。

肝っ玉母さんを中心とする女たちの反対に、教師を中心にした動きも加わっていった。

一年たったころ、教育庁長官が「核問題週間を企画しよう。放射性廃棄物海洋投棄計画反対キャンペーンをしよう」と言い出したのだ。「ポスターと作文コンクールをして、入賞した生徒たちといっしょに、それを持って日本に行こうではないか」という発表があった。子どもたちは柔らかい感性で絵と作文を書いてきた。それは素晴らしい出来映えのもので、どれを選んだらいいのか、わからないほどであったという。

そのなかでも特に、「核のゴミを捨てないでと涙する魚たち」、「お母さんが放射能で汚染された食べ物を食べて、そのお腹のなかで〝助けて〟と泣く胎児」のポスター（本章の扉）が、選者の先生の心をうった。

ところが、そうして入賞して日本行きが決まった子どもたちは、ほとんどが貧しい家庭であった。旅費どころではなかった。

## マラマラを売って旅費をつくった子どもたち

どうして旅費を捻出しようか？　子どもたちが考えたのは、道端でのマラマラ売りであった。プルメリヤの白い花や、フレイムツリーの赤い花や、イランイランの香りの葉を編み込んだ冠を棒に通して、子どもたちは道端に立った。それはなんとも可憐な姿であった。

大人たちは喜んでそれを買い、フィエスタ(祝宴)を開いた。そうして集めたお金で、1985年の2月末に、子どもたちはとうとう日本に行ってしまった。

「TOTAL ABANDONMENT OF NUCLEAR WASTE IN THE PACIFIC」(太平洋への核廃棄物投棄の完全撤回)と書いた横断幕を持って、先生、生徒、女性グループ、教会代表たち、総計26名が出かけていった。私はサイパンに残って祈りつづけた。

日本側でも、各地の市民たちが応援の輪を広げてくださった。その連携は温かく力強く、代表団にかぎりない勇気を与えてくれたという。

帰ってきてからの26人の報告が面白かった。2人の校長は次のような出来事を話してくださった。

「外務省でも大臣室でも、『横断幕を持って入ってはいけません』と言われた。でも私たちは、『よし今日のために我が力あり』と、チャモロ人の力で奪いかえしてやったよ。そうして大臣室に堂々と入っていったのさ!!」

高校生のソフィア・ディアスさん(当時16歳)は、国会議員の前で、「海ハ私タチの母デス、命デス!」と、日本語で訴えたときには、多くの国会議員が涙ぐんだという。

雪の東京で、テレビの前で、訴えていた子どもたちの目がとても澄んでいた。

他の太平洋諸島からの署名分も入れて、政府に分厚い署名の束を提出した。

このとき、子どもたちが持っていった署名は、1980年以来の太平洋と世界からの何波にもわたる署名活動の最後の大きなうねりとなったのである。海洋投棄をとめることは、「トイレなき原発」に歯止めをかけることであった。日本と太平洋の草の根の相互の熱い思いが出会った日々でもあった。

## タポチョ山で復活賛歌を歌った

帰ってきた26人とともに、残った私たちも、サイパンのタポチョ山に登って、復活祭前夜祭を祝った。暗い夜が明けて、雲から光が射し始めるなかで、私たちは復活賛歌を歌った。

サイパンの肝っ玉母さんの代表のエスコ・スコラスティカさんが乾杯の音頭をとった。「このタポチョ山は日本軍司令部があったところよ。私たちは日本政府の計画をやめさせるまでがんばりしましょう」。

粘り強い肝っ玉母さんたちは、さらに、1985月9月のロンドン条約(海洋投棄を規制する条約)締約国会議にも出かけていく。

ところが、ここでも日本政府は、そのグループの活動を厳しく規制し、傍聴から閉め出そうとした。それは異例の警戒ぶりであったという。しかし、太平洋諸国と海洋投棄に反対する国々の熱い一致団結は、ついに「放射性廃棄物海洋投棄の無期限凍結」決議採択を勝ち取ったのであった。しかし、日本政府はそれでも計画を諦めなかった。

## 13年目の勝利　放射性廃棄物海洋投棄の全面禁止へ

計画発表から13年後の１９９３年11月12日、ついに日本政府は、ロンドン条約締約国会議で「放射性廃棄物海洋投棄の全面禁止」に賛成票を投じた。

ミクロネシアをはじめとする太平洋の島々の闘いが勝利した瞬間であった。しかし、日本が全面禁止に賛成票を投じた理由は、別の思いからであった。ロシアが日本海に投棄した事件があり、それをとめるための措置であった。「日本海にロシアが核のゴミを捨てては困る」からであった。13年も前から、「そんなに安全ならどうして東京湾に捨てないの？」と言われて無視してきた日本政府だが、やっと自分たちの海が脅かされるにいたって気がついたというわけだ。

ともあれ、タポチョ山で夜明けを祝ったサイパンの仲間たち、生徒たち、肝っ玉母さんを思い出して、私は東京から熱い乾杯をした。「勝ったね。おめでとう！」。

母なる海を放射性廃棄物のゴミ捨て場にしてはならない!!　それはまた、トイレなき原発に歯止めをかけた太平洋と日本の住民による連携の歴史的な勝利であった。

（1）グアムの日刊紙『パシフィック・デイリー・ニュース』１９８０年2月9日

# 第12章

# 誰が太平洋のマグロを消してきたのか

## 破れた防護服が語るもの

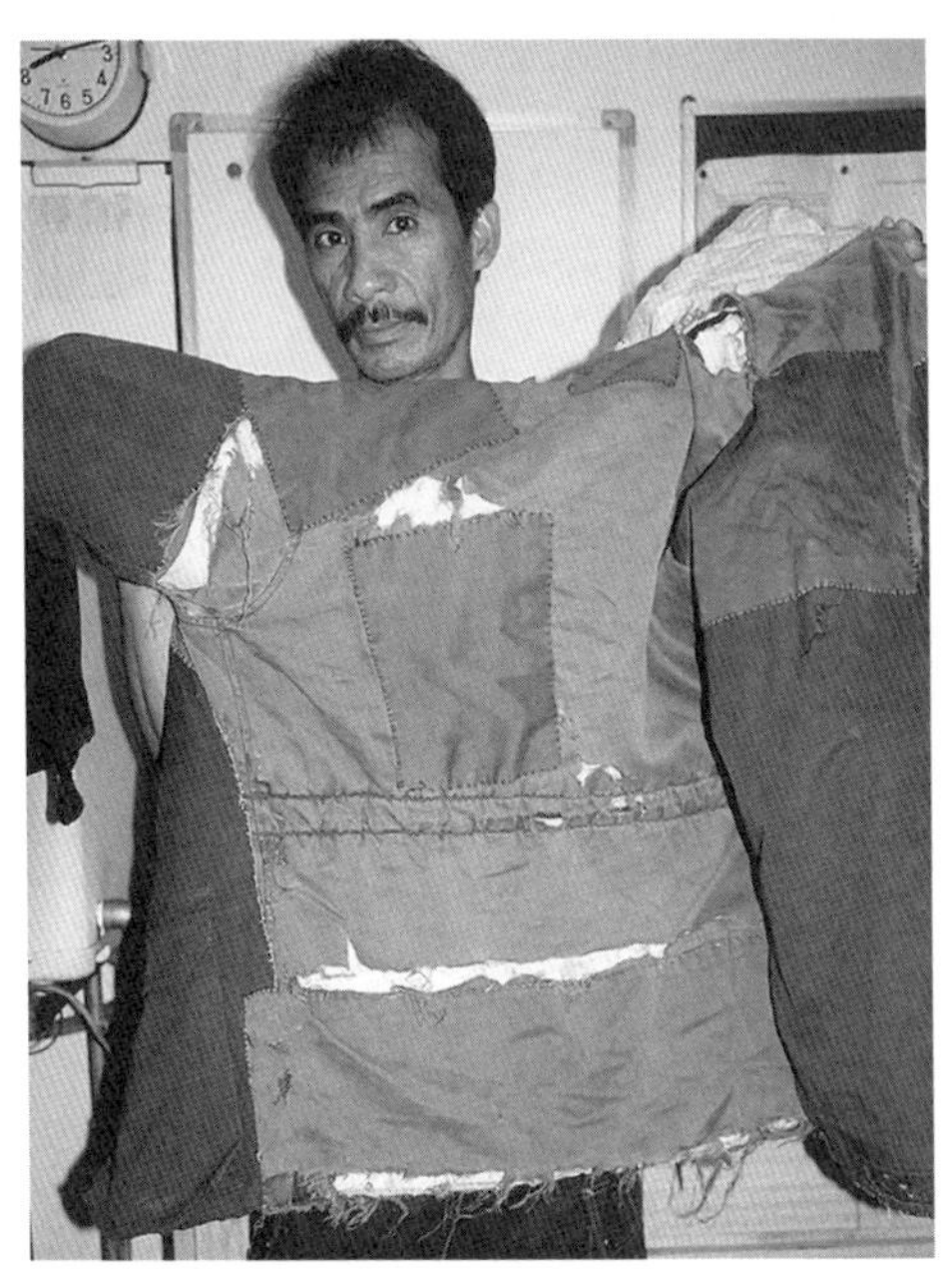

破れた防護服を着て、マイナス60度の超冷凍庫で長時間作業をさせられていたフィリピン人労働者（清水港に入港時に撮影、2008年）

「空飛ぶ生マグロ」

ある年のことである。パプアニューギニアからの帰路、ニューギニア航空成田行き直行便に乗った。不思議なことに前半分は、すっぽりと空席で、私たち乗客は全員‼後ろ半分に座らされた。きっと誰かを待っているのかしら？　しかし誰も乗ってこなかった。そして離陸へ。

機体は、早々にバランスを失って大揺れに揺れた。左右・前後に揺れつづける。冷や汗が出る。いったい何が起こったのか？　そもそも私たちは、なんで後部座席に座らされているのか？

やっと回ってきたスチュワーデスに聞いてみると……、

「生マグロ(1)を機体の前方下の倉庫に入れて運んでいるので、重心を考えて、皆さまには後方に座っていただいています」とのことだった。

「空飛ぶマグロ」は、機体をゆらしながら、北上をつづける。

やがて洋上に夕焼けが始まった。薄雲をまとった鳥のような茜(あかね)色の雲が流れていく。私はこの瞬間が大好きである。旅を振り返る瞬間でもある。

日本から8000キロ南のパプアニューギニアの海に群れ集うマグロをめざして、外国の巨大巻き網漁船（冷凍マグロ用）もまた群れ集う。そのなかで生マグロ用の地元の延縄(はえなわ)漁船の小さな操業は「利益の少ないぎりぎりの状況」、と現地で聞いたばかりであった。今、そのマグロが、私といっしょに空を飛んでいく！　私たち自身の飽食を満たすために……(2)。

グアム経由で送られる「空飛ぶ生マグロ」
（パラオの埠頭にて、1992年）

日本は世界一のマグロ消費国である。世界のマグロ消費量の半分を日本一国で消費しつづけてきた。その50％以上は太平洋で漁獲されたマグロである。パプアニューギニア、ソロモン諸島、ミクロネシア、マーシャル諸島、パラオ、キリバス、ツバル、バヌアツ、フィジー、トンガ、ニュージーランドなど（地図32～33ページ）、太平洋諸島海域から日本に水揚げされるマグロ・カツオ類は、世界のマグロ・カツオの水揚げ量の50％以上になる。「中西部太平洋マグロ類委員会（ＷＦＰＦＣ）管轄下の海域」といわれるところからである。

## 入漁料交渉のためのＯＤＡと「ホワイト・エレファント」

日本政府は、敗戦国としてミクロネシア海域の漁場を失っていた。そもそもの戦後賠償も行わず、入漁交渉を開始した。そして日米間で結んだミクロネシア協定による「見舞金」の現物支給

巨大巻き網漁船（グアム島にて、1998年）

（例：小型延縄漁船など）をきっかけに入漁権を獲得したのである。これはＯＤＡ（政府開発援助）の先駆けにもなった。以後ＯＤＡは、入漁料交渉を有利にするものとして受け継がれる。加えてＯＤＡプロジェクトを受注した日本企業や交渉相手の政治家が、甘い汁を吸うシステムも構造化されてきた。

１９８０年代になって、ミクロネシア各地に「漁業振興」と銘打っての、巨大冷凍庫、冷蔵庫、製氷機、埠頭、道路建設などの無償援助が供与されていく。結果はどうであったか。

１９９８年にミクロネシア各地を訪ねて調べた。特に巨大冷凍庫は、地元の漁業振興には大きすぎて役立たず、「ホワイト・エレファント」と呼ばれる無用の長物となっていた。しかも運転代は地元の負担になっていた。

トラック諸島デュブロン島の巨大冷凍庫は、錆びてボロボロの状態で、人里離れた岬の先端に放置さ

ホワイト・エレファントと呼ばれた巨大冷凍庫
(デュブロン島、1998年)

れていた。

ポナペ島(現ポンペイ島、地図33ページ)に供与されたものは、日本に行く「空飛ぶ生マグロ」の基地として、陸揚げ・選別・箱詰めに使われていた。冷凍庫は延縄漁船用の冷凍イワシなどの餌入れになっていた(マーシャル諸島でも同様であった)。フィジーに供与された冷凍庫の方は、日本行きの冷凍マグロで満杯になっていた。

ODAが、相手国の漁業振興ではなく、日本のマグロ産業に奉仕するODAとなっていた。そのODAの基地からは、観光客を乗せてきた帰りの便かチャーター便が、グアム経由で「空飛ぶマグロ」を日本に届けつづけていた。

私も「空飛ぶマグロ」といっしょにグアム島に飛んで(笑い)、アプラ港で日本企業が威勢よくマグロを選別している現場を見た。等級Aは成田行き。Bは成田以外。鮮度・品質の不合格品はCで、地元ホテルやレストラン行き。Dは地元のマーケット行きであった。

ポナペ島を訪れたとき、別れの日に仲間のシスターが、「靖子の帰国のお別れにマグロステー

ポナペ島でのODA施設が日本行きのマグロ選別現場となっていた。
後方の箱は日本行きマグロを入れる箱（1998年）

キをご馳走するわ」と言って料理してくださったのが、地元で唯一買える不合格品であった。そんなのって地元に対して失礼ではないか。それがマグロ産業の現実であった。そして、それでさえも本当に美味しかったのだ！　シスターたちありがとう。

## マグロ産業の栄枯変転

　マグロ産業の栄枯変転は凄まじい。２０１１年にポナペ島を再訪したときには、日本企業ではなく、香港系のルエン・タイ社の仕切る場となっていた。３隻もの延縄漁船が水揚げの最中で、東京のオフィスと連絡をとりながら「明日の朝、12トンの『空飛ぶマグロ』を送り出す」という。生マグロは月に70トンから80トンの水揚げ。工場内でロイン（真空冷凍パック）にしたものは、月に１００トンも送り出す。

**世界のマグロ・カツオ漁場**

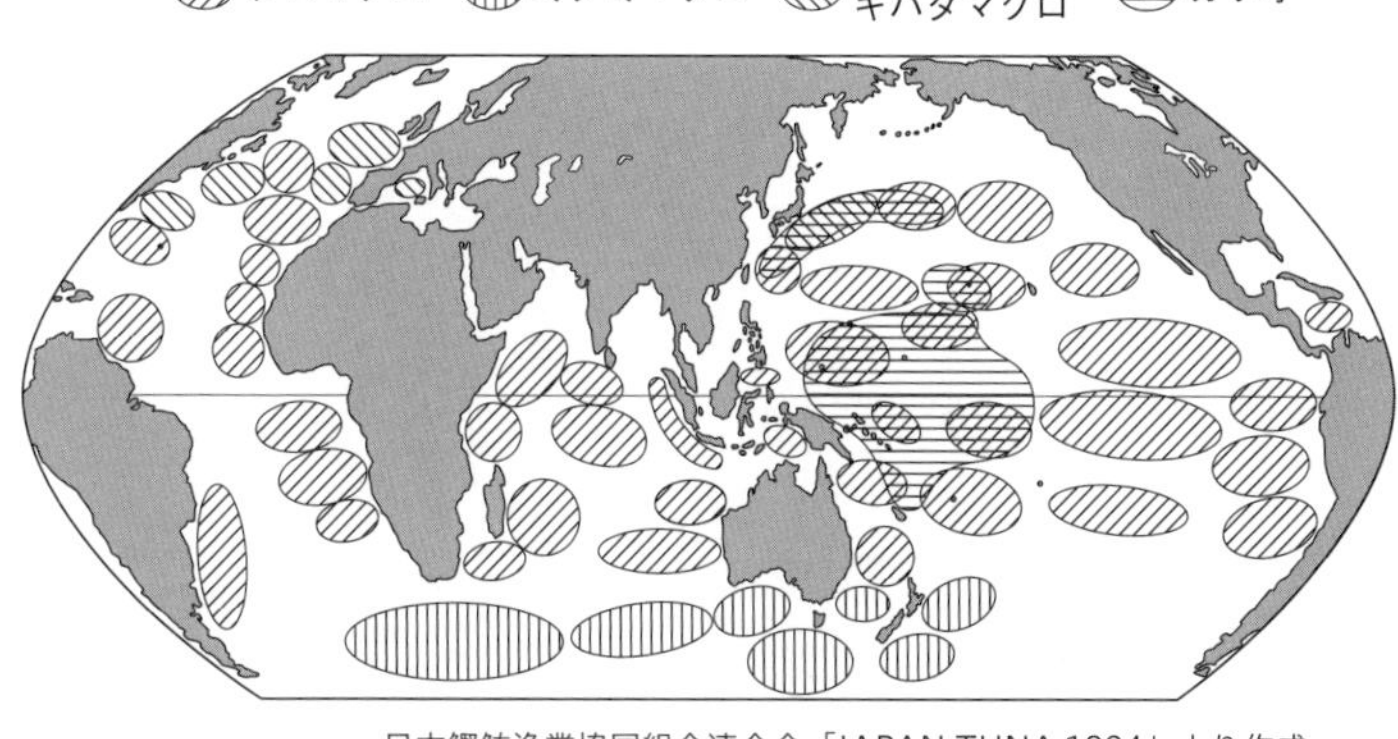


日本鰹鮪漁業協同組合連合会「JAPAN TUNA 1994」より作成

韓国、台湾、日本、米国の巨大巻き網漁船も出入りするという。ちょうど埠頭の向こう側では、韓国の巨大巻き網漁船が、キハダマグロとカツオをタイの工場向けに転載中であった。

ミクロネシアの豊饒な海も、こうした「軍団」に根こそぎ浚われていく、凄まじい現場であった。

輸送力増強のためにポナペ空港も拡張が必要とのことで、マングローブを伐り開いての滑走路延長工事が進んでいた。これも日本のODAでのプロジェクトであった[3]。

## 「洋上積み替え」とマグロ産業の不正利益追求

太平洋を行き来する何千という巻き網漁船軍団は、巨大な巾着網を広げて根こそぎマグロ・カツオを獲ってしまう。その場でマイナス60度の冷凍庫に保管し、全航海の途中で、巨大運搬船に何回も「洋上積み替え」をして、冷凍マグロ・カツオを送り出す。漁船側は、海上でそのまま操業を続けられる。寄航して転載をする費用も不要になる。そのためこの洋上積み替えが現在、恒常化してしまっている。誰にも知られずに、積み替えの量と中身などのデータを改ざんする不正操作も可能なシステムである。

「洋上積み替えをしないとビジネスがなりたたない時代に入った」と漁船側は主張する。この洋上積み替えこそが、マグロ産業の不正利益追求の温床と、マグロ・カツオ資源の際限ない剝奪の繰り返しを生んできた。さらには乗組員への過酷な労働と安い賃金を強いることになった[4]。

2016年の調査では、太平洋の西部と中部に限定しても、海上の積み替えで不法に取引されるマグロ類の価値は、毎年1億4200万米ドルに達すると推定された[5]。

冷凍マグロ・カツオの行き先はタイが多い。缶詰工場、ペットフード工場、その他の加工工場に行き、さらにその製品は、EUと米国、日本、韓国などに輸出される。日本のペットフードは、このタイ原産が中心である。ペットブームが、マグロ・カツオの資源を食い潰していく一因となっている。

日本での冷凍マグロ・カツオの水揚げ先は、清水港と焼津港が多く、商社の冷凍庫、加工工場、量販店、カツオ節、地元市場行きとなっている。私たちが食べるマグロは、その流通過程で解凍される。

**太平洋公海上で行われた可能性のある積み替え事案**（2016年）

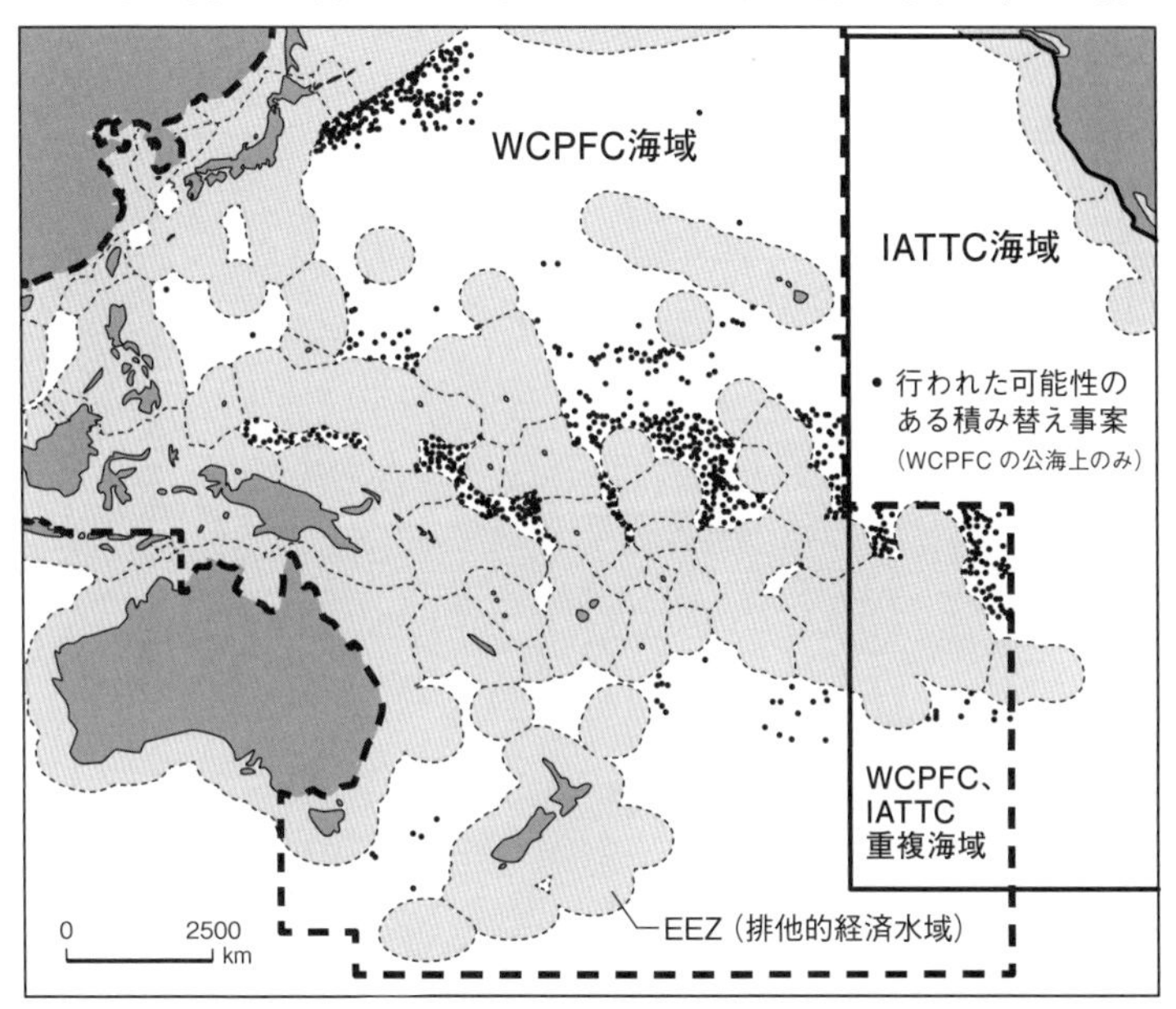


WCPFC：中西部太平洋まぐろ類委員会（Western and Central Pacific Fisheries Commission）
IATTC：全米熱帯まぐろ類委員会（Inter-American Tropical Tuna Commission）
出所：OceanMind Ltd.（2019）による記録、exactEarth Ltd.（2016）からの資料、marineregions.orgによるEEZ境界をもとに作成されたThe Pew Charitable Trustsの地図（「中西部太平洋における積み替え件数は報告数を上回る可能性が高い」所収）より作成

特に清水港は、全国の冷凍マグロ水揚げ量の50%を占める漁港！といわれる。しかし実は、その水揚げ量も実態も不透明なままである。三菱グループ（子会社の東洋冷蔵と一体化した）や、大企業と商社が、冷凍運搬船や漁船のマグロを船単位で直接買い上げる取引が中心の港であり、市場を介した取引はほとんどない。そのため水揚げ量の統計も作成できていない。日本でのマグロ産業のトップとして君臨している

のはこの三菱グループなのであった。(6)

## 「破れた防寒服」が語るもの――マグロ奴隷船の実態

私はその清水港で1998年、冷凍マグロ運搬船で働いているフィリピン人たち15人から話を聞く機会があった。それは驚くべき内容であった。

「洋上でのマグロ積み替え時に、マイナス60度の冷凍庫に、長いときには30時間も（交代ではあっても）入って働くのですが、支給されるのは、『破れた防寒服』だけ。そこから凍結気流が身体を襲ってきます。身体は凍え痛みます。防寒服を替えてほしいと交渉しても聞いてもらえない。あまり文句を言うと首にされるのです!!」。皆がお互いにうなずきあう。「給料も安いのです」。

「冷凍庫のなかには、日本人は入らないのですか」

「入ったとしても、ごく短時間しか入らないのですよ。長時間は私たちなのです」。皆がさらにうなずきあう。しかも、「第三者が交渉しても駄目なの?」と聞くと、「誰が文句を言ったかわかってしまう。言わない方がいい」とのことであった。文句も言えない弱い立場で、劣悪環境のなかで働かされている彼らなのであった。

私はその後、奇しくも2008年6月28日に、清水港に停泊中の冷凍マグロ運搬船VICTORIA内で、フィリピン人たちから、その「破れた防寒服」なるものを見せてもらう機会を得た。私がそのとき撮影した画像をここに紹介したい（本章の扉）。手袋も長靴も破れかぶれであった。

マイナス60度の冷凍庫のなかで長期間マグロを保存するというシステムと洋上積み替えによって、「破れた防護服」のままで、文句も言えず、奴隷のように働かされている労働者たち。その犠牲のうえにたって、私たち日本人が新鮮なマグロを食べている！「破れた防寒服」は、その現実のシンボルのようであった。[7]

さらに、奴隷のように働かされている船員の実態は２０２０年、中国の「大連遠洋」の遠洋延縄漁船で、インドネシア人船員らが病気やけがなどの治療を受けさせてもらえず、10人も死亡した事件によって発覚をみた。大連遠洋が、洋上積み替えを繰り返すなかで、1年以上も陸に寄らず、冷凍庫内も含めて24時間を超える長時間労働を課せられていたインドネシア人たち。中国人の上司による暴力、病気の放置など、船員への虐待も繰り返されていた。大連遠洋からの荷受けを２０１１年以来独占的につづけてきたのは三菱商事であった。三菱商事側は、「２０２０年４月以降は大連遠洋との取引はない」として、この件に関し無回答で通している。[8]

洋上積み替えを繰り返す便宜置籍船VICTORIA
（清水港にて、2008年）

## 焼津港に行ってインタビュー

焼津港は遠洋一本釣りや延縄漁船も多く出入りする日本有数の冷凍マグロ・カツオ水揚げ量を誇ってきた。２０１９年６月29日、ちょっと暑い日に、焼津港に詳しい友人の案内で埠頭を訪れた。出入りする遠洋漁業船の船員に会ってみたいと思ったからだ。

最初に出会ったのは、日本国籍の遠洋カツオ一本釣り冷凍漁船（ＮＩＫＯ　Ｎｏ・11、４００トン）に雇われているキリバス人バンナン・タバコさんであった。40日の旅と水揚げも終えてほっとしたところであった。「2週間の休暇をもらった」という。「この船にはキリバス人、インドネシア人、日本人が乗船している。僕たちは力持ちだから釣る係だけれど、体力がいるので大変な仕事だよ。冷凍庫で働くのはインドネシア人。２時間ぐらい入って働く[9]」。

歩いているうちに、友だちのキリバス人がやってきた。遠洋巻き網漁船[10]（第18宮丸、８００トン）で働いて、ソロモン諸島海域でカツオとキハダマグロを獲ってきたという。

キリバス人同士が港で情報を交換しあう。いかにも楽しそうであった。

「ソロモン諸島海域での漁獲量はどう?」。「ものすごく減っているよ」。

漁業組合の事務所近くで、今度はパプアニューギニア出身の2人に出会った。遠洋巻き網漁船に乗って、パプアニューギニア方面から戻ってきたという。彼らは魚群を見つける係であった。

「僕たちは魚の群れを見つける良い目をしている。給料は雇い主のパプアニューギニアの漁業省から出るから安定している」と言う。「パプアニューギニア漁場はよいが、もう韓国、日本、台湾、スペイン船がいっぱいだよ」とのことであった。

焼津港側から、ソロモン諸島やパプアニューギニアのことを聞くなんて、故郷の便りを聞くようで嬉(うれ)しかった。でも、冷凍庫での厳しい労働はインドネシア人であることを彼らも語る。その苦境を思って胸がいっぱいになる。(11)

## 遠洋延縄漁船の荻原正行機関長へのインタビュー

7月1日、最後に50年のベテラン、荻原正行機関長（遠洋延縄漁船第7福久丸、400トン）から話をうかがった。

船のタラップから降りてきて、休みを楽しそうに味わっておられた。

ニュージーランド沖で漁獲した高級刺身用のミナミマグロ（冷凍）を水揚げし終えたばかりという。

「今南半球は冬で、時化(しけ)るとき。ニュージーランドから日本に帰るのに18日もかかった。ニュージーランドとオーストラリアのあいだの公海で獲った。領海で獲ろうと思うと、何千万円も払わなければならないから公海で獲っている。ミナミマグロを獲るのは、ほとんどが日本船籍の船だ。ミナミマグロ業界の協定で60トン以上は公海上で獲ってはいけない。規制が厳しい。それに延縄にかかるミナミマグロは、今では平均20匹ぐらいに減ってしまっている」

「遠洋延縄漁は昔は儲かったよ。規制もなく、領海に入っても獲り放題だったよ。今は自主廃業する船も多い」

「帰路は、パプアニューギニアの公海でキハダマグロやメバチマグロを獲って帰る。今回の水揚げ量は、メバチマグロとキハダマグロを入れて180トンぐらい。昔は200トン以上もざらに獲れたんだがなあ!」

「獲ったマグロは、内臓やエラを取り去って、塩水で処理をし、マイナス65度の凍結室で凍結させる。次にマイナス60度の別の凍結室に入れる。防寒服の人が7人ぐらいで30分ぐらいかけて並べる。インドネシア人の仕事。魚艙がいっぱいになると、積み替え船に持っていってもらう」

「洋上積み替えは、専門の積み替え船があって、三重県の大成丸や東京のトーエイ・リーバーなど。延縄漁船からの洋上積み替え船には、日かつ漁協(日本かつお・まぐろ漁業協同組合)や、他国のオブザーバーが乗ってチェックする。積み替えには、1トンにつき4万円ぐらいの転載料がかかる」

「パプアニューギニアの海はどうですか」

「うねりのない海で30度ぐらいの海水温度、航海しやすいよ。ニューブリテン島の北などがいい」

「ニューブリテン島はね、昔はわんさと獲れた。2月~3月がマグロの多いシーズン」

そうか! 原生林が多かった昔のニューブリテン島は、海も豊かだったのだろう! 懐かしさがこみあげる。「あとは東チモールの方面が多く獲れる」。「昔はね。アマゾンの河口に延縄漁船で行ったときに、キハダマグロが1日1トンから9トンも獲れた。河口はプランクトンが多いのさ」（そうか！　アマゾン流域もかつては深い原生林の河口だったから、海のプランクトンも豊富なのだなあ！）。

「乗ってきたこの船は、日本人5人、インドネシア人17人。日本人は船長、機関長、甲板員など。延縄漁船での仕事はリスクも大きいし、労働はきついので、日本人にあまりなり手がいない。だからインドネシア人など外国人を雇うことになる。コック長はインドネシア人」

彼は昔を懐かしみながら、今の状況までもしっかりと話してくださった。世界の海を駆け巡った50年の経験が刻まれた顔があった[12]。

この焼津港でのカツオ・マグロ水揚げ量は、訪問した2019年には16万トンにまで落ち込んでいた（2011年には20万トン[13]）。

ところがこの焼津港で、焼津漁港漁業協同組合と水産加工業者と運送業者が結託して、水揚げの際の、「冷凍カツオ抜き取り」を20年間も繰り返していたという実態が明るみに出た（2020年11月）。漁協までもが関与して、遠い海からの宝のマグロ・カツオを窃盗していたのである。船主たちの驚きと怒りは大きかった。統計も不透明となる。「焼津港よ、お前もか？」。この業界の闇のなんと深いことか[14]!!

## 「海が枯れている」

奥地からの森の滋養と駿河湾の深海からのあふれるほど豊かな漁場でもあった焼津港。その埠頭で釣りをしていた人が、私に語った言葉が忘れられない。「駿河の海も世界の海も枯れてしまっている」という。

太平洋全域からのマグロ・カツオの水揚げ量の減少と質の劣化が進行している。パプアニューギニアの海で、ソロモン諸島の海で、そしてミクロネシアの海で、「漁船軍」が魚を根こそぎ奪っている。日本への輸出や水揚げ量は激減してきている。

そのうえ日本近海に魚が寄りついてこなくなり、近海ものの水揚げも減っている[15]。原発からの温排水や汚染水の垂れ流し、内陸の森の喪失、温暖化、海の資源の搾取、餌の捕り過ぎなどの要因が絡みあった結果ではないかと、私は思っている。

しかも、新型コロナウイルスの席巻する2019年以後、日本へのマグロ・カツオの輸入量がバッタリと減った[16]。

現在の日本は、産地国側からみて、「送り先として魅力がない」と日本の輸入業者は分析する。「回転寿司」が登場して、安いネタが恒常化して、高い値段で海外からのマグロを仕入れると売れない。マグロの値段が下がっている。マグロ消費量も落ちている。

逆に産地側にとっては、経済力を取り戻した欧米側の購買力は高く、高値でも品質が落ちても文句はこないという。

今、コロナ禍のなかで、私たちが、私たちの食も、暮らし方も、見直す絶好のチャンスではある。遠くから運んでくるものに頼らない暮らし、地元のささやかな暮らしへと、回心するときでありたい。

かつて、八戸のネコ缶業界の缶詰技術者のおじさんと電話で話したことを思い出した。その会話を再現するとこうなる。おじさん曰く、

「よくお客さんから文句が来るんですわ。『ネコが移り気で次から次へと缶詰の嗜好を変える。いったいどうなっているんですか』って」

ここで私はごくっと唾を飲む。おじさんはなんと答えたのだろう。

「ネコはね。母親から乳ばなれしたときに最初に食べた味を一生忘れないんですよ。そして生涯その味を追い求める。そのネコ缶がミクロネシアのマグロだったらその味をね。だから同じブランドの缶詰でも魚の原産が違うと振り向きもしないってことがあるわけです。これはメーカーの責任を超えますすわね」

「じゃあ……どうすればいいのですか?」

「簡単なことです。乳ばなれしたら、家庭の残飯に味噌汁なんかをぶっかけたのをやればいいんです。ネコは一生それで満足しますよ。私の家のネコなんか残飯しかやっていません」。「!」。「これはメーカーとしては秘密ですがね」。「!!」。なんとも愉快な話である。

そうか？　コロナ禍のなかで、輸送も、輸送コンテナも、遠くの海からの何もかも、今までどおりに入ってこなくても、これはひとつのチャンスである。遠くから奪わない暮らし。地元の食材に生きることに戻ろう。

そのとき初めてわかってくるに違いない。遠い地平線と水平線のこと、そしてかなたからマグロを運びつづけてきた「マグロ奴隷船」の船員たちの苦しみと涙のことも……。

（１）「生マグロ」とは一度も凍らせていないマグロをさす。日本行きの直行便を利用して、飛行機の貨物室に積み込み、鮮度を維持したまま成田空港や関西空港などへ「空飛ぶマグロ」として送られる。海外で操業する延縄漁船からの水揚げ後の時間短縮が鍵となり、空輸によって鮮度の高いマグロが食卓に届けられるしくみである。

（２）日本行きのパプアニューギニアからの生鮮・冷蔵マグロは、２０１３〜２０２０年の統計（太平洋諸島センター）を例にみると、キハダマグロとメバチマグロが中心で、毎年10万トン前後であったものが激減している。地元延縄漁船側にインタビューすると、巻き網漁船団の増加による資源の減少、機材の補修費用やガソリン代の高騰、首都ポートモレスビーへの運搬代と、日本への空輸費用を入れると、「空飛ぶマグロ」は、苦しい経営であるということであった。

（３）マングローブ林は地元の零細漁業にとって大切な漁場で、それを潰して滑走路を延長することに反対の声があがっていた。しかしその声は無視され、ＯＤＡでの突貫工事が始まっていた。

（４）「洋上積み替え」の不正を監視するオブザーバーが乗り込む監視制度が導入されたが、運用にあたっては成果があらわれていない。緩やかな監視しかしない役人たちの国も多い。

（５）The Pew Charitable Trusts, 2018

（６）清水漁港振興会が独自集計した２０１９年の同港の冷凍マグロ水揚げ量は約９・３万トンにのぼるが、市場を通じて集計した水産庁の統計では10分の１の約９０００トンにとどまっている。

（７）船は冷凍庫マグロ運搬船の東栄リーファーライン。

バヌアツに船籍を置く便宜置籍船。「便宜置籍船」とは、外国の個人または法人の所有する船舶の船籍登録を認める便宜置籍国（パナマ、リベリアほか）に登録された船舶。①自国船員の乗り組みの義務づけなどがないので、賃金の安い外国船員を雇用するなど、船舶の運航費の削減ができる。②本船に対する毎年の賦課金と既定の領事手続き費用を納入すれば、本船稼働による収益に対しては一切課税されない。③登録税などが極めて安価である。

（8）２０２０年5月、インドネシア政府は大連遠洋漁業のインドネシア人乗組員への虐待を非難。２０２１年5月には米国が、虐待や強制労働を行っているとして大連遠洋の水産物を輸入禁止した。特定非営利活動法人Tansaが「探査」報道している。Tansaのサイト Tokyo Investigative Newsroom Tansaにリポートが掲載されている。「日本が食った『奴隷』のマグロ」２０２１年9月14日、9月17日、10月28日（https://tansajp.org/investigativejournal_category/oceans/）

２０１８年11月から約2年間、大連遠洋の漁船で働いたインドネシア人船員のルスナタ（39歳）によると、過酷な労働や虐待に耐えかねた数人がある日、「港に帰らせてくれ」と懇願した。だが船長は聞き入れなかった。懇願したうちの1人が、マグロ荷受けの運搬船に飛び乗って逃げようとしたが、運搬船の方の船長が受け入れず脱出は失敗した。病気やけがなどの治療を受けさせてもらえず死んだ船員の遺体は海に投げ込まれた。運搬船は大宝丸。清水港で荷受けしたのは三菱商事グループであった。大連遠洋は3ヶ月に1回ほど、多いときで50トンのマグロを運搬船に積み替えて、1～2年間以上は港に寄らなかったという。Tansa制作の動画「日本が食った『奴隷』のマグロ」（https://youtu.be/HoC8xjcG_TQ）をぜひ見てほしい。

さらに、日本の人権NPO「ヒューマンライツ・ナウ」は、大連遠洋の事件についてレポートをつくり、洋上転載について、「積み荷の積み替えがこの長期的航海を可能にし、結果として、外部から孤立し遮断され実態把握が困難な状況が生まれ、乗組員に対する労働権及び人権侵害を引き起こすことにつながっている」とした。

（9）遠洋カツオ一本釣り冷凍漁船の場合は、釣り上げられたカツオは、マイナス20度の食塩水（ブライン液）で急速凍結した後、マイナス45度の魚艙に入れる。餌はカタクチイワシ、ウルメイワシ、マイワシなど、生きたイワシを冷たい生け簀に入れて大切に持っていく。活きのいい餌を使うことが漁労長の極秘手腕である。

（10）巻き網漁船からのカツオやキハダマグロは、缶詰工場行きか、刺身か、カツオ節用になる。

（11）遠洋巻き網漁船の操業についての動画もWEB上に多々ある。以下はその一端。

ニューブリテン島巻き網漁船団　https://www.youtube.com/watch?v=WzP_wGoo6rI

遠洋巻き網漁船の操業風景　https://www.youtube.co

m/watch?v=3MDqPVa7T4w

遠洋巻き網漁船の水揚げ風景　https://www.youtube.com/watch?v=uwgKQLKS6vg

(12) 遠洋延縄漁船の餌は冷凍のイカ、サバ、ムロアジ。近海で捕ってくるものと、輸入もの（ベトナム、アルゼンチン、台湾、中国、インドネシアなど）とがある。イカは餌として人気があるが値段が高い。60〜80尾入りのケースを８００ケースほど、港で積み込んでいく。鮮度の良いものでないとマグロが食いついてこない。餌は漁労長の極秘の工夫と腕の見せどころである。漁場で冷凍の餌を解凍して延縄の釣り針につけて仕掛ける。

第7福久丸についてのＷＥＢサイトの動画　https://www.youtube.com/watch?v=acmZgQeGsoc　そのほかにも多々ある。

焼津港でのミナミマグロ水揚げの様子　https://www.yaizu-gyokyo.or.jp/y-sbt/

(13) カツオ・マグロ水揚げ量の70%が巻き網漁船（冷凍）から、20%がカツオ一本釣り漁船（冷凍）から、10%が延縄漁船（冷凍）からの水揚げであった。（２０２０年焼津漁港漁業協同組合「水揚統計票」）

(14) この抜き取り事件は、汗水流して操業してきた海外巻き網漁船側に莫大な損害を与えてきた。事件の調査を行った弁護士が、今までわかっていることは「氷山の一角」と語る。その詳細は各紙で報道された。２０２２年5月9日には、マルハニチロのグループ企業の幹部と漁協職員らが起訴された。（『東京新聞』２０２２年5月10日）

(15) 例として放流したサケの稚魚の回帰率は2%前後であったが、２０１１年の福島原発の事故直後からは１%以下に激減した。そのまま２０１９年には０・２%になってしまった。（２０１９年岩手県水産振興課統計）

サケだけではない！　大衆魚といわれるサンマもイワシも激減した。

(16) パプアニューギニアとパラオ、クック諸島からは、生マグロはまったく入ってこなくなった。フィジーとマーシャル諸島からのものも激減している。想像するに観光客が減り、「空飛ぶマグロ」の輸送手段が減ったためもあろうか。コロナ禍で乗組員が集らないのか？

冷凍マグロは、どこからの輸入も激減している。（太平洋諸島センター統計ハンドブック２０２１年）

## 第13章

# 樹から魚が湧き出てくる——樹を伐ったら洪水になった

パラオ（ベラウ）の伝承「樹から魚が湧きだしてくる」
（絵：マーガレット・リーチ、部分）

月が曳き、月が寄せくる波の音、たゆとうように語られる昔話。

鳥であったり、樹であったり、魚であったり、そんな口伝を語るとき、人々は、うたうように、優しく酔うような調子になる……。

そこには、生きとし生けるものと人間の綾と、次の世代への語り継ぎと、私たちへの優しいメッセージが込められている。

それを語る語族独自の言葉は、繊細な美しさをもっているという。日本語に五月雨、時雨、夕立、秋雨、春雨という繊細な表現があるように、その古来の言葉は、森羅万象の発露のように、ゆらぎながら私たちの琴線に迫る。

## 樹から魚が湧き出てくる（パラオ）

ミクロネシアのパラオ（ベラウ）に昔から伝わる「樹から魚が湧き出てくる」という話がある。

《昔々、ミラッドという心優しい女がいたの。彼女は海辺に大きく枝を張って波と戯れるパンノキを大切にしていたわ。折々に海の大波が打ち寄せるそのときに、パンノキは、その幹から魚をいっぱいあふれ出させるの……。そうしてミラッドは樹から湧き出た魚を大切に持ち帰っては、村の皆とわかちあって慎ましく暮らしていたの。

ところが彼女を羨み、また魚をたくさん湧き出させて儲けようとした貪欲な男たちがいて、ついにある日、その樹に斧をあててバッサリと伐り倒してしまった。たんまり魚が出てくるのを期

パラオ（ベラウ）の伝承「小さな光を暗夜に点じて飛ぶ鳥たち」
（絵：マーガレット・リーチ）

待して……。

するとどうしたことか、倒れた樹からは魚ではなく、どどーっと水があふれ出だした。それは洪水となり、島も海も覆ってしまったのよ》（本章扉にイラスト）

パラオの人々は、この伝説からいろいろなことを子どもたちに教える。

この話は、深い響きをもって私たちにも語りかける。遠い国まで出かけていって森を伐り、洪水を起こさせ、魚まで大量に貪り捕って、戦争で侵略しても恥じない日本、日本の「貪欲の斧」によって「森と魚と激戦地」とされた島々からの、私たちへのメッセージとして……。

## 小さな光を闇夜に点じて飛ぶ鳥たち（パラオ）

昔々、「小さな光を闇夜に点じて飛ぶ鳥たち」がいた。夜のジャングルで迷った村人や、孤独なカヌーの旅をする男たちを、その光で導いてくれた。暗いところで遊んでいる子どもたちには、まわりで舞っていっしょに遊んでくれたという。

いいなあ、鳥と人間が遊ぶ世界！　日本にも「夕鶴」の世界があって、「つう」は子どもたちと遊んだ。そんな世界をいつまでも大切にしていきたいと思う。

一方、コカトゥ（写真5ページ）という鳥が人間に親切につくしたのに人間が裏切ってしまったため森の奥に去ってしまったというウイアク村の伝説もあり、「夕鶴」での裏切りと重なって人間と鳥と森の関係を示して興味深い。

## 月の満ち干の揺りかご

「人は満ち潮に生まれ、引き潮に息を引き取る。ある人が臨終だとしても、満ち潮だったら家族は仮眠をとっても大丈夫なの」とミクロネシアの人々は言う。月の満ち干の揺りかごのなかで、私たちの身体もその影響を受けている。海の生きものも同じである。サンゴは7月の満月の夜に産卵し、海をオレンジ色に染める。エビは三日月のときに這(は)い出てくる。海の多くの生きものは、捕食者から隠れるために深く潜る。そうして月が昇ったり沈んだりする周期にあわせて、海面に浮上したり潜ったりする。

## 満月の夜の逢い引きとカメの腰蓑（パラオ）

《満月の夜にね、恋人たちがカヌーで遠い小島に行ってね、逢い引きをしたの。翌朝起きてみると、女の腰蓑(こしみの)の後ろ部分がなくなって、そばに母ガメの足跡が残っていたの。次の満月にも、二人が逢い引きをすると、卵を産みにやってきた母ガメの背びれに、女の腰蓑が引っかかっていたのよ。こうしてパラオの人々は、母ガメが新月か満月の大潮に乗って、卵を産みにくることを知ったのよ》

その伝説のあるパラオで仲間たちが私に訴えた。「でも、そのカメを日本人の商人がやってきて殺し、鼈甲(べっこう)を持ち帰ってしまった。殺されたカメを見て大人も子どもも泣いたの」。

日本は戦前から鼈甲を求めつづけた。南興水産は捕亀船を仕立てて、ヤップの無人島に出かけ、大型アオウミガメが来る夜を狙った。2晩で80匹も捕獲したという記録もある。皮はワニ皮の代用に、カメの肉は帝国ホテルなどのスープになった[1]。

戦後も日本は、ミクロネシア、メラネシア、カリブ海から、次から次へとウミガメを求め、鼈甲を輸入してきた。鼈甲取引を禁止するワシントン条約があるが、その密輸は後を絶たない。現在表向きは輸入をしていない日本であるが、加工業者は存続し、店頭には鼈甲が並んでいる。

## ヒレなしのサメがプカプカ浮いている（ニューギニア島シサノ村）

航海に出る前にサメに安全を祈り、カヌーが転覆して溺れかけたときには、そっと寄ってきては、優しく背中に乗せて運んでくれるサメ。サメは島々の住民の祖先神として崇(あが)められてきた生きものである。

２００８年、ニューギニア島のインドネシアとの国境近く、砂州の村シサノ（地図１０９ページ）を訪れたときのことである。ある人が私に問いかけてきた。[2]

「シサノ沖に、ヒレを切られたサメがプカプカ浮いている。そんな悲しい姿を見るのは耐えられない」と言う。「外国のマグロ延縄漁船が、マグロといっしょに混獲したサメのヒレだけを切り取って、残りを海に投棄してしまう。ぶざまな姿になったサメがプカプカ浮いているんだ。あれはどういうことなのか。日本の船もあるよ」と言われた。漁船に乗って現場を見たのだという。

さっそく調べてみた。混獲されるサメは、推定でマグロ漁獲の３割にも相当するといわれている。切り取られ、船上で干されたフカヒレは、港で高値で売れる。漁船員のポケットマネーになる。５００キロで１億円ともいわれ、フカヒレ・スープなどの高級中華食材になっていく。ワシントン条約は２０２２年11月、フカヒレ・スープ用のすべてのサメの国際取り引きを禁止する採択を行った。

フカヒレの長年の輸入国であり、取り引きをつづけてきた日本のありかたが問われつづけている。[3]

## マグロは祖先の聖なる魚（マヌス島）

《ある島の海辺に、イグダとヴァギという夫婦が暮らしていた。長い年月の後にイグタが身ごもったときのヴァギの喜びは大きかった。月満ちて、イグタは海辺のマングローブに行って子どもを産んだ。生まれてきた子どもは、マグロだった。

「わが子よ。母さんが毎朝食べ物を持ってくるから、小枝の折れる音を聞いたら海から顔を出しておくれ」。イグタは毎朝、マグロに会いにいった。産まれた子どもがマグロであることを知って怒った夫はマングローブの岸辺に行って、子どものマグロを銛(もり)で刺してしまった。傷ついたマグロを持って帰った夫を見て、イグタは激しく泣いた。次の日も、次の日も。マグロを抱いて泣き続けた。心を動かされた夫は、マグロを海に放してやることにした。

二人はマグロをバナナの葉で着飾って祝福し、海に戻してやった。

「子よ、海で幸せに暮らしてね。身体に気をつけて、危険から身を守るのよ」

マグロは二人の前からゆっくりと遠ざかって、最後に高くジャンプした。マグロを飾っていた葉っぱが見えるほどだった。二人は悟った。マグロは青くて深い海を見つけて幸せに暮らしていることを》

人々はこの話を伝えて言う。マグロは人間から産まれた聖なる魚であるから、大切にしなければならないことを。

## 明けの星とキヤトンの話(ウイアク村)

《昔、キヤトンという美しい娘がいた。キヤトンは、明けの星の青年に会いに、ビルム(女たちが糸を編んでつくる背負い袋)の糸を長く伸ばして、浜辺から沖へ泳いでいった。明け方になると、その明けの星の青年が水平線から登ってきた。二人は恋に落ち、キヤトンは子どもを産んだ。最初の子どもはオーレ（マグロ）であった。2番目の子どもは海鳥だった。深い海のなかで、二人のまわりには、いつもマグロと海鳥が戯れ寄り添い、幸せな日々を送った。

ある日、キヤトンは海鳥に頼んだ。「鳥よ、遠い岸辺の村に私の両親が住んでいる。漁のための網を編んでいるの。網ができたら私に知らせておくれ。その時期にマグロを岸辺に送ってあげたいの」

そうしてマグロは、特定の季節にウイアク村の岸辺を訪れて、岸辺に卵を産むようになった。6月から8月の乾燥した季節（荒波の季節）がそのときなのだよ。そうして海鳥の飛び交う岸辺に、マグロもいっしょに群れ集うのさ》

## 子どもたちが教えてくれるオウム貝（ウボル村）

5億年以上も前からの「生きている化石」といわれるオウム貝は、世界各地で絶滅の危機に瀕（ひん）しているが、ニューブリテン島の原生林の海辺には、多様で独自の文様のオウム貝が棲息して

赤ちゃんとオウム貝（ウボル村）

いる。

殻のなかにいくつもの隔室をもち、液体を出し入れしては、気圧の調整をする。その調整で、昼間は深海に潜み、夜は上昇して浅海のエビやカニをむしゃむしゃ食べる。天敵はいない。

子どもたちは言う。「でもね、イルカに追われてあがってくるときに、捕まえることができるのだよ」

## 子どもたちのささやかな小魚とり（チョイソル島とタウリ河の村で）

ソロモン諸島のチョイソル島（地図229ページ）の浜辺で、5歳ぐらいの少女たちが、網（蚊帳の切れ端）を広げて、小さな「ジャコ雑魚」を掬いとっていた。私が「美味しいの？」と聞くと、目を輝かせてうなずいた。

ジャコは特定の季節に岸辺に来る。子どもたちはそれを知って待っていたのだ（2008年11月）。

パプアニューギニア本島の南岸に、原生林からの悠久のタウリ河（地図35ページ）がある。河岸に雀のように並んで小魚を釣っている子どもたちがいた。竿をぴょんとあげると魚が釣れてくる。餌は樹の根元の幼虫だという。上流の岸辺では、兄さんたちが河への飛び込みに興じ、下流では母さんたちが竹の編みザルで「赤いオキアミ」を掬っていた。

幼い子どもたちに習って、私も釣りに加わってみた。でも釣れるわけはなかった。子どもたちの絶妙な手さばきにはならない。それを台所から見ていたお母さんがいた。そうして、お皿にあふれるほどの小魚（子どもたちの収穫物）と、「赤いオキアミ」（母さんの収穫物）を盛って、私に「はい、夕食に食べてね」と持ってきてくださった。悠久の河畔での、忘れられない夕暮れの思い出であった（２０００年2月）。

## 独自の文様のトリバネアゲハ（ウボル村）

世界最大の蝶トリバネアゲハ（写真5ページ）の棲息するニューブリテン島のウボル村（地図305ページ）で、皆が教えてくれた。

「この大樹（クリンキン・パイン）とトリバネアゲハには、私たちの部族の秘密のつながりがあるのだよ」（嬉しそうに語る長老）

「トリバネアゲハのお母さんは、タガラという苦い葉っぱの裏に卵を産むの。タガラの葉を食べて育った幼虫は苦くて匂うのよ。だから鳥はその幼虫

トリバネアゲハと密接なつながりをもつ自分たちの部族の樹を示すウボル村の長老

サイチョウと遊ぶ村人たち（ワイド湾クランプン村）

を食べないのよ」、「ハイビスカスの花には、その蜜を求めてトリバネアゲハが寄ってくるから、私たちは家のまわりにハイビスカスを植えているの」（女たち）

ウボル村には、その蝶の歌と踊りまである。

「ポポシパ（雄のトリバネアゲハ）、ポポパエレ（子どものトリバネアゲハ）……赤ちゃん蝶よ、お前の足はなぜ一本なの？　私たちはお前のことが心配なのよ」という。

## 生きとし生けるものと、村人たちの言語集団の相互関係

パプアニューギニアには独自の言語集団が800以上ある。その多様な言語集団は、また世界に類をみない多様で独自の華麗さを誇る生態系を存続させている。トリバネアゲハとか、ワニとか、サメとか、極楽鳥とか、樹種の相互関係とか、

「それぞれの語族には、それぞれの祖先の生きものがあって、その語族はその生きものを殺さない」。その相互のバランスのなかで多様性が保たれている。

「極楽鳥はクイラに、サイチョウはナリナッツの樹に巣をつくる。その樹が伐られると、それを巣にしていた鳥は死ぬ。他の樹でいいってもんじゃない[4]」

また、「同じ祖先の生きものをもつ語族同士は、初めて出会ったとしても、まるで長年の友だちのように友情を交わすのさ」と人々は語る。

## 日本軍が持ち込んだ蝸牛（カタツムリ）とカエル（トラック諸島からラバウルへ）

こうした島々に、戦争や開発で、外からの侵入者が入ったらどうなったか。

日本軍は蝸牛（カタツムリ）（African Snale）をトラック諸島からラバウルに持ち込んだ。日本軍の食料とスープの材料とするためであった。ところが蝸牛は、パプアニューギニア中に広がって、住民の大切なハイビカ（緑の野菜）や、タロイモを食い荒らすものとなってしまった。

「あれは今村将軍のアイディアでしたよ」と、松田才二さん（第1章、第2章に登場した元憲兵隊員）が証言する。

日本軍はカエルも持ち込んだ。ヘビを退治するためであったという。その結果、「ヘビは減ったがカエルが増えた。背中にたくさんのイボがあるので気味が悪い。またヘビが減ったために、ヘビが食べていてくれたバッタや甲虫類が増えてココヤシの幹を襲い、タロイモを襲い、私たちの暮らしの糧を駄目にしている」と、地元の人も語る。このイボイボの外来ガエルは、今やパプアニューギニア中に広がってしまっている。(5)

## 軍艦が持ち込んだブラウン・ツリー・スネーク（グアム島）

マヌス島からか、ソロモン諸島からか、今度はヘビが軍艦といっしょにグアム島に密航?していった。危険な「ブラウン・ツリー・スネーク」である。このヘビの天敵は、本来は大トカゲであったが、ヘビの密航先のグアム島には天敵がいない。そのヘビは猛烈な勢いで増えた。

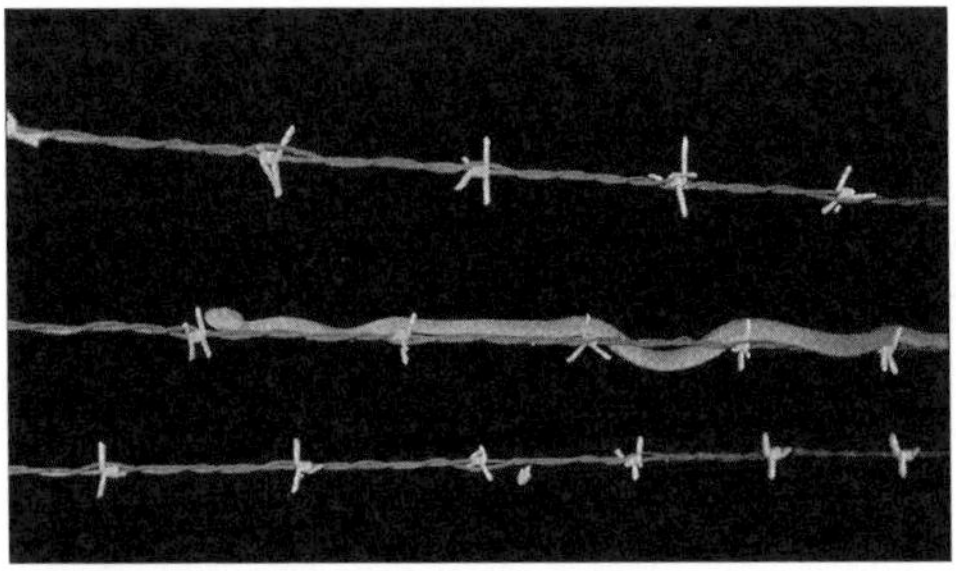

どこにでも忍び込み、登り、なんでも食べる。鳥たちの卵も食べる。1980年には全域の鳥を壊滅近くに追い込んだ。グアム島固有のマリアナ・クイナ、ミクロネシア・カワセミなどの鳥たち11種類を絶滅の危機に向かわせた。

電線を這うブラウン・ツリー・スネーク
（『パシフィック・デイリー・ニュース』1995年2月6日）

私は1980年から3年間グアム島に住んでいたので、「グアム島には小鳥が少ないなあ。なぜだろう?」と思っていた。教えていた高校の教室にもそのブラウン・ツリー・スネークがたびたびあらわれた。怖がる私に、悪戯（いたずら）な男子高校性たちが、嬉々としてそのヘビを、目の前に吊るして脅かしてくれたのは言うまでもない！

当時、「1平方マイルあたり1万2000匹もブラウン・ツリー・スネークがいる地域もある」と報道された。噛まれた人は激しい痛みと腫れ、呼吸器障害を引き起こす。グアム島で多発する電線故障の原因も、このヘビにありとされていた。その駆除対策はない。今ではミクロネシアの島々やハワイにまで広がってしまっている。(6)

## 弾薬の山と化学物質の投棄

戦後の米軍はグアム島には核兵器を、サイパン島のタナパク港とその内陸には、危険な薬物、武器、化学物質を貯蔵した。

さらに朝鮮戦争やベトナム戦争時には、CIA（米中央情報局）が秘密演習をサイパンで行い、大量のPCB（ポリ塩化ビフェニール）を残した（1960年来）。

そのPCBのドラム缶群（純粋のPCB66キロ入りが51缶）が、破損し、中身漏れを起こして、タナパク小学校の沼地で発見された（1988年）。すでに長年にわたって、猛毒のPCBが、サイパンの地下水を汚染していたのである。私は1992年にサイパンの水事情について調査を行った際に、水質検査官のジョン・ホフマンさんに聞いてみた。すると彼はこう言ったのだ。

「サイパンの地下は薄い保水層しかない。戦争でそれを汚染し、観光客が来て保水層の水はさらに乏しくなった。戦争と開発が小さな島、サイパンを駄目にしたってことさ」

## 日本軍が残した地雷や爆弾

日本軍は、攻略してくる米軍への水際作戦で、地雷を埋めた。戦後それが焼き畑をする村人への脅威となりつづけている。「焼き畑の火をつけるときは、逃げるようにして去らないと危険なのさ。だから最後の最後に火をつける」とニュージョージア島ムンダのレンネル・マムさんが怒る（第5章）。

日本軍は、爆弾の火薬や手榴弾を使って、魚を捕獲する方法を戦争中にやった。日本兵の食料補給のためであった。戦後、村人はその安易な方法を真似するようになった。「ダイナマイト・フィッシング」という。

## 渡り島の聖地を毒ガスの島に、太平洋を核実験の場にした欧米

ハワイとマーシャル諸島の中間にぽつんとある島、ジョンストン島（地図32ページ）は、周囲1000キロにわたって島がない絶海の孤島であり、太古からの渡り鳥にとっての聖地であった。鳥たちは翼を休めて、糞や遺骸や卵の殻を残した。その糞が大地に積もって石灰岩と化合したのがリン鉱石である。

戦後このジョンストン島で、米国は高空・超高空の核実験を12回行った。[7]

さらにジョンストン島には、ベトナム戦争に使用した毒ガス兵器が持ち込まれ、その貯蔵・焼

却・廃棄場所にされた。7万8000本の毒ガス兵器（1971年〜）、猛毒のマスタードガス（糜爛性ガス）、UXガス、枯れ葉剤が持ち込まれた。冷戦後のドイツからも、40万本のマスタードガスが持ち込まれた。

これらの廃棄と焼却、毒ガス漏れの実態は、極秘にされた。焼却後の灰の処分方法も公表されていない。

## ココヤシの木は知っている

日本軍は、島々の生命のココヤシの木を伐って、陣地や塹壕構築・滑走路と道路建設の材に使い、その実を食料として奪った。ココヤシの茎を鞭打ち道具にし、ココヤシの幹の赤蟻を拷問のために使った。ミクロネシアのマーシャル諸島では、もし実（ココナツ）を採ったら指を切られて、「ココナツ1個指1本」とさえ言われた。

米軍は、そのココヤシを何万トンもの艦砲射撃でぶっ飛ばし、黒い破れ傘のようにした。

米国の核実験が行われたマーシャル諸島では、実験場とされた島々や「死の灰」をかぶった周辺の島々でココヤシが地中の放射能を吸い上げ、食べてはいけない危険な実となってしまった。

## 「戦陣訓」の作者だった島崎藤村

「名も知らぬ遠き島より……」。「椰子の実」の歌を口ずさんでは望郷の思いを募らせ、玉砕に

**マリアナ・ムーヘンの湿地を埋め立てた住友建設の造成現場**（1998年）**と、絶滅の危機に瀕しているマリアナ・ムーヘン**

イラスト出所：CNMI Coastal Resources Management Office

赴（おもむ）いた兵士たち。ヤシの実を海に流しては家族への遺言を託した兵士たち。

でもその「椰子の実」の作詞者の島崎藤村こそが、「生きて虜囚（りょしゅう）の辱（はずかし）めをうけず……」という「戦陣訓」の草案をつくった人物であった。そのことを兵士たちは知らずに口ずさんで、玉砕していったのであった（第2章）。

## マリアナ・ムーヘンの棲息地をリゾートにした住友建設（グアム島）

グアム島のマネンゴン川と大湿地帯は、古来のマリアナ・ムーヘン（アカライチョウ、絶滅危惧種）の貴重な棲息地であった。丘から見えるその湿地に私も心を癒やされていた。

ところが住友建設は、その貴重な湿地を埋め立てて大規模リゾートクラブ建設を強行してしまった。

その規模５２０ヘクタール（東京ドーム１１１個

分)。広大なゴルフコース、ホテル、人造湖、3000戸分の別荘地の建設であった。違法である湿地の埋め立てに対して米司法省から制裁金130万ドルの支払い命令と造成変更要求が出されたほどであったが、グアム島に残された太古からの生態系が戻ってくることはなかった。(1990年6月30日の朝日新聞も報道)

## チャモロ人の墓の上に「墓地ホテル」(グアム島)

今では観光客で賑(にぎ)わうグアム島のタモン湾は、先史時代からの湧き水豊かなチャモロ人の集落であった。ところが、そこに日本航空やEIEインターナショナルがホテル建設を開始した。工事の途中で、チャモロ人の人骨が多数発見された。EIEインターナショナルの場合(ハイヤットリージェンシーホテルを開発)は、170体の人骨を箱に入れて保管。怒ったチャモロ人が工事中止を求めた。1991年には、チャモロ人の代表が日本にまで訴えにきたが、建設は強行されてしまう。チャモロ人たちは、怒りを込めて、これらのホテルを「墓地ホテル」と密(ひそ)かに名づけた。

グアム島でのゴルフ場づくりにあたっては、あまり知られていないことであるが、中国やオーストラリアからの砂が持ち込まれた。1つのゴルフコースに5000トン以上の砂をまいた。出航する港で塩素を大量にぶっかけてバクテリアを殺してから運んできた。足りなければグアムでも塩素を追加した。

グアム島には、「白浜ビーチに寝そべって楽しもう」という日本人が続々と訪れる。でも、他国から砂を持ち込み、大古からの墓や、湿地や水系の破壊のうえに、多くのリゾートがつくられてきたことも、チャモロ人と大地の悲しみのうえにつくられてきたことも、ほとんどの人は知らない。

## 結び

私たちの母なる地球、宇宙の唯一の青い星、その生態系は、無数の命の織物のように、互いに助けあいながら、生きとし生けるものの棲み処を創りあげてきた。その相互関係ゆえに、ひとつが倒れると将棋倒しのように崩壊する脆さをも含有している。その結果は取り返しがつかない。

私たち人間の貪欲とご都合主義で、この青い星の相互関係を崩壊させるならば、そのしっぺ返しは私たち自身に返ってくる。私たちのありかたが、遠い浜辺や森の暮らしを侵略したり、奪ったりするものであってはならない。

私たち自身が、奪わない暮らし、私たち自身が小さな暮らしに回帰することから、かけがえのない青い星の未来づくりが始まる。

（1）『南興水産の足跡』南興水産、1994年

（2）シサノ村は、原生林を守ってきたが、隣村では伐採を許してしまったため、森から流出した土砂がシサノの砂州近くに流れては、その浅海の棚に積もりつづけていた。1998年7月17日に、地震をきっかけに、浅海に積もった土砂が深海に滑り落ち、その反転で15メートルを超える大津波が村に押し寄せた。村人の半数の2200人が死んだ。その支援に訪れたときのことであった。

（3）谷内透『資源生物としてのサメ・エイ類』恒星社、1984年

鈴木隆史『フカヒレも空を飛ぶ』梨の木社、1994年

（4）パプアニューギニアには40万種もの昆虫・蝶類（世界最大の蝶、トリバネアゲハを含む）、2万種の植物（世界の植物種の7・5％）がいる。固有のものが多い。たとえば現存する鳥類の53％、哺乳類の17％はパプアニューギニア固有種である。昆虫類、爬虫類、魚類にいたっては、数えきれぬほどの「新種」（と人間が勝手に名づけるが）、古来の生きものが人知れず、その生命を紡いできたのである。（パプアニューギニアの環境保護省のレポートから）。

（5）『ザ・ネーション』1996年5月2日号

（6）『ザ・ネーション』および『パシフィック・デイリー・ニュース』から

（7）米国は、ジョンストン島だけでなく、マーシャル諸島の2環礁（ビキニとエニウェトク）および周辺海域で67回、クリスマス（キリスィマスィ）島で24回など、太平洋において109回の核実験を繰り返した。米国だけでなく、英国はクリスマス島とモールデン（モルデン）島で9回、オーストラリアで12回の21回。フランスは、仏領ポリネシア（タヒチ・ポリネシア）の2環礁モルロア（ムルロア）とファンガタウファで193回の核実験を実施。太平洋は大国の核兵器開発の踏み台とされてきた。（地図32〜33ページ）

# あとがき

この本は１９８０年から今にいたるまでの、半世紀にわたる太平洋の島々での出会いと聞きとりから生まれました。

浜辺の白砂で、森の奥地で、小さな小屋で、蛍が舞う激戦地の飛行場跡で、波間にゆれる小舟のうえで、ゆっくりと語ってくださった話しの数々を綴ってきました。

その優しくも、温かい、とてつもない重さと、悲しみをともなった話に耳を傾けるにつれて、それを埋もれさせてしまうのは、あまりにももったいない。日本の多くの人々に伝えたい、日本の未来の世代にも伝えたいとの思いから、本書の出版を決意しました。

日本の侵略を受けて激戦地にされた村々で、戦後の森へのブルドーザーの進出や海の資源の争奪に対して、踏み込まれた側からの、受難と抵抗の秘められた物語の数々です。

その事実はあまりにも深く、暗闇の歴史に閉じ込めておくには惜しい。どの章も胸打つ秘話に満ちています。

原生林の魅惑と、それを破壊する伐採企業の実態について、何も知らなかった私は、森を守る魂のような方たちから、多くの学びをいただきました。

政府や企業からの圧力と暗殺宣告を受けながらも、森をまもる道を説いて巡っていた村の指導者は、私をその旅路に同伴しながら、伝統の知恵、海と森と人間の太古からのつながりを教えてくださいました。

伐採業者から政治家がこっそりと賄賂を受けとるという隠れレストランの現場に、私を連れていっては、「これが日常だよ。よく見ておくがいい」という実地指南までもしてくださった法律家がありました。

日系伐採企業の数々の不正を暴いた最高裁判事による重要なレポートの何千ページをも、夜を徹してコピーして、「日本に持って帰って紹介したらいいよ」と、私に手渡してくださった政府高官もありました。

森の奥地にテントを張って、迫り来るブルドーザーの前に横たわっては、「子どもたちのために森を残して」と抵抗し、傷を負いながらも伐採企業を追い出した女たちは、「こうやって寝っころがったのよ」、「でも男たちが寝っころがったら、そうはならなかったわよね」と、ユーモアたっぷりの実演で、その出来事の顛末をわかちあってくださいました。

パプアニューギニアで、ソロモン諸島で、ミクロネシア諸島で、女たちが刻んだ、それぞれの輝く抵抗の歴史は、本書の核心部分のひとつでもあります。

執筆の過程で、侵略者であった日本側からの聞きとりも重視しました。

ラバウルの侵略者であり、泣く子も黙る権限をもった元憲兵隊幹部は、「慰安所」の実情や司令官たちの実態という知られざる内部事情や、戦犯裁判に賄賂を贈ったという彼自身の秘密までも吐露してくださいました。聞く側の私は、なぜこんな秘密を私に？と思いました。
最前線のタコツボ（身を隠す穴）のなかでの武器もない戦いで、多くの部下を失った元現地小隊長の一人は、戦争のむなしさ、大本営の命令の非情さ、その陰で儲ける三菱などの軍需産業への怒りを、まるで遺言のように私に語りつづけて帰天されました。

玉砕に派遣された元日本兵たちからは、「食べ物もなく彷徨っていたときに、助けてくれた住民の優しさと、夜の蛍の点滅の美しさ」、「それに比べて軍隊は地獄でした」、「日本は悪かった。あんなに優しかった人々の森の樹を今、日本は伐っている。そうしたことを反省しなければなりません」との思いを受けとりました。

太平洋側と日本側のいろいろな立場からの打ち明け話を聞くにつれ、それを語ってくださった方々への思いと、語ることもできずに死んでいった無数の人々の叫びに、どう応えていったらいいのか？悩みました。

そうしたなかで、玉砕前線に兵士を送りだしておきながら、自分たちは「慰安所」を最も利用した軍幹部たち、自分の発した虐殺命令や人体実験の責任を部下に転嫁して、戦後の日本の闇に紛れ込んで行った司令官たちの卑怯な姿についても、このまま暗闇に葬ったままにしてはならない、明らかにしていこうとの決意を固めました。

一方、私自身も、活動を開始した当初から、日本の政治家（岸信介一行など）や官僚からは、底知れぬ圧力を受けてきました。私への監視でした。現地の住民ともども会議から閉め出され、書くな、しゃべるな、伝えるなという無言の圧力も受けました。調査過程での資料の黒塗りに出会う事件もありました。まるでかつての箝口令や、資料を隠蔽した手口を思いださせるものでした。伐採企業からはボートで追われ、「飛行機に乗せるな」との圧力を受けたこともありました。

　こうした圧力は逆に、「そんなに気になるなら、がんばりがいがある」との決意を私に抱かせるものとなったのですが……。

　底知れぬ闇の力に対して、日本と太平洋をつなぐ、心ある多くの人々が、蛍の樹が光を放って呼びあうように、ともにネットワークを組んで抵抗してきた凸凹道の感動も、この本に織り込まれています。

　森を守る活動としても、現地に出かけた仲間たちとともに、「パプアニューギニアとソロモン諸島の森を守る会」（１９９４年〜）を始めました。小さいながらも、その活動は、日本での熱帯材不使用と、日本の地元の材と伝統工法を重んじる活動、現地の原生林の村々との連帯の絆を紡いでいます。

　日本は今、他国の紛争を口実に、かつてない勢いで軍拡への道に舵を切っています。温暖化防止を口実に、原発政策への危険な道に猛進していく日本。その先には、断崖絶壁に向かって走りつづける特急列車のように、誰も止めることができない破局が待っています。原発は温暖化を進める元凶でもあり、青い星の地球の破滅をもたらすものであることは隠されたままです。

軍拡と原発政策のなかで、誰が何の利益を得ていくのか。誰が何を失っていくのか。しっかりと問う必要があります。そしてそれに皆で歯止めをかけていくことが何よりも大切であると思います。

日本の民衆の多くが、2度と戦争をしたくないと思いつつも、被害者意識だけに終わってしまい、自分たちがアジア太平洋への加害者であったことを見つめてこなかったのは残念です。過去を振り返り、2度と加害者にならないように歩むよう問われつづけています。

そのためにも、太平洋への侵略と森と魚の争奪の加害者でありつづけてきた、日本の私たちのありかたを見つめることは、重要であると思います。

女たちが呼びかけあう、「ココナツ・ワイヤレス」(女たちの井戸端会議での伝達の場)が、小さな現場からの、小さなとりくみのネットワークで、森をまもり、海をまもり、歴史に残る出来事を刻んでいったように、日本の私たちも、その「ココナツ・ワイヤレス」に、ともにつながらせていただきながら、唯一の「青い星」の水平線に、未来への希望の夜明けをつくりだしていきたいと願っています。

最後に本の出版のために、協力しつづけてくださった、すべての方々に、この本の完成を通して、深い感謝の念を伝えたいと思います。

『森と魚と激戦地』初版の北斗出版版を引き継いで、改定版を発行されようと尽力されたコモンズの大江正章さんには、特別の感謝を捧げたいと思います。病床で添削をしつつ、この本だけは出版したいと願いつつ帰天された大江さんでした。

そして今回、三省堂書店からの出版にこぎつけることができました。担当いただいた高橋淳さんに感謝いたします。

後ろ盾となって出版への道を開いてくださった「パプアニューギニアとソロモン諸島の森を守る会」、出版のために惜しみない支援をしてくださった数多くの友人たち、戦犯問題の執筆に助言してくださった内海愛子さん、半世紀にわたる太平洋問題へのとりくみの仲間である荒川俊児さん（本書の編集を引き受け、装丁や詳細な地図も作成）、そして何よりも、日々ともに支えてくださったメルセス会修道院の姉妹たちに、深い感謝を捧げたいと思います。

この本が多くの方に読まれ、できるならば全国の図書館に置いていただいて、〝森と魚と激戦地〟のメッセージを知る機会となっていただけることを希望しつつ筆をおかせていただきます。

２０２３年４月７日（復活祭前夜に）

清水靖子

〈著者紹介〉

## 清水　靖子（しみず　やすこ）

　1937年東京に生まれる。ベリスメルセス会宣教修道女会に入会し現在にいたる。

　日本の高校で11年間社会科の教師をした後、1980年から1986年までグアムとサイパンに派遣され、現地の高校で教える。住民とともに日本政府による放射性廃棄物の海洋投棄計画反対に尽力。

　帰国後は太平洋諸島の環境問題、特にその熱帯雨林を守る活動を住民とともに展開し、「日本カトリック正義と平和協議会」、「ODA調査研究会」、「パプアニューギニアとソロモン諸島の森を守る会」に参加。

〈著書〉

『日本が消したパプアニューギニアの森』明石書店、1994年
『森と魚と激戦地』北斗出版、1997年
マーロン・クエリナド、清水靖子共著『森の暮らしの記憶』自由国民社、1998年（マーロンの絵と英語詩と日本語）。
「環境援助という収奪――タイとパプアニューギニアからの現地報告」『技術と人間』1992年6月号、技術と人間社
「日商岩井が汚染したマタネコ・クリーク」『週刊金曜日』2001年5月18日号（ルポルタージュ大賞の報告文学賞受賞）
宮内泰介・清水靖子「開発協力という名の熱帯雨林伐採」『検証ニッポンのODA』ODA調査研究会共著、コモンズ社、1992年

## パプアニューギニアとソロモン諸島の森を守る会

　熱帯雨林の豊かさと暮らしを守ることを目的として、1994年から現地住民との交流・支援、商業伐採による自然破壊に関する現地調査、スタディーツアー、報告会、ニュースレターや本の発行などを行なっている。（代表：辻垣正彦）

ホームページ：http://www.pngforest.com/
〒141-0031　東京都品川区西五反田8-10-14-206 辻垣建築設計事務所内　電話03-3492-4245

新版　森と魚と激戦地
はじめて明かされる太平洋の住民たちの受難と抵抗

2023年6月18日　初版第一刷発行

著者　清水靖子（しみず・やすこ）
発行・発売　株式会社三省堂書店／創英社
〒101-0051　東京都千代田区神田神保町1-1
Tel：03-3291-2295　Fax：03-3292-7687
制作　プロスパー企画
印刷／製本　藤原印刷


ISBN978-4-87923-204-5　　C0022